高校入試

湊 かなえ

角川文庫
19655

目次

高校入試　人物相関図

県立橋第一高等学校

教師

校長　的《まと》場《ば》一《いち》郎《ろう》

教頭　上条《かみじょう》勝《まさる》

情報処理　荻《おぎ》野《の》正《まさ》夫《お》

英語　松《まつ》島《しま》崇《たか》史《し》

英語　春《はる》山《やま》杏《きょう》子《こ》

体育　相《あい》田《だ》清《きよ》孝《たか》

英語　小《こ》西《にし》俊《しゅん》也《や》

数学　村《むら》井《い》祐《ゆう》志《じ》

音楽　滝《たき》本《もと》みどり

社会　水《みず》野《の》文《ふみ》昭《あき》

英語　坂《さか》本《もと》多《た》恵《え》子《こ》

美術　宮《みや》下《した》輝《てる》明《あき》

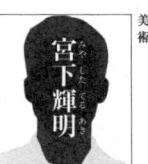

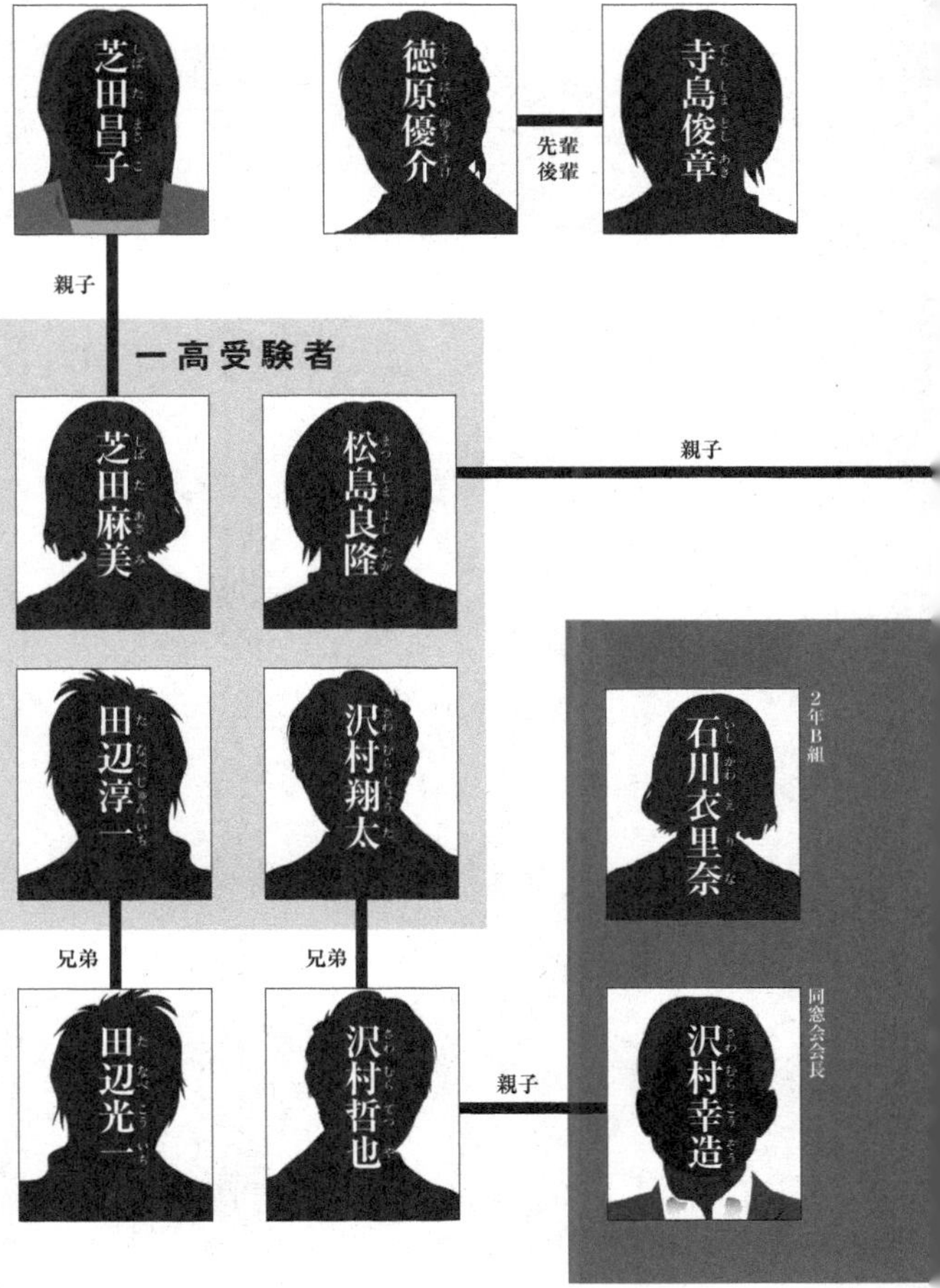
芝《しば》田《た》昌《まさ》子《こ》
徳《とく》原《はら》優《ゆう》介《すけ》
先輩
後輩
寺《てら》島《しま》俊《とし》章《あき》
親子
一高受験者
芝《しば》田《た》麻《あさ》美《み》
松《まつ》島《しま》良《よし》隆《たか》
親子
田《た》辺《なべ》淳《じゅん》一《いち》
沢《さわ》村《むら》翔《しょう》太《た》
2年B組
石《いし》川《かわ》衣《え》里《り》奈《な》
兄弟
兄弟
田《た》辺《なべ》光《こう》一《いち》
沢《さわ》村《むら》哲《てつ》也《や》
親子
同窓会会長
沢《さわ》村《むら》幸《こう》造《ぞう》

第１章　入試をぶっつぶす！

高校入試とは、何なのだろう――。

【三月八日（金）・入試一週間前】

『高校入試について語ろう！』16：00

〈春山杏子〉

県立 橘《たちばな》 第一高等学校、通称・一高は、地域の人から、県下有数の進学校と呼ばれている。校舎一階の廊下に貼り出された、本年度の大学合格者一覧表には、東大、京大、早大、など有名大学に合格した生徒の名前が連ねられている。ここに名前がある子たちにとっての一高とは、どんな存在だったのだろう。そして、これから入ってくる子たちにとっては。……入試まであと一週間だ。

「杏子先生、バイバイ。See you next week」

二年B組、私のクラスの石川衣里奈が元気よく走り去っていく。彼女の発音はいつ聴いても良い。衣里奈にとっての高校入試はどんなものだったのか。二年生にもなれば、すっかり忘れてしまっているのだろうか。

印刷室のドアに『生徒立ち入り禁止』の貼り紙がされている。本部の先生たちが入試要項の冊子を作成しているからだ。入試本部は校長、教頭、入試部長の三名で構成される。今年の入試部長は荻野先生だ。

今日はこれから入試会議がある。

職員室では先生たちが自席でお茶を飲んだり、各々の仕事をしたりしている。何もせずに身構えているのは、教師一年目の私くらいか。期末考査の成績処理をするため、ノートパソコンを開く。

小西先生がやってきて、初任研のレポートを渡された。

教員採用試験に合格した初年度は、初任者研修を一年間受けなければならない。同じ英語科担当の小西先生は私の指導教官だ。教科指導、生徒指導、どちらも親切に指導してくれるが、二ヵ月に一度作成するレポートに関しては厳しい。今回もチェックが入っている。『英語教育の課題』と題して、①実践会話に弱い、②ローマ字学習による発音への悪影響、など八項目ほど問題点を挙げたところを、赤ペンで囲まれている。

「一年間の総括に、問題点を指摘するような書き方はしない方がいいんじゃないかな」

「でも、今のままのカリキュラムじゃ、生徒の英会話力は向上しません。交換留学生が来ても、ほとんどの生徒がろくに挨拶もできなかったじゃないですか」

「じゃあ、春山先生が改善策として、どんなことをしたのか書いてみたらどうだろう。例文を生徒に人気のある海外アーティストの歌詞から引用したり、それをリズムに乗って読ませたりしていたじゃないか」

「それは、楽しい授業として考えたことなのに」

「そういうのがいいんだ。締め切りは入試が終わってからだし、焦らなくていいから。

……成績処理をもうやってんの？」

小西先生がパソコンを覗き込む。

「ホント、仕事が速いよね。たまには息抜きした方がいいんじゃない？　今度……」

校内放送の合図が鳴り、荻野先生のアナウンスが流れた。

『午後四時二〇分より、職員会議を行います。先生方は遅れないように、会議室にお集まりください』

まあいいか、と小西先生はつぶやいて、三年生エリアの自席へ戻っていった。パソコンを閉じて立ち上がる。

いよいよ入試の始まりだ。

『賛成。公立の入試、もうすぐだもんね』16：15

〈春山杏子〉

二階の会議室入り口で、荻野先生から『平成二五年度　県立橘第一高等学校入学試験要項』と書かれた冊子を受け取った。マル秘のスタンプが押してある。

「杏子先生、こっちこっち」

最後列の端の席に座るみどり先生に手招きされ、隣に座った。二人で冊子を開き、自分の係を確認する。みどり先生は保護者待機室、私は試験会場2の担当だ。二年B組の教室だからだろうか。荷の重そうな役どころだ。

「試験監督なんて大丈夫かな。カンニングがあるかも」

「ないない、見つかった瞬間、失格になるのに。人生一度の勝負にそんなヤバいことしないって。それに、試験監督は各会場、三人一組だし、杏子先生はサブでしょ。責任あることはリーダーがしてくれるから。水野先生か。全然問題ないじゃん」

会議はまだ始まっていないのに、水野先生は背すじを真っすぐ伸ばして座っている。ポーカーフェイスで何を考えているのか理解しがたいところがあるが、常に冷静で真面目な先生だ。

同じ会場を担当するもう一人は村井先生……、バタバタと駆け込んできた。遅れてすみません、と息を切らしながら冊子を受け取り、荻野先生や周りの先生たちに頭を下げている。まだ開始三分前だというのに。前列の真ん中に割り込むように座り、あたふたと冊子をめくっている。他人を心配できる立場ではないが、試験監督など大丈夫なのだろうか。

『語るようなことか？　今のご時世、どこのガッコも定員割れ。入試なんて余興みたいなもんじゃねーの？』16：20

〈滝本みどり〉

上座の席に的場校長、上条教頭、荻野先生が並んで着いた。まずは教頭の挨拶から。用件だけでいいのに。会議も入試も面倒だ。隣の杏子先生はペンを片手にしっかり前を向いて聞いている。ホント、真面目なんだから。

「本年度、わが校の東大合格者は一〇名。例年の二倍です。昨今の経済情勢により、有名私立高に流れる優秀な生徒が、公立高校に戻ってきている結果といえます。そのため、本年度の受験生もかなりレベルが高いと予測できます」

肘を杏子先生に指先でちょんちょんとつつかれた。

『有名私立高って？』冊子の片隅に書いてある。

『近いところで、清煌《せいこう》学院かな』走り書きで返してみたけど、あまりピンときていない様子だ。帰国子女の杏子先生はこの辺の地域のことをほとんど知らない。高校卒業までアメリカで過ごし、大学は東京の有名なところを出て、旅行代理店の大洋《たいよう》ツーリストに就職したのを機にこの県にやってきたらしい。

「そのため、一点、二点が大きく合否に作用するでしょう。しかし、四年前、県下一斉、過去五年にわたる答案用紙の開示により、本校でも採点ミスが発覚し、ここにおられる先生方も数名、処分を受けるという事態が生じました」

坂本先生、水野先生、宮下先生の背中がピクリと反応する。坂本先生はジャケットのポケットをさぐり、水晶玉を取り出した。頭痛が発症するとあれで冷やすのだ。

教頭が校長にバトンタッチした。

「本年度もまた、例年以上に外部の目が厳しく光っているということを意識して、入試部長の荻野先生を中心に、各々の役割に責任を持って取り組んでいくように」

『処分って?』杏子先生が書いた。

『減給。月何千円とか。軽い、軽い』なんて返してはみたけど、自分じゃなくてよかったと思う。採点は各教科五人で行われる。教科担当の先生が中心で、人数が足りない場合は他の教科担当が補助に入る。わたしは今年、国語の補助だ。よかった、英語じゃなくて。

『定員割れ？　そんな高校、語る価値ナシ。一高を語れ！』16：45

〈春山杏子〉

荻野先生が冊子に沿ってひと通り説明を終えた。イメージはだいたいつかむことができた。みどり先生は大欠伸をすると、照れ隠しのように、私に向かって小さく舌を出した。荻野先生からの、何か質問は、との問いに、小西先生が手を挙げた。

「どうして、松島先生が職員室待機なんて、事実上、何もナシみたいな役割になっているんですか？　採点分担表にも名前がない」

「息子さんが本校を受験するからです。規則ではありませんが、外部から余計な誤解を受けないためにも、本部で話し合い、このような措置を取ることにしました」

松島先生が申し訳なさそうに、周囲に頭を下げた。教師としてではなく、親として迎える入試とはどのようなものなのだろう。今度は宮下先生がのんびりと頭を掻きながら手を挙げた。

「警報発令時の対処法ってあるけど、天気はどうなってるんですか？」

「本日午後三時の週間天気予報では、晴れの予報になっています」

相田先生も手を挙げた。

「夜食は出ますか？」

「経費削減のため、本年度から、こちらで準備するのは昼の弁当のみです。全教科の採点が終了するまで校内から出ることはできませんので、必要な方は各自でご準備ください。外部からの立ち入りも禁止ですので、店屋物の注文もできません」

そんな、と相田先生を始め、他の先生たちからも不満の声が上がる。

「杏子先生もカップラーメンとか持って来ておいた方がいいよ。って、英語じゃあ、食べるヒマないかな」

何で？　とみどり先生に訊き返そうとしたが、先にペンをとられた。

『相談したいことがあるんだけど、このあといい？』深刻そうな様子はない。

『OK』と返事を書く。

「他にないようでしたら、本日の会議は終了します。なお、冊子は入試終了後、回収しますので、紛失などしないようご注意ください。校外への持ち出しも禁止です」

荻野先生の穏やかな声で締めくくられた。案件が入試というだけで、いつもの職員会議と変わらない。緊張していた自分がバカみたいだ。

『校名、出していいのか？』16：50

〈滝本みどり〉

重要な会議はこれからだ。杏子先生と四階の音楽室に行くため、階段に向かっていると、後ろから坂本先生に呼び止められた。

「春山先生、このあと五時から教科会議をするので、準備室まで」

杏子先生がわたしを見る。

「大丈夫。こっちは五分で終わるから」

杏子先生は安心したように、了解です、と坂本先生に返事をした。教科主任が坂本先生だなんて英語科は大変だ。

「春山先生、入試、よろしくお願いします！」

今度は村井くんがやってきた。年が一緒のせいか、村井くんには先生と付ける気がしない。決して彼が常勤講師だからってわけではない。

「こちらこそ……」

村井くんは杏子先生の返事を待たずに背を向けた。水野先生～、と大きな声が響く。人一倍やる気はあるんだけどね。

「採用試験、毎回、面接で落とされてるんだって。わたしも一回落ちてるから、他人のこと言えないんだけど。その点、杏子先生はすごいよね。社会人から一念発起で一発合格だもん」

教員採用試験は毎年夏に行われる。この県は一次が筆記試験、二次が集団と個別の面接となっている。

「ラッキーだっただけよ」

謙遜するなんて杏子先生らしくない。教科ごとに多少の差はあるけれど、倍率二けたの狭き門だ。一般教養や教職教養なんて、日本独自の問題ばかりだろうし、きっと杏子先生はめちゃくちゃ勉強したんじゃないだろうか。旅行会社の方が楽しそうなのに。

音楽室に入り、ピアノの上に置いていたコピー用紙を杏子先生に渡した。北海道のリゾートホテル『インディゴ』。ネット予約できていたつもりが、確認すると、まったく別のところになっていた。改めて予約しようとしたけど、すでに満室だった。

「一部屋くらい、ツテを頼ってどうにかならない？」

「映画のロケで使われてから、急に有名になったんだよね。いつ？」

「来週の土曜日」

「そんな急に。あれ、入試の翌日なのに大丈夫？」

採点が終わればヒラ職員の役割は終了で、あとは本部の仕事となる。

「入試が終わって、そのまま車で空港まで行って、朝一の便で向かう予定だったの」

「でも、その日は遅くなるって言ってなかった？」

「九時頃」

「その程度で、夜食が出ないって騒いでたの？」

杏子先生は心底あきれた顔をしている。

「それより、どう？　いけそう？」

「人数は？」

「当然、彼氏と二人よ。まさか、杏子先生、わたしたちのこと気付いてないの？」

オープンにはしていないけれど、勘の良さそうな杏子先生には気付かれていると思ってた。

「この学校にいるんだ。誰？」

「予約とれたら、教えてあげる」

もったいぶって笑ってみたけど、どうか本当にお願いします。


『正式名称じゃないからオケー』16：52

〈松島崇史〉

今年の入試は楽なのか居心地が悪いのか、自分でもよくわからない。職員室に戻る途中、荻野先生に呼び止められた。

「松島先生、息子さんの調子はどうですか？」

「のんびりしたもんです。ぴりぴりしているのは親ばかりで。このたびは、ご配慮をいただいてありがとうございました」

正直なところ、良隆の合否についてはあまり心配していない。当日、熱でも出さない限り大丈夫だろう。一高を「橘東大」などと恥ずかしげもなく口にする同窓会の連中もいるが、所詮は地方の公立高校だ。

「いやいや。どこにクレーマーが潜んでいるかわかりませんからね」

荻野先生が苦笑する。まさにその先、玄関前に面倒なヤツが待ち構えていた。

「荻野さん、待っとったよ」

沢村同窓会会長だ。

「卒業式ではどうもお世話になりました。さ、どうぞ、こちらに」

荻野先生はいつも通りの丁寧な態度で沢村会長を応接室に案内した。が、沢村会長がいきなりこちらを振り向いた。

「松島さん、確か、あんたのところの息子も受験ですな。お互い、がんばりましょう」

ガハハと笑いながら応接室に入っていく。あいつの息子など、ろくでもないヤツに違いない。

『高校入試に人生狂わされた』17：00

〈坂本多恵子〉


一高の英語科教諭は私、松島先生、小西先生、春山先生の四名だ。新人の春山先生は優秀だとは思うが、教科会議ごとに授業を楽しくする教材作りなどの提案をしてくるので鬱陶しい。教科主任、生徒指導部長、と忙しい私には、お楽しみ会の企画をしているヒマなどない。

風紀指導、暴力沙汰など、他校と比べれば問題は少ないのかもしれないが、生徒同士の小さな衝突は日常茶飯事で、近年はそこに親も絡んでくるのでやり辛い。そもそも、この一高では、楽しい授業など求められていない。とはいえ、張り切るのは一年目だけで、じきに落ち着いてくるだろう。

「成績処理については以上です。その前に入試ね……」

「採点から松島先生が抜けるのは痛いなあ。三年前に先生と僕がここに来てからは、英語の採点ミスはゼロですもんね」

小西先生は時折、さらりとイヤミを挟んでくる。

「私に言ってるの?」

「違いますよ。でも、去年も一昨年も、坂本先生のミスを松島先生がみつけてくれたじゃないですか。二点の問題を一問しか間違えてないのに八〇点なんて。大問題ですよ」

薄い電卓は、数字を入れても、反応しないことがたびたび起きる。じっくり採点をすれば、遅い、と文句を言われるため、必死にペースアップしているというのに。

「私は悪くありません! 電卓のせい。不良品を用意した事務室が悪いのよ。お洒落なカードタイプなんて、誰に見せたくてそんなもの経費で買うのかしら。ホント、最近の若い人は……」

「まあまあ。過去にミスがあっても、一人のせいじゃない。一枚の答案用紙を五人で分担して採点するんだから」

松島先生がフォローしてくれる。ありがたいが、余裕のある笑みを浮かべているのは気に入らない。

「私はとばっちりを受けただけなのよ。それより、今年は教科外から二人も入るでしょ。そっちの方が心配だわ。誰？」

春山先生が入試要項の冊子をめくった。

「宮下先生と相田先生です」

「美術と体育。どっちも当てにならないわねえ」

「大丈夫、今年は英語科のホープ、春山先生がいるからね。よろしく頼むよ」

松島先生に激励され、春山先生が、がんばります、とガッツポーズをとった。何をがんばるのかわかっているのだろうか。重要なのは、問題なく、スピーディーに採点を終わらせることだ。英語科主任の私のイメージダウンにならないためにも。

『人生なんて、大袈裟じゃね？』18：00

〈春山杏子〉

勤務時間中にプライベートな用件は気が引ける。携帯電話を片手に生徒用下駄箱の陰に隠れた。インディゴリゾートの予約など一週間前では絶対に無理だと思うが、頼まれたからには仕方ない。三コール目で優ちゃんが出た。

「……そこを何とか。三年連続営業成績ナンバーワンじゃない。お礼に修学旅行の幹旋？　そんな権限ありません。それならって……、考えとく。じゃあ、よろしくね」

電話を切った。受けてくれたのは助かるが、優ちゃんからの条件はいただけない。インディゴリゾートに行くのは私ではないのに。

「お疲れ様です！」

跳び上がりそうになりながら振り向くと、村井先生が立っていた。

「いつからここに？」

「たった、今。今日、戸締まり当番なので。彼氏さんですか？」

「ハズレ。前の職場の同僚」

「怪しいですね。ま、小西先生には内緒にしておきますよ。じゃあ」

村井先生はニヤニヤしながら走り去った。私が小西先生のことを好きだとでも思っているのだろうか。小西先生はクールでかっこいいと一部の女子生徒から人気があるが、一歩引いて物事を見ているようなタイプ、私は苦手だ。

職員室に戻り、ドア横にある給湯コーナーへ向かった。食器棚には、職員が各自用意したカップが並んでいる。私のは京都限定キティちゃん模様だ。買ってからもう五年経つ。

「杏子ちゃん、俺にもついでにコーヒー淹れて」

二年生エリアから宮下先生が声を上げた。宮下先生のカップは美術教師らしく、ゴッホっぽいひまわり模様だ。了解です、と返事をする。相田先生が入ってきた。続いて、村井先生もやってくる。

「お疲れさまです、キヨタン」

村井先生が相田先生にニヤニヤしながら声をかけ、三年生エリアにある自席に向かった。キヨタン？

「キヨコタン、俺もコーヒーお願い」

相田先生が私に向かってニッと笑う。同じ年なので軽く呼び合ってもいいのではと思っていたが、いきなり、キヨコタン、はないだろう。

「ここにいるなら、自分で淹れる！　ところで、何？　その呼び方」

「あれ、知らない？　二年生のあいだで流行ってるらしいよ。俺もさっき石川にいきなり呼ばれて驚いたけど。先生のクラスだよね」

「衣里奈にそんな呼ばれ方したことないな」

「あ、俺、部活の顧問だからか。舐められたもんだな」

相田先生は棚から国体記念と書かれたバレーボール模様のカップを取り出した。男子バレー部の顧問をしている。私は女子バスケ部だが、部活の子たちにニックネームで呼ばれたことはない。

コーヒーを二つ持って席につく。宮下先生は二年A組担任、隣の席だ。

「どうぞ」

「ありがとさん。杏子ちゃんも、もう一年か。教師の仕事もだいぶ慣れた？」

「おかげさまで、なんとか。宮下先生には学校のことだけじゃなく、初めて住むこの地域のことも、いろいろと教えてもらいましたし、感謝してます」

「そりゃ、隣の席の美人先生が帰国子女とあっちゃ、親切にしないとな。じゃあ、来週は入試だが、粗大ゴミ置き場事件は知ってるかい？」

「でました、一高伝説！」

知らない、と答える前に相田先生がやってきて、合いの手を入れた。コーヒーを持ったまま空いている席から椅子を引っ張り、私と宮下先生のあいだに座る。

「それ、俺たちのときは、学習机事件って呼ばれてたっすよ」

「そうか？　俺と相田っちで確か一五歳違いか。まあ、名前は変われど、伝説は続いてるってことだな」

「伝説？」

宮下先生も相田先生も一高ＯＢだ。何だかイヤな予感がしてきた。


『俺は合格発表の翌日、勉強机捨てた』18：20

〈宮下輝明〉

自慢話は好きではないが、高校時代の思い出話は好きだ。地元のお見合いパーティーで一回り以上年の離れたかみさんと話が盛り上がったのも、一高ネタがあったからだ。

杏子ちゃんに一高ネタはどうも受けが悪いが、入試を前に、一高職員としてやはり伝説は知っておいた方がいいだろう。

「一高の合格発表後は、学区内の粗大ゴミ置き場に学習机が山積みにされる、っていう伝説だよ」

「まさか、落ちた腹いせに？」

「逆だよ。一高に合格すれば、もう勉強する必要なし、ってこと」

「俺も、親が親戚の家から軽トラ借りてきて、一緒に捨てに行きましたよ」

気のいい後輩、相田っちがフォローしてくれる。

「じゃあ、入学後はどうやって自宅学習するんですか？」

「まあ、今はあんまり見ないかな。昔は偏差値高くても、進学する人間は限られていたから、地元の名門校、一高合格が最終目標で、そういうことをやっていたんだろうけど」

「うちの場合は親父がやりたがって。でも、ゴミ捨て場行くと、すでに三つくらいあって驚いたっす。まあ、実際、入学後は部活三昧で、自宅学習なんてほとんどやらなかったから、全然困らなかったっすけどね」

俺なんか、学習机はずっと物置状態で、一度も使ったことのないまま捨てた。宿題は台所で、が基本だ。プリントにしょうゆのシミが付いても気にしない大らかな性格は、そこで培われた。

「それでも孝行息子、だろ？」

「そりゃ、一高生っすから」

「あの、ここって偏差値は学区で一番高いかもしれませんけど、何がそんなにすごいんですか？」

やはり、杏子ちゃんはわかっていない。うわー、わー、と相田っちも大声で問題発言をかき消している。

「杏子ちゃん、学区で一番ってことに意味があるの。この辺りじゃ、東大よりも一高なんだよ。地元一の進学校、一高に合格すれば親は万々歳。そのあと、東大行こうがプータローになろうが、関係ないの。な、水野っち」

水野っちは天下の東大卒だ。一高の同級生時代から俺を見下していたのに、気が付きゃ一緒の職場。向こうが嫌うほど、俺は水野っちを嫌いじゃない。

「わかりやすく説明すると、ある兄弟がいて、兄ちゃんは一高に受かって、卒業後、三流大学に進学。弟は一高に落ちて、別の高校に行って、卒業後、一流大学に合格。どっちが自慢の息子か、わかる？」

相田っちが定番の例を挙げて、杏子ちゃんに説明した。

「私は弟だと思うけど、この辺りの常識では、兄？」

「正解」

相田っちがにんまりと親指を立てた。よくできました、と俺も頷く。

『最終目標が高校合格、って15歳で人生決まるのか？』18：25

〈春山杏子〉


合格発表後に学習机を捨てる。これが伝説？

そうなのよ、と坂本先生も、韓流スターの顔がプリントされたカップを片手に加わった。

「うちの娘にこのあいだ、お見合いの話がきたんだけど」

「あれ？　坂本先生ってまだ二〇歳じゃなかったっすか？」

調子に乗った相田先生のわき腹を、坂本先生が肘で突いた。

「今は娘の話。写真で見る限り、けっこうハンサムで、感じのよさそうな人だったのよ。娘より二つ年上で、城南《じょうなん》工科大学を出て、四谷《よつや》電機に勤務しているの」

「理系のエリート、いいじゃないっすか。俺の友だちも四谷電機行ってるけど、正直、俺より給料いいっすよ」

「でもね……」

「性格になんか問題があるんすか？」

「ううん。紹介してくれた人によると、近所の評判もいい好青年らしいの。趣味はサッカーとスキーって書いてあったから、スポーツも得意なはずよ。でも……」

「もしかして、坂本先生が惚れちゃったとか？」

宮下先生が茶化した。

「もう、私は真剣に娘の幸せを祈ってるの」

「じゃあ、何が問題なんだ？」

「三高なのよ」

「ああ……」

宮下先生と相田先生が大袈裟に天を仰いだ。口を挟みたくなかったが、まったく意味不明のため、思い切って訊いてみる。

「三高って、橘第三高校ですか？」

「そうよ」

「どうして、ダメなんですか？　ボランティア活動が盛んだし、部活も、放送部が全国大会で特別賞とりましたよね」

「そうか、春山先生はここの常識を知らないのよね。三高が悪いってわけじゃないのよ。私も昔五年間勤務していたけど、いい学校だったわ。でもね、娘は一高卒なの。地元で生活していくのに、夫より妻の方がいい高校を出ているなんて、結婚生活がうまくいくはずないじゃない。二つ違いなんて、共通の知り合いもいるだろうし、恥をかくことになりかねないわ」

「娘さんはどう言ってるんですか？」

「私より娘の方が気にしてるの。自分よりバカはイヤだって」

ゴン、と音が上がった。給湯コーナーで村井先生がインスタントコーヒーの瓶を倒したようだ。あわててコーヒーの粉を両手で集めている。手伝うのを口実に席を立ちたいところだが、坂本先生の話はまだ終わっていない。もう充分です、と叫ぶ代わりに、コーヒーを飲み干した。


『一高出て、フリーター。それでも親は自慢する』18：30

〈小西俊也〉

また一高OB祭が始まった。くだらない自慢大会に付き合わされている春山先生も災難だ。助け船を出すべきか。

「どんなに好条件でも、尊敬できない相手と結婚できる？」

坂本先生が春山先生に訊ねた。春山先生は真剣な表情で考えている。もう少し様子を見ることにしよう。

「そうですね。パートナーを尊敬できるか、っていうのは重要です」

「でしょう？　だから、断ったの。誰かいい人いないかしら。相田先生の四谷電機のお友だちはどこを卒業しているの？」

「高校の同級生なんで、ここっすよ」

「あら、ご結婚は？」

「まだだけど、彼女はいます」

「残念ねえ」

坂本先生がため息をついた。春山先生は明らかに不満そうだ。

「坂本先生の娘さんは今何をしているんですか？」

「市役所で臨時職員をしているの。ほら、今、確定申告期間中でしょ」

「それって、バイトですよね」

「なあに？　文句あるの？」

坂本先生がムッとしたように春山先生を見返した。それにひるむような春山先生ではない。

「そういう意味じゃありませんけど、正社員としてちゃんと働いている人を……」

宮下先生の、やばい、という顔を見て、うわー、あー、わー、と相田先生が大声を張り上げた。席を立ち、四人のところに向かうと、小さな音が聞こえた。

「春山先生、ケータイ鳴ってますよ」

坂本先生とのあいだに割って入るように春山先生の机の引き出しを指さす。

「ホントだ。すみません」

春山先生は引き出しから携帯電話を取り、あわてて職員室を出て行った。教材ファイルを用意していたが、こちらは必要なかったようだ。助け船を出したつもりでいたが、うんざりしていたのは俺自身だったのかもしれない。

『学歴自慢をするのは、人生のピークがすでに終わってしまっているヤツ。今の人生に満足している人間は、過去の自慢なんてしない』18：40

〈滝本みどり〉

熱心に歌う姿が滑稽に見えるほど、一高OBは母校の校歌を心から愛している。先月末の卒業式で、間奏を少しミスしただけなのに、同窓会からクレームが付いて、謝罪文を書かされた。愛校心がない！　ってバカみたい。とはいえ、入学式に向けて練習はしておかなければ。

『負け犬乙！』18：42

〈沢村幸造〉

母校というものは、いつ訪れても気持ちがよい。職員室を覗くと、なじみの職員が数名で盛り上がっていた。

「当然、うちの子も机捨てたわよ。女の子って、学習机があっても、オシャレな机を欲しがる年頃でしょ。だから、買い換えるにはちょうどいい伝説なのよ」

学習机伝説だ。同窓会会長として、これは参加せねばならない。

「我が家は私も妻も、長男も次男もやって、あとはこの春、三男の机を捨てるのを心待ちにしているところだよ。これは……」

まだ肌寒い隙間風に乗り、校歌のピアノ伴奏が流れてきた。胸に熱いものが込み上げてくる。これは、愛校心だ。

『残念、オレは一高OB』18：44

〈春山杏子〉

予約がとれた、という優ちゃんからの電話だった。どんな魔法をつかったのだか。男と女にはいろいろあるわけよ、ではわからない。お返しは、別のことにしてくれと頼んだ。合コンなど勘弁してほしい。

校舎と体育館を結ぶ渡り廊下で、小西先生がタバコを吸っている。

「校内禁煙ですよ」

「だから、外で吸ってる」

「校内ってのは、校舎内じゃなく、学校の敷地内って意味です」

「正義感が強いねえ、春山先生は。指導教官にも説教できるんだから」

「感謝と尊敬はしています。でもルール違反はダメです」

小西先生は苦笑しながらタバコを消し、携帯灰皿に捨てた。

「いやな世の中になったもんだ……。電話、生徒から？」

「いいえ、前の職場の同僚からでした」

「大洋ツーリスト。そんな大手にいたのに、なんでまた高校教師に？」

小西先生にこんなことを訊かれるのは初めてだ。

「高校の修学旅行を担当していたんです。それで、自分の経験したことのない日本の高校をもっと知りたい、自分自身も高校教育に携わりたいと思うようになったんです。育った環境は人それぞれでも、日本とアメリカじゃやっぱり違う。この先日本で暮らしていくなら、共通の認識を持っていた方が理解しあえることって、たくさんあるじゃないですか」

「なるほどね。実際に教師になっての感想は？」

「楽しいですよ。生徒はみんないい子だし、先生たちも親切にしてくれるし。でも、学校っていう大きな入れ物については、疑問に思うことがたくさんあります」

「たとえば？」

「それは……」

校歌が聞こえてきた。伴奏は音楽室から、歌は職員室からだ。

「小西先生も一高出身ですか？」

「いや、清煌学院」

会議中にみどり先生から聞いた学校だ。

「有名私立高ですね。なのに、どうして公立の教師になったんですか?」

「のんびりしたかったって言うと、他の先生たちに怒られるかな。人生の早い段階でがんばりすぎて、息切れ寸前だったんだ」

一高よりもはるかに高い競争率なのだろう。だから、ノルマもなく、他者と競わなくていい職業に就いた、ということか。

「みんないろんな動機があるんですね」

歌声は徐々に盛り上がっていく。宮下先生、相田先生、坂本先生、それから?

「なんか、メンバー増えてる」

「この学校には、良くも悪くも、通過できてない連中が多すぎる」

「そうですよね。今がんばってる人を過去の学歴で見下すなんて、おかしいですよね。坂本先生にそれを言いたかったんです。でも、絶対、怒られてた。小西先生が声かけてくれなかったら、今頃、どうなってたか」

「それなら、電話の相手に感謝した方がいい」

「じゃあ、みどり先生かな。人気のリゾートホテルを、急に頼まれて困っていたんですけど、予約も取れたし、結果オーライってことで」

「滝本先生、豪勢だな。春休みに?」

「入試が終わって、そのまま彼氏と出かけるみたいですよ。あれ、もしかして、小西先生とですか？」

「何で俺が？　もしかして、滝本先生って、ここの職員の誰かとつき合ってんの？」

「いや、聞かなかったことにしてください。……あ、松島先生」

中庭に松島先生が出てきた。ぼんやりと立ったまま空を見上げて、タバコを吸い始めた。

「注意に行かないの？」

「無理ですよ。誰も近寄るなっていうオーラが出てるじゃないですか。息子さんが入試を控えてるから、気が立ってるのかな」

「いっそ、自分が受験する方が気楽だろうな。努力する姿は毎日見ているのに、いい結果が出るという保証はどこにもないんだから」

「まるで子どもがいるような発言ですね」

「三年生の担任になればわかる」

「なるほど。……あれ？」

校舎から村井先生が出てきて、松島先生のところに行った。

「校内禁煙ですよ」

村井先生は小心者なのか、大胆なのかわからない。

『ここって、一高関係者限定なのか？』18：55

〈松島崇史〉

祐志は高校生の頃から、気配を消してやってくる。気配を消さなければならない事情がもっと前にあったのだろう。そう思い当たったのは、祐志がここの職員になってからだ。

「一本くらい見逃してくれ。おまえも中のバカ騒ぎに付き合いきれなくて、出てきたんじゃないのか？」

「僕は別に。ワイワイ盛り上がるの嫌いじゃないです。でも、部外者なので」

同じ一高の職員であることには変わりないのに。

「来年度もここにいられそうか？」

「わかりません。契約は一年ですし、校長からはまだ、先のことは何も言われてませんから」

「そうか。採用試験の勉強はしているのか？」

「授業や試験の準備でいっぱいいっぱいだけど、休日には時間を作ってやってます」

「今年は受かるといいな」

「高校入試と違って、一生安泰ですもんね」

「そうでもないぞ。小さな出来事ですべてを失うこともある」

「世の中、厳しいなあ。すみません、僕も一本もらっていいですか？」

注意してきたのはそっちのくせに、とは言わない。不満は俺が想像する以上にあるはずだ。タバコを取り出して、火を点けてやる。何が一高OBだ。同じ立場にいることを情けないと思わせないでくれ。息子のためにも。

『そうそう、部外者立ち入り禁止』18：57

〈小西俊也〉


できれば俺も仲間に入れてほしい。春山先生はすでに喫煙の注意をする気が失せているようだ。

「あの二人、年も離れてるし、教科も学年も違うのに、どうしてあんなにうち解けてるんでしょう？」

「松島先生は村井くんの担任だったらしい」

数学の常勤講師として松島先生が的場校長に紹介したと聞いたことがある。

「いいな、そういうの。生まれ故郷でこの仕事に就いたら、恩師と同僚になれることもあるのか」

ピアノの音が止まった。

「スゴい。校歌、三番まで歌い切りましたね。国歌はうろ憶えなのに。そうだ、みどり先生に報告しなきゃ。じゃあ、お疲れさまです」

「ああ、お疲れさん」

春山先生が校舎に向かった。こういうときに食事に誘えばよかったのだ、と今更気づいても手遅れか。


『たった3年の栄光を一生自慢する、バカじゃねえ？　栄光でもないし』19：00

〈相田清孝〉

我が母校――。つい調子に乗って歌ってしまったが、なんだかとても心地よい。

「相田くんか、きみは若いのになかなか見込みがあるな。じゃあ、失礼するよ」

沢村会長が上機嫌で出て行った。

「杏子ちゃん、帰ってこないな。相談したいことがあったのに」

宮下先生が空いたままの杏子先生の席に目をやった。

「何っすか？」

「もうすぐかみさんの誕生日なんだが、何が欲しいかさっぱりわからんのだ」

宮下先生の奥さんは俺と同い年だ。一五歳も年下なんて、犯罪じゃないのか？　俺と現役の生徒でも、最大ひと回り差だというのに。

「奥さんに直接訊けばいいじゃないっすか」

「それじゃあ、感動が半減だ」

「変なもん買ってこられるよりいいと思うけどなあ」

「ダメねえ、相田先生は女心をちっともわかってないんだから。私なんて、誕生日が近付いても、こっちからは絶対に欲しいものなんて言わないわ」

坂本先生に肘打ちされる。

「だから、家族に誕生日忘れられて、永遠の二〇歳なんだ」

「もう！　年齢と誕生日は別物なのよ」

今度は宮下先生が突き飛ばされた。

――来週の金曜日は何の日かわかってる？

ちょっと失礼します、と携帯電話を持って廊下に出る。放課後、あいつに訊かれた答えがやっとわかった。来週の金曜日は入試だ、と答えたが、嘘はついていない。そんな言い訳、通用しないか。

『入試なんて、なくなっちゃえ！』19：02

〈春山杏子〉

四階まで一気に駆け上がるのはやはりキツい。音楽室のドアに手をかけると、突然、内側から開いた。水野先生が、失礼、と私の横をすり抜けるようにして出ていく。中に入ると、みどり先生がピアノの前に座っていた。

「インディゴリゾート、予約取れたよ」

「嘘！　ダメもとだったのに。ありがとう！　彼にも報告しなきゃ」

私に抱き付いてきそうな勢いで喜んでいる。

「もしかして、水野先生？」

「今いたから？　クラスの子の欠席数確認しにきただけよ。水野先生、独身だし、頭もいいし、できる男って感じだけど、わたしはパス。ちょっとバカなこと言うと、すぐに見下されそうだもん」

「真面目だもんね」

「杏子先生も、ある意味負けてないよ。欠席数の確認なんて、こっちが職員室にいるときでいいのに、もしかして、わたしに気があるのかな？」

「みどり先生のそういう前向きなところ、好きだけど。水野先生は一高出身？　さっき職員室で一高ＯＢが盛り上がってたから、逃げ出す口実にしたのかな」

「しまった、わたしも一役買っちゃったのね。でも、水野先生は一高ＯＢよ。それに、ＯＢじゃないからってわざわざ避難してくるような人でもないでしょ。祭りが始まるのなんて、今日が初めてってわけじゃないし」

「まあね……。みどり先生も一高？」

「ううん、わたしは菫ヶ丘《すみれがおか》、私立の女子校。芸術科があるから。一高崇拝はわたしもここに来てから引いてる。昔は一高の彼氏を作るのがある意味ステイタスだったけど、今思えばつまんないこだわりよね」

「ホントに」

「あー、来週が待ち遠しい」

みどり先生は上機嫌で再び校歌を弾き始めた。だから、どうしてこれなのだ。

『くだらねえ、くだらねえ、くだらねえ』20：00

【三月一四日（木）・入試前日】

『いよいよ明日だね』14：30

〈春山杏子〉

入試準備は職員で行うため、生徒は午後から部活も補習も休みにして、完全下校させる。その前に試験会場2となる二年B組の教室では、生徒たちに片付けをさせなければならない。

「机の中は空っぽに。落書きは消しゴムで消すように」

皆、あきれるほど、必死に机の上をこすっている。

「私物は全部教室から出すこと。午後三時以降は校内立ち入り禁止だからね。ケータイ忘れたって泣きついてきても、知らないから」

携帯電話は命の次に大切なのか、学校に忘れたことに気が付くと、深夜零時をすぎていても、私に連絡してくる。

「きれいになった？　じゃあ、廊下に机と椅子を出した人から解散」

生徒たちが机と椅子を廊下に運び出す。両隣のA組とC組からも同じ音が聞こえてきた。

空っぽになった教室で、ドア側の黒板横の掲示板から掲示物をはがしていると、衣里奈が入ってきた。忘れ物だろうか。

「杏子先生、手伝おっか？」

「ありがとう。全部、ここに入れてくれる？」

足元の紙袋を指し示すと、衣里奈は窓側の黒板横の掲示板から時間割表をはがし始めた。

「入試大変だね。採点、夜中までかかるし、土日も学校に来なきゃいけないんでしょ」

「ええ、まあ」

九時には終わるらしいし、土日に来るのは本部職員だけだが、入試に関する詳しいスケジュールを生徒に教えることはできない。

「杏子先生って、掲示板のチェックとかしてる?」

「掲示板って、これ?」

「やだな、ケータイの」

「もしかして、この学校の裏サイトがあったりするの?」

「さあ、どうだろ。あたしも知らない。あったらおもしろいなって、訊いてみただけ」

衣里奈ははがした時間割表を丸めて紙袋に入れた。

「はい、終わり。じゃあね、キョコタン」

片手を振って出て行く。キョコタン、か。衣里奈がグループ行動をしているところはあまり見たことがない。とはいえ、文化祭や修学旅行などではどこかしらのグループに入っているので、特に気にかけることはなかった。一度、じっくり話し合ってみればよかったかもしれない。

教室をぐるりと見渡して施錠した。

『準備完了』14:50

〈春山杏子〉

職員室のドア横にあるキーボックスに教室の鍵をかけて、女性職員用の更衣室に向かった。大掃除をするため、ジャージに着替える。みどり先生が先に来ていた。ブレザーのポケットから金色のカードを取り出して渡す。

「インディゴリゾートの予約カード。絶対になくしたり忘れたりしないでね」

「噂のゴールドカードね。重厚でいい感じ。ありがと、杏子先生」

みどり先生は恭しくカードを受け取り、ロッカーの棚に置いた。寒いわ、と身を縮ませながら、坂本先生が入ってきた。

「大掃除も生徒にさせればいいのに」

ロッカーを開けると、メモ用紙が一枚、足元に落ちた。何かしら、と坂本先生が拾い上げる。私も覗き込んだ。

『入試をぶっつぶす！』ものさしを当てたような文字だ。

みどり先生も坂本先生と私の間に割って入った。

「ヤダ、ここって、職員以外、立ち入り禁止なのに」

「生徒の仕業ね。この時期になると、こういうイタズラを思いつく子がいるんだから。こんなの気にしていたら、入試なんてできないわ」

坂本先生は怒りながらメモを丸めてゴミ箱に捨てた。脅迫状にも受け取れるのに、まったく気にしていない様子だ。

校内放送の合図が鳴り、荻野先生のアナウンスが流れた。

『まもなく三時です。まだ校内に残っている生徒は速やかに下校しなさい』

「あら、急がなきゃ。あなたたち、先に行って」

坂本先生に追い立てられるように、みどり先生と一緒に更衣室を出て行った。

入試をぶっつぶす！　……か。

『風邪ひいた……』14：57

〈水野文昭〉

腕時計を確認する。よろしくお願いします！　と春山先生が一年生エリアの私の席にやってきた。村井先生もニヤつきながらいつの間にか机の横に立っている。彼はいつも私の背後から現れる。

「じゃあ、行こうか」

キーボックスを開けたが、二年B組の鍵がない。

「僕が持ってます」

村井先生が鍵を人差し指にかけ、私の目の前にかざした。村井先生も春山先生もいつも以上にはりきっている様子だ。悪いことではない。三人揃って職員室を出た。

二年B組教室の鍵を開けて、中に入る。

「何、これ……」

春山先生が足を止め、息を飲んだ。村井先生も呆然と立ち尽くしている。これはいったい何なんだ。黒板に大きな模造紙が貼ってある。

『入試をぶっつぶす！』墨汁で殴り書きされた文字だ。

なんじゃこりゃ！　と隣の教室から、宮下の声がした。もしや、と教室を出る。春山先生と村井先生もついてきた。同時にA組の教室からも、宮下と小西先生、相田先生が飛び出してきた。

なんなのよ、これは！　とC組の教室から坂本先生の叫び声が響いた。恐らく、試験会場となる五つの教室すべてに同じ文言の貼り紙がされているに違いない。誰が、いったい、何のために。

頼むから、私の邪魔だけはしないでくれ――。

『入試をぶっつぶす！』15：00

第2章　大丈夫、あいつら隙だらけ

『仕込み完了』15：02

〈村井祐志〉

講師が入試業務に携わるかどうかは、学校長の判断で決まる。常勤講師は通算三年目だけど、入試に参加するのは初めてだ。僕はこの日をずっと待っていた。

坂本先生の悲鳴に引き込まれるように、廊下に出ていた試験会場2の水野先生、春山先生、僕と、試験会場1の宮下先生、小西先生、相田先生の六人は、試験会場3の教室のドアを思い切り開け、中を覗いた。

『入試をぶっつぶす！』と書かれた貼り紙を、坂本先生が今まさに引き裂こうとしている。

「待って！」

小西先生が教室に飛び込んだ。紙が半分破れたところで、坂本先生の手が止まった。

「校内で起きたことなのに、個人の感情にまかせて行動するのはやめてください」

「こんなの生徒のイタズラでしょ。いちいち取り合ってちゃ、準備なんてできないじゃない。それに、この教室の責任者は私よ」

「同じ紙がA組にも、B組にも、おそらく会場となる全部の教室に貼られています。だから、とりあえず落ち着いてください」

「小西先生の言うとおりです」

　水野先生も教室に入った。

「取り乱しているのは、あなたたちの方じゃない。こんなのはよくあることでしょ」

「授業中や文化祭、体育祭などで調子に乗る生徒はいます。しかし、入試前にこんなことがあったのは、私が赴任してからは初めてです。しかも、かなり悪質だ」

「じゃあ、これから警察でも呼ぶつもり？」

「それを決めるのは管理職の仕事で、私たちは起きたことを上に報告するだけです。その際に証拠となるものが破損しているのはよくない」

「そうそう、もしかすると爆弾でも仕込まれるかもしれないのに」

　宮下先生がドア越しに挑発する。

「ば、爆弾！」

「それとも、有毒ガスかな。カナリアでも準備しておく？」

「宮下、いい加減にしろ。坂本先生も、バカなことを真に受けないでください。とにかく、今は無駄に騒がず、各教室の貼り紙を丁寧に剝がしましょう。私がまとめて本部に持っていって報告してくるので、先生方は準備を続けてください」

水野先生が教室内外の皆に声をかけた。

「了解です！」

身を乗り出して答えた僕の声に、春山先生の返事がかぶる。明るく元気な人気者。帰国子女で、採用試験は一発合格。世の中に不満を抱くことなど、あるのだろうか。僕のように。


『サカモトあたりがブチ切れか？』15：07

〈春山杏子〉

水野先生が本部に行ってしまったため、空っぽの教室でまずは、村井先生が黒板を、私が壁を雑巾がけすることになった。早速、落書きを発見した。壁にまで書いていたなんて。

『好き、嫌い、会いたくない。でも、やっぱり好き、会いたい』鉛筆書きの丸っこい文字だ。

「何これ……」

村井先生がやってきた。

「東山《ひがしやま》ユキの『やっぱり好き』のサビの部分ですよ。女子に人気あるんですよね。春山先生も好きですか？」

「こんな歌があることを今知った」

「ダメじゃないですか。子どもたちがどんなものに興味を持ってるのか、ちゃんとアンテナ張っておかなきゃ。今度、ＣＤ持ってきますよ」

村井先生は得意げにそう言って、落書きの歌詞を口ずさみながら掃除を続けた。

――一〇代の子はどんなものに興味があるのか、リサーチ。

あの人も同じようなことを言っていた。ポケットから消しゴムを出し、くだらない落書きを思い切り消す。会いたい……。


『インディゴリゾートって何だ？』15：15

〈相田清孝〉


俺は掃除が好きだ。普段は多少散らかっていても、それほど気にならないが、一度掃除を始めたからには、徹底的にやらねば気がすまない。壁や床など、目に付くところは宮下先生と小西先生にまかせておいて、俺は掃除当番の生徒が普段絶対にやらないであろう、黒板上の桟の雑巾がけから始める。

「そんなところまで？」

小西先生があきれたように言うが、あなどってはいけない。去年は干からびたハンバーグ、一昨年は使用前のコンドームが出てきた。今年は何が出てくるか……、手応えあり、折りたたんだ紙切れを発見した。広げてみる。

『杏子LOVE』ピンクのチョークで書かれている。

ラブレターだ。本人に渡すため、B組の教室に向かった。だが、ただの落書きじゃない、と杏子先生の反応は薄い。どこにあったんですか？　と村井くんの方が興味を持った様子だ。

「黒板の上。もう拭いた？」

「そんなところまで掃除しなきゃいけないの？」

面倒臭そうに黒板を見上げる杏子先生にも、これまでに出てきたものを教えた。さささっと拭こうか？　と申し出て教卓にラブレターを置くと、もらっとくか、と杏子先生がポケットに入れた。嬉しいんじゃないか。

またもや雑巾越しの指先に手応えを感じた。紙切れよりも重くて大きい。開閉式の携帯電話だ。教卓に置くと、杏子先生と村井くんも不思議そうにそれを囲んだ。

「すまない、遅くなって」

水野先生が戻ってきた。俺を見て、何で？　という顔になる。

「見てください。黒板の上にこんなものがありました」

杏子先生が携帯電話を指さした。

「ちなみに、A組からは杏子先生宛のラブレターが出てきたっす」

「どうしてケータイが？」

俺からの報告は無視。水野先生もラブレターには興味ないようだ。

「生徒がイタズラで隠したんでしょうか」

「これって、生徒のじゃないような気がするなあ。こんなストラップ」

村井くんが携帯電話を持ち上げると、赤い唐辛子が連なったストラップが揺れた。うちのおかんのと同じだ。魔よけの効果があると言っていた。杏子先生が水野先生に確認を取り、携帯電話を開いた。韓流スターのなんとか様がさわやかな笑顔を浮かべている。

呼んできますね、と村井くんが教室を飛び出した。

「坂本先生、事件です！」

事件は大袈裟じゃないか？　だが、掃除どころではなさそうだ。

『計画は完璧。バカは無視』15：25

〈荻野正夫〉

一高ではほとんどの書類をパソコンで作成するようになったが、Ａ３サイズ以上の紙に書かなければならないものは、対応できるプリンターがないため、手書きをしなければならない。入試に関する注意事項は、各試験会場分、五枚必要だ。

『時間厳守。開始五分前までに着席しておくこと』

注意事項は前年度の反省を踏まえ、毎年、内容が少しずつ変わる。こういう作業こそ、元国語教師の上条教頭に頼めばよかったか。だが、あともう一枚だ。

『携帯電話は教室内に持ち込まないこと。着信の有無にかかわらずカンニングとみなし、見つけたらその場で失格と処す』

失格とはまた、厳しいものだ。

『何様？　一高生様だ』15：27

〈春山杏子〉


今度は何よ、とぼやきながらやってきた坂本先生に携帯電話を差し出した。坂本先生の顔色が変わり、私の手からひったくるようにして取る。騒ぎ声が聞こえたようで、宮下先生と小西先生もやってきた。坂本先生は電話を開いたり、ひっくり返したりしている。

「確かに、私のだわ。でも、どうしてわかったの？　まさか、勝手に操作したんじゃないでしょうね？」

坂本先生が全員を見回し、相田先生を睨み付けた。

「勘弁してくださいよ。待ち受け見れば一発でわかりますって。マグカップと同じヤツじゃないっすか」

「ロン様をヤツですって？」

「坂本先生。今重要なのは、どうして先生のケータイがあんなところにあったのかです」

水野先生が黒板を見上げた。

「知らないわよ」

「坂本先生が自分で置いたとか。前も、期末考査のデータが入ったＵＳＢが職員室の冷蔵庫から出てきたし」

宮下先生がからかうように言った。

「あれは、成績処理の合間に、冷蔵庫にアイスコーヒーを取りにいって、うっかり置き忘れてしまったのよ。でも、Ｂ組には、今日は一度も来てないし、それに、あんなところ手が届かないわ。相田先生じゃあるまいし」

「俺を疑うんっすか？　見つけてあげたのに？」

「くだらない話はいい。坂本先生はケータイがなくなっていることに、気付かなかったんですか？」水野先生が訊ねた。

「私は若い人たちみたいに校内じゃ使いませんからね。必要ないでしょ。だから、いつも車に置いてるの」

「最近買い換えた赤い軽自動車ですね」

村井先生が言った。この学校の職員の半数は自動車通勤をしていて、駐車場の場所は年度初めにくじびきで決められるため、誰がどこに停めているのかは、ほとんどの職員が知っている。

「鍵はかけていましたか？」私が訊ねた。

「かけたはずだけど、遠隔操作式だから、もしかすると閉まってなかったかもしれないわ」

「じゃあ、そこから誰かが盗んで、ここに隠したってことっすね。やっぱ、B組の生徒かな。生徒指導部で取り上げた方がいいっすかね。坂本先生に犯人の心当たりは？」

相田先生と坂本先生は生徒指導部の担当をしている。

「B組なら、石川かしら」

坂本先生は間髪容れず答えた。しかし、衣里奈について生徒指導部から報告を受けたことは一度もない。相田先生も驚いている。自分もB組の生徒かもしれないと疑っていたのに。担任として聞き流すわけにはいかない。

「どうして衣里奈なんですか？」

「あの子、私の授業中に電話を開いてたのよ」

坂本先生が憎々しげに言った。一高では、授業中に没収した携帯電話は、放課後まで預かり、反省課題と引き換えに返すという決まりになっている。しかし、衣里奈は自分のことは棚に上げ、坂本先生に、一生恨んでやる、と言い放ったらしい。二学期の初め頃の出来事だったという。

「そういえば、石川は去年のスピーチコンテストの件でも、坂本先生に恨みがありますよね。坂本先生がケータイをチェックしなかったせいで、開始時刻が変更になったことに気付かず、失格になった、って」小西先生が言った。

「重要な用件を携帯メールで送ってくる事務局が悪いのよ」

「本人はそう思っていないかもしれませんよ。石川にしては珍しく、やる気を出してたのに」

「やっぱり石川の仕業か？　そうなるとこれは、受験を利用した復讐だな」

宮下先生が、復讐、に力を込めて言った。

「待ってください。いくら坂本先生でも、明日までにはケータイがないことに気付くんじゃないですか？　鳴らしながら校内を捜せば、試験開始までに見つからないこともないでしょう」

村井先生だ。

「それはどうかな。坂本先生は家に帰っても、ケータイを車の中に置きっぱなしってことがよくあるらしいし。ねえ」宮下先生が坂本先生に同意を求める。

「くだらない用件ばかりで、うんざりなのよ」

坂本先生はポケットから水晶玉を取り出して額に当てた。

「ということは、貼り紙も石川でしょうか」

村井先生がきれいになった黒板に目を遣る。衣里奈にあんな貼り紙ができるだろうか。

しかも、五クラス分だ。

「ちょっと待って。今ここで犯人捜しすることじゃないっすよ。とりあえず、ケータイのことも管理職に報告して、会場準備をするのが先じゃないっすか？」

相田先生の意見に、私も頷いた。

「そうだな。じゃあ、もう一度本部に報告してこよう」

出て行こうとする水野先生を、待って！　と坂本先生が引き留めた。

「私が行くわ。これは私への宣戦布告ですもの」

坂本先生は携帯電話を高く掲げて教室を出て行った。受けて立つ、と言わんばかりに。

それにしても、何のために、あんなところに隠したのだろう。


『ゴールドカード持ってないヤツは泊まれないんだって』15：30

〈滝本みどり〉

明日は食堂が「保護者待機室」になる。一人で入り口を掃いていると松島先生がやってきた。職員室待機の役割なので、前日の仕事は何もなく、かといって、試験会場の手伝いをするのは気が引けるため、ここの準備を手伝ってくれるという。

「いっそ、僕がここの係になった方がよかったかもしれない」

「でも、松島先生が保護者にお茶を淹れて配ってまわるなんて」

「家じゃ、しょっちゅうやってるよ」

いいダンナさんだ。お言葉に甘えて、わたしは湯飲みの準備を、松島先生にはテーブルを拭いてもらうことにした。自動販売機もあるし、家から水筒でも持ってくればいいのに。

お茶の準備が終わると、注意事項の貼り紙作成だ。わたしが画用紙にマジックで手書きして、松島先生がドアや壁に貼ってくれる。

『校舎内、立ち入り禁止。お手洗いは体育館前のをご使用ください』

トイレの案内矢印も作っておいた方がいいだろうか。だんだんと面倒になってきた。

「なんでわざわざ親が付いてくるんでしょうね。わたしのときは、そんな人いなかったと思うんですけど」

「五年くらい前までは、待機室には引率の中学校の先生しかいなかったらしいんだけどね。子どもが熱を出しているとかで、どうしてもと申し出た保護者を一人許可したら、翌年から倍々で増えている」

「もし松島先生がここの職員じゃなかったら、息子さんの受験についてきます？」

「いや。何が変わるわけでもなし。それに、半日、他の保護者といるのは苦痛だな」

「ホント、退屈ですよね。みんな、何してるんでしょう」

「楽しくおしゃべり、なんてできないだろうし、ケータイでも触ってるんじゃないかな」

「そうか、保護者はケータイ持ち込めるんだ」

　この注意事項はあった方がいい。

『携帯電話使用可』しっかりと太字で書く。一番よく見える壁の掲示板に、松島先生が貼ってくれた。こんなことよりも、早く家に帰って旅行の準備をしたい。

『仕込み、バレタ』16：00

〈春山杏子〉

掃除を終えた教室内に机と椅子を運び込む。

「全部で四〇席。六列かける七、両端からマイナス一」

水野先生が的確に指示を出してくれる。

「両端の先頭はどこに揃えますか？」

「前寄りに」

村井先生と分担してきぱきと運び、あっという間に机を並べ終えた。落書き発見。あれだけ消せと言ったのに。清孝ＬＯＶＥ。誰だっけ？

　お待たせしました、と本部に行っていた村井先生がテープと番号を打った名刺大のカードの束を持って戻ってきた。

「受験番号、どっちからでしたっけ？」

「廊下側から縦に若い順で」

村井先生がカードを机の上に配り、私が机の左上にテープで固定していく。

「お疲れさまです。最後にこれを黒板に貼っておいてください」

荻野先生が丸めた模造紙を持って入ってきた。

入試をぶっつぶす！　の紙のイメージとだぶる。

「入試の注意事項ですよね。万が一のことも考えて、明日、試験が始まる直前に貼った方がよくないですか？」

「朝、教室に入ったら破かれていた、なんてことになったら最悪ですよね」村井先生だ。

「私も賛成です。用心するに越したことはない」水野先生も同意してくれた。

「そうですね。全教室そうしましょう。じゃあ、最後にもう一度確認してから、しっかりと施錠して、職員室に集合してください」

荻野先生はそう言って、模造紙をかかえたまま出て行った。

すべての準備を終え、三人で教室を出てから、水野先生が施錠した。私と村井先生も順番にドアに手をかけ、施錠できていることを確認する。しかし、生徒たちを帰したあとで一人で片付けをし、ここを出て行ったときも、きちんと施錠したし、確認も忘れなかった。なのに、貼り紙がされていた。

さっさと運びなさい、とC組の教室から坂本先生の声がする。A組からは、相田先生そこはもういいよ、と小西先生の声だ。

「ナイスチームワークですね」

村井先生が嬉しそうに言い、水野先生まで唇の端を上げた。不安はあるが、私も笑顔を返した。

職員室に向かいながらふと、机の落書きのことを思い出した。

「ねえ、清孝って、誰の名前だっけ？」村井先生に訊ねる。

「相田先生ですけど、どうしてですか？」

「机に、清孝ＬＯＶＥ、って落書きがあったから」

「石川の机ですかね」

「えっ、なんで？」

「ただの勘ですよ。僕、先に行って、皆さんのコーヒー淹れておきますね。春山先生は砂糖一、ミルク一、水野先生は砂糖なしのミルク二、でしたよね。じゃあ」

村井先生はさわやかにそう言って、廊下を走っていった。私は村井先生にコーヒーを淹れたことも、淹れてもらったこともない。水野先生がこちらを向いた。

「ああいうタイプには気をつけた方がいい。春山先生に秘密があるならね」

水野先生もまた、こちらのことを見透かしているようで怖い。電話を一件かけなきゃならなかったんだ、と先に行ってくれてほっとした。

「杏子先生！」

みどり先生が食堂の方からやってきた。

「会場準備、大変だったみたいね。これから職員会議とかするのかな。旅行の準備したいのに。いよいよ夢のインディゴリゾートか。ホント、杏子先生のおかげ」

「誰と行くのか、教えてよ」

みどり先生が辺りを見回した。後ろから、宮下先生、小西先生、相田先生が来ている。

「ここじゃ言えないから、あとで」

含み笑いをしながら声を潜める。相手があの三人の中にいるからなのか。あの三人に相手を聞かれたくないからなのか。次の機会を待つことにする。


『想定内だ。気にするな。↑バカ』16：30

〈宮下輝明〉

杏子ちゃんのコーヒーを村井くんが淹れて持ってきた。ナイス団結力！　と冷やかすと、宮下先生のも淹れてきますよ、と用意してくれた。ミルクも砂糖も絶妙な加減で、準備の疲れも和らいだ。本部の三人がやってくる。荻野先生が一歩前に出た。

「先生方、お疲れさまでした。では、校長先生よりひと言お願いします」

「いよいよ明日は入試本番です。職員一丸となって、がんばりましょう」

「では、この後七時より校内を完全閉鎖しますので、先生方はご多忙かとは思いますが、時間厳守でご帰宅ください。明日はどうぞよろしくお願いします」

荻野先生が言い終わらないうちから、的場校長と上条教頭は退場しようとしている。おいおい、これで本当に終わらせる気か？

「ちょっと、待ってください」

小西くんが立ち上がった。

「どうしましたか？」

「貼り紙や坂本先生の携帯電話の件はどうなったんですか？」

荻野先生が校長に目をやると、校長が教頭に顎を小さくしゃくった。毎度の光景だ。

「準備中に生徒のイタズラによってアクシデントが起こるのは、例年、大なり小なりあることです。本部では、ここで事を大きく騒ぎたてた方が相手の思うつぼだ、と判断しました」

「しかし、悪質すぎます」

「だけど、きみたちの念入りな準備によって事前に発見することができた。所詮はそういったレベルの事です。それよりは明日の本番を無事乗り切ることを、第一に考えましょう。そうですよね？　校長」

俺にふるなと言わんばかりに、咳払いをして、校長は職員の方を向いた。誰とも目を合わせていないのだろうが。

「悪質なイタズラを、なかったことにするのではなく、入試が終わるまで、保留にするということで、先生方にはご納得いただきたい。しかし、明日もこういったことが起こらないとは限らないので、各自厳重に注意するように」

今回の件まで、これで済ませるとは。そうはさせるか。

「でた！　厳重に注意。これさえ言っときゃ、何が起きても自分のせいにはならないもんな。免罪符みたいなもんだ」大声で言ってやる。

宮下先生！　と杏子ちゃんが心配そうに俺を見る。

「いいのいいの、みんな思ってることだから。管理職に興味のない俺が言ってやらなきゃ」

本部三人は聞こえないフリだ。

「小西先生、ご納得いただけましたか？」荻野先生ですら、俺を無視。

「僕は、今日起こったことは今日話し合っておいた方がいいと思います」

「私もせめて、妨害の予告とも受け取れる携帯電話の対策については、もっと強化するべきだと思います」

水野っちが助太刀した。いいぞ！

「では、それに関しましては、本部で対策を考えます。小西先生、よろしいですか？」

「問題を保留にしたことにより明日何か問題が生じても、校長がきちんと責任を取ってくださるということでしたら、これ以上意見はありません」

「はい！　小西先生に同意します」

小学生の参観日なみに張り切って手を挙げた。

「私も同意します」おお、杏子ちゃん。

「僕も同意します」村井くんまで。

これ以上手を挙げて賛同する者はいないが、全員が校長に注目している。

「わかった。問題の内容によっては、責任を取ろう」

校長はそう言い捨てて急いで出て行った。教頭があわてて追いかけ、荻野先生がやれやれといった様子であとに続く。

「逃げたな。なあ、杏子ちゃん」

「問題の内容によっては、ってところがズルいですね」

「管理職なんてそんなもんだ。くだらねえ」

なのに、必死で目指している連中もいる。水野っちと坂本先生、来年は松島先生もか？　減点されないように張り切っているくせに、採点ミスなんていう大ポカやらかしたんだよなあ。俺もやったけど。

『人生かけて試験を受けても、採点するヤツらは、他人の人生かかってるなんてみじんも思っちゃいない。なんて、考えたことあるか？』16：40

〈小西俊也〉

春山先生が何かに気付いたようだ。俺と宮下先生が声をかけられ、秘密会議をするならと、宮下先生の提案で美術室にやってきた。何でこのメンバーなのかと春山先生に訊ねると、先ほど管理職の前で発言したことが信用を得たらしい。

「若手じゃ一番のやり手で、管理職に媚びときゃ、出世しそうなのにね」

宮下先生が本心を探るように俺を見る。今のところ興味はない。それよりも、よくぞ言ってくれたと感心できるのは宮下先生の方だ。だから、今ここにいるのだろうが。

「嬉しいね。ピュアな杏子ちゃんに信頼されるなんて」

「宮下先生、私のこと誤解していません？」

「俺も小西くんも、何年も先生なんて呼ばれてると、自分ではまともだと思っていても、世間からはちょっとずれてしまうもんなんだよ。でも、杏子ちゃんはまだ大丈夫だ。で、気付いたことって？」

春山先生が紙切れを机に置いた。

『杏子LOVE』黒板上から出てきたラブレターだ。

「A組にあったのになんで担任の俺宛じゃないんだ、っていうのはおいといて、これがどうかした？」

春山先生はラブレターを裏返した。文字と罫線と数字が書かれている。宮下先生は何か気付いたようだ。春山先生が持参していたプリントを横に並べた。修学旅行の会計報告書だ。ラブレターはこのプリントを半分に切った裏面に書かれている。

「これを配ったのって、一昨日でしたよね」

「来年は杏子先生のクラスにしてもらえますように、って思いでラブレターを書いたのかもしれんが、それにしてはタイミングがよすぎる、ってことだな」

このメッセージが今日見つかるように誰かが仕組んだ、と言いたいようだ。だが、黒板上まで掃除をすると予測できるだろうか。これには宮下先生から反論があった。

「できないこともない。黒板の上からハンバーグが出てきたって、相田っち、文化祭の準備のときに生徒に話していたし、彼の掃除好きは有名だからな」

しかし、クラス担任の宮下先生や春山先生ならともかく、相田先生が入試でどこの教室を担当するのかを、生徒は知らない。そもそも、ラブレターは本当に入試に関係あるのだろうか。だが、宮下先生はこれにも異論を唱えた。

「これが出てきたから、相田っちは杏子ちゃんのB組に行って掃除をしたんじゃないか」

携帯電話を見つけさせるために、仕込んだということか。

「順番はどっちでもよかったのかもしれません。全部の教室に何かしら興味深いものを仕込んでおけば、いずれはケータイに辿りつくかもしれない、という目的じゃないでしょうか。他の教室はどうだろう、確認できないかな」春山先生が言った。

「明日の朝までは封鎖だからな。まあ、ケータイは見つかったんだから、あるとしてもつまんないメッセージじゃないか?」宮下先生が答える。

「ラブレターもつまらないってことですか。まあ、誘導する手段としては弱いですよね」

「見つからなければ、それでもよかったんじゃないの？　坂本先生が気付くってこともあるわけだし」

「どうして坂本先生のケータイだったんでしょう」

「逆恨み説もあるけど、もっとシンプルに、盗みやすかったからじゃないかな。あれほどケータイが無防備な人はいないからね」

「そうやって、せっかく盗んだのに、ケータイを隠していることに気付かせるメッセージが仕込まれていた」

「多分、メッセージを置いた人物と、ケータイを隠した人物は別人じゃないかな。イタズラには気付いたけど、阻止することも、告発することもできなくて、苦肉の策で、他の教室の同じ場所にメッセージを残したんだと、俺は思う」

「なるほど。宮下先生、すごいじゃないですか。いつもと別人みたいですよ」

「これが俺の正体なの。惚れんなよ、かみさんラブだからな」

「調子に乗りすぎです」

　興味深い展開になったと思ったところで、話が逸れてきた。

「水を差すようだけど、僕は宮下先生の解釈に異議ありです。ラブレターもケータイも同一人物の仕業で、僕たち職員はケータイを見つけられるよう、まんまと誘導されてしまったんじゃないかな」

「何の目的で？」春山先生が訊ねる。

「明日の本番、これ以上のことを仕込んでいるという警告、または予告として」

俺たちが振り回される様子をおもしろがって見ていたヤツがいるのではないだろうか。

一瞬、物音がしたように思えたが……、気のせいか。

『ゴールドカード発見』22：00

【三月一五日（金）・入試当日】

『高校入試で人生かえられたヤツ、いるかもしんないな』7：00
〈上条勝〉

天気は快晴。気象警報なし、交通の乱れもなし。

「いいスタートじゃないですか。ねえ、校長」

「ああ、そうだな」

気分を盛り上げようと景気よく声をかけたのに、気の重そうな返事が戻ってくる。とはいえ、私も内心落ち着かない。昨夜はあまり眠れなかったし、朝から脇腹が不定期にしくしくと疼いている。だが、辛気臭い顔をしているわけにはいかない。

「心配いりませんって。何にも起きやしませんよ。ねえ、荻野先生。頼んだよ、入試部長」

荻野先生が笑みを浮かべて、入試本部である校長室の窓越しに、空を見上げた。こういった彼の落ち着き払った態度がときおり癪にさわる。

『ミッション開始』７：05

〈小西俊也〉

職員集合時間の三〇分前に出勤すると、やっぱり早く来ると思った、と宮下先生がすでに玄関で、試験会場五クラス分の鍵を片手に待ち構えていた。春山先生も待つのかと訊ねると、多分ぎりぎりに来るんじゃないかな、と言う。早起きは苦手なのだと聞いたことがあるらしい。男二人で、辺りを窺いながら三階に向かった。

二年Ｃ組の教室に入り、黒板の上を確認する。ここにもあった。

『僕はＢ組のヤチュウにいじめられています』プリントの裏面に黄色のチョークで書い

てある。

「短いながら、B組も確認してみようかって気にさせる文章だな。他の二つもカンニングネタと盗難ネタ、どれもいいとこついてるよ。おまけに、ラブレターと同じ紙だ」

宮下先生が裏面を確認した。

「どうします？」

「今日が始まったからには、上に報告しても、どうにもできんだろう。細心の注意を払うのみだが……」

言いたいことはわかる。何か起きるとしたら、俺たちA組の教室ではなく、春山先生たちB組の教室で、ということだ。ターゲットは水野先生、春山先生、村井先生といった個人か。それとも、学校という組織で、実行犯がB組の教室にいるということか。昨日の予告は在校生の誰かが引き受けたとして、今日の実行犯は受験生の中にいるのではないかと、俺は想定している。


『ゴールドカードって、クレジットカードじゃないから』7：20

〈春山杏子〉

下駄箱の前に仁王立ちしているのは、みどり先生だ。私を見るなりすがりついてくる。

「どうしよう、杏子先生。カード失くしちゃった」

昨日の今日でどうしてそういうことになるのだろう。あれだけ大切に保管するように言ったのに。泣きつかれても当日ではどうしようもない。たとえ予約を入れていても、インディゴリゾートはカードなしでは絶対に入れてもらえない。芸能人でも追い返されたと聞いたことがある。

「旅行会社の友だちにダメもとで聞いてもらっちゃダメ？」

「じゃあ、あとでメールしとく」

「お願い、今して。これから死ぬほど忙しくなるんだから、ね」

「仕方ないな……」

バッグから携帯電話を取り出してメールを打つ。

『友だちがインディゴリゾートのカードを失くしてしまったんだけど、どうにかならないかな』

「ああん、失くしたのはわたしじゃないの。あいつのせい。でも、カードを渡しちゃったわたしのせい？　もう、ずっと持ってりゃよかった。優ちゃん、お願いします！」

何で優ちゃんを知ってるの？　とみどり先生を見ると、携帯画面の宛先表示を指さされた。なんだ、と送信ボタンを押す。これで満足してくれればいいのだけど。

『受験票、持ったか？』７：30

〈荻野正夫〉

職員室に全職員が揃った。今日は全員スーツ姿だ。的場校長から一言もらったあとで、朝礼を締める。上条教頭は本部で金庫番だ。中には、入試問題が入っている。

「現時点で、交通機関の乱れに関する情報は入っていませんので、試験は予定通りの時間に開始します。皆さん、今日一日、よろしくお願いします」

皆が各々の持ち場に散っていく。校門の前では受験生たちがすでに大勢待ち構えているはずだ。どんな表情で子どもたちが今日の日を迎えるのか、見てみたい気もするが、本部へ戻らなければならない。

金庫の鍵は校長が持っている。一時間目の国語の入試問題が入った封筒を取り出し、教頭が恭しく受け取って、長テーブル二つを合わせて本部中央に設置した作業台の上に並べた。教頭の儀式めいた仕草に、今日はさほど違和感を覚えない。

「お疲れ様です。試験会場1です」

小西先生が入ってきた。注意事項の書いてある丸めた模造紙とテープ、そして、昨夜用意した巾着袋を渡した。続けて、他の試験会場担当の先生たちもやってきた。まだ来ていないのは、試験会場2の担当だけだ。いったい何をしているのやら。

『弁当、持ったか？』8：00

〈松島良隆〉

一高校門前は受験生たちでごったがえしている。お父さんと一緒に行けば？　と母さんに言われて、恥ずかしいからと断ったけど、保護者連れの受験生はかなりいる。

少し前を歩いている同じ中学の沢村翔太も、隣に父親がいる。

「気負うことは何もない。父さんも母さんも兄さんたちも当たり前のようにやってきたことだ。ちょっとくらい具合が悪くても、おまえなら、余裕だろう。なあ、翔太」

大きな声を張り上げて励ますように背中を叩いているけれど、翔太の方は元気がない。普段はバカみたいにえらそうにふるまっているのに。

――もしかして一高受けんの？　来年からもおまえのキモい顔見なきゃいけないくらいなら、俺、ランク落とそっかな。なーんてね。

どうかあいつが落ちますように……。そんなことを願ってるなんて父さんにバレたら、叱られるかな。

おそろいのブランド品マフラーを巻いた母娘連れが僕を追い越していく。

「麻美ちゃん、がんばるのよ。ママずっと祈ってるからね」

沢村のところみたいに、親のテンションは高いのに、子どもは無視して携帯メールを打ち続けている。

その先に、足を止めて、挑むようにじっと校舎を見上げているヤツがいる。そうだ、これから僕たちは戦いを始めるのだ。こちらまで少し緊張してきたけれど、あいつ、どこかで見たことあるような気がするな。

『ついに到着。ここが戦いの場か』８：10

〈水野文昭〉

入試の試験監督をするのは今回で何度目だろう。両手で数えられなくなった頃から、監督中になんとなく、受かる生徒と落ちる生徒を見分けられるようになってきた。表情や態度に明確な違いがあるわけではない。だが、受かる生徒は受かる顔をしているのだ。逆もまたしかり。

村井先生が戻ってきた。一度ここまで来ておいて、忘れていました、なのだから、今日一日先が思いやられる。

「注意事項の紙、もらってきました。あと、ケータイ回収袋。昨日の今日で、本部もよく準備できましたよね」

百円ショップで束にして売っているような白無地の巾着袋にガムテープを貼り、マジックで試験会場２と書いてある。のらりくらりとした対応だった割にはいい案だ。

村井先生と模造紙を広げて黒板に貼る。

「あれ？　今年って平成二五年でしたよね」

『平成二四年度　入試に関する注意事項』と書いてある。紙の四隅にはテープを剝がした跡も残っている。

「去年のぶんだな。取り違えたんじゃないのか？」

「いいえ、本部でちゃんと荻野先生から手渡しでもらってきました」

それなら多分、使い回しをしているのだろう。念のため、赤ペンで「二五」と年度の訂正を入れておく。教室の壁時計と自分の腕時計との確認もした。そろそろ体育館に集合した受験生が上がってくる頃だ。

「僕がケータイの回収をしますね」

「頼むよ。……もっと早くからこうしておけばよかったんだ」

「何かあったんですか？」

一昨年、廊下においてあった荷物の中で石川衣里奈の携帯電話が鳴ったことを村井先生に話した。

「石川？　どうなったんですか？」

教室内ではなかったため失格にはならなかったが、合格発表のあとで、落ちた受験生の親から、ケータイのせいで気が散って集中できなかった、とクレームがつき厄介だった。上が、条件は皆同じ、で押し切ったものの、携帯電話には毎年悩まされる。去年は、電源を切るようにと警告したのだが、休憩時間になると全員廊下に出ていって電源を入れるものだから、毎時間、試験前に注意するのに手間がかかった。

「回収なら問題なしですね。集めた袋は本部に持っていくんだから」

携帯電話が出回るようになった時点で、起こりうる問題を想定して、こういう対策をとっておくべきだったのだ。学校という場所は、問題が起きなければ変わらない。受ける側は必死だろうに。

『入試なんてホントにぶっつぶせるのか？』8：15

〈芝田昌子〉

昨夜は一睡もできなかった。一人娘の受験のために親がしてやれることなどしれている。評判の良い塾の情報集め、申し込み、健康管理、夜食作り……。それでも何かすることがあるうちはいい。今日はもう、祈ることしかできないのだから。

食堂が待機室になっているけれど、誰も中には入っていない。心配そうに体育館の方を見つめている。その中に知った顔が一人。夫の後援会でお世話になっている沢村さんだ。

「おはようございます、芝田さん。そういや、娘さんはうちの下のと同級生でしたな。付き添いですか？」

「来てどうにかなるわけじゃないんですけど、より近くで応援してあげたくて」

「それはうちも同じです」

沢村さんは謙遜するが、長男、次男ともに一高を卒業しているはずだ。

「おたくはそんな心配はないでしょう」

「それが、二、三日前から風邪をこじらせて、今回は付き添いってわけです。上二人のときはほうっておいたのに」

「頼もしいお父さんですね」

「県議の奥さんにそう言われちゃお恥ずかしい。校舎に入る前にここでひと声かけてやりましょう」

その前に、携帯電話でメールを送る。最後の激励メッセージになるかもしれない。

麻美ちゃん、ファイト！

『免許証かと思ってた』8：20

〈春山杏子〉

体育館に続々と受験生が入ってくる。整列しやすいように、『試験会場2　41～80』と書いてあるプラカードを高く掲げた。両隣は、相田先生と坂本先生。受験生案内係の責任者は坂本先生だ。

「受験票をカバンから出して、手に持っておくように」

声を張り上げて受験生たちに指示を出している。素直に従う子どもたちの姿は、一年生の生徒と一つしか年が変わらないのが嘘のように初々しい。

「だいたい、入学して、夏休み明けたら大変身なんだよな。女の子なんて別人みたいにきれいになる子もいるし。あの子なんか、化けたらメチャクチャかわいくなりそうだ。がんばって合格しろよ」

相田先生の女の子好きは今日に始まったことではない。坂本先生に咳払いされると、頭を掻いておとなしくなった。

「朝っぱらから怒られてばっかりだ……。先にトイレに行っておくんだぞ」

私も受験生たちを見渡す。余裕の表情でいる子、携帯メールを打っている子、俯き加減で立っている顔色の悪い子、その子をちらちらと見ている子、参考書を広げている子。

メール着信音が聞こえるが、ここではまだ使用禁止ではない。相田先生が腕時計を確認した。

「時間になったんで、そろそろ行きますか」

担当教師全員がプラカードを掲げ直す。

「皆さん、前後の人たちと受験番号を確認して、きちんと整列してください」

「ほら、おしゃべりせずにさっさと並んで」

坂本先生の一喝で受験生は口を閉じてすばやく整列した。試験会場1から順に、一列で試験会場まで移動する。

食堂前では保護者たちがエールを送っている。

「がんばって！」

「落ち着いてやるんだぞ」

受験生たちの緊張が私にも伝染したのか、胸が高鳴ってきた。強い視線を背中に受けながら、教室へと向かう。

いよいよ、始まりだ。

『大丈夫、あいつら隙だらけ』8：25

第3章　終了？　これからだろ

『入試ネタ、もう飽きた』8：28

〈田辺光一〉

随分早い時間に淳一が出ていった。今日は公立高校の入試だ。頭のいいあいつにとってはまったく特別な日ではないのだろう。しかし、俺にとっては……。運命が変わった日だ。

もし、あの日、あんなミスがなければ、日の当たらない人生なんて送っていなかったはずだ。

『ぶっつぶすって、何だ？』8：30

〈芝田麻美〉

ケータイはブレザーの右側のポケットに入っている。あたしの大切なお守りだ。プラカードを持った女の先生について、校舎の三階まで上がると、試験会場2の教室に到着した。

「まずは荷物を持ったまま中に入り、机の上に貼ってある受験番号を確認して席についてください」

　指示に従って中に入ると、男の先生が二人いた。若い先生は優しそうだけど、眼鏡の先生はとても厳しそうだ。あたしの受験番号は七七番。一番奥の前から三番目か。よろしくお願いします、と女の先生が出て行って、眼鏡の先生が中央の教卓前に立った。

「おはようございます。本日、この教室を担当する水野です。まずは、黒板に掲示してある注意書きを読んでください。これらの規則に反すると、これまでの努力がすべて水の泡となってしまいます」

　黒板の貼り紙を見る。

『時間厳守。開始五分前までに着席すること』……他には、試験問題に関する質問の仕方、体調不良の場合、などが書いてあるけど、一番気になるのはケータイについてだ。

『携帯電話は電源を切っておくこと』……マナーモードに変更じゃダメなのかな。

「机の上には受験票と鉛筆、消しゴムのみ、その他の荷物は全部、廊下に出してもらいます。それから、携帯電話はこちらで専用の袋を準備しているので、電源を切って、今から提出してください」

「えっ!」

眼鏡の先生にギロリと睨まれる。

「僕が回ります」

眼鏡の先生の横に立っている若い先生が巾着袋を高く掲げた。

「たとえ廊下に出した荷物の中でも、試験中に携帯電話が鳴ると受験妨害と見なし、失格となるので、必ず提出してください」

眼鏡の先生に言われて、みんな、カバンやポケットからケータイを取り出して、電源を切り出した。若い先生が袋の口を開き、廊下側の端の席から順にまわっていく。みんな、黙ったままケータイを袋に入れている。

どうしよう、どうしよう、どうしよう。ついに、あたしの番だ。

「……ケータイ、持ってないので」

「じゃあ、いいよ」

疑われるかと思ったのに、ニッコリ笑って信じてくれた。よかった。若い先生は全員分を集めると、では、と眼鏡の先生に声をかけて教室から出て行った。

「一時間目の国語はこの後、九時から開始です。それまでに、筆記用具の準備をして、カバンを外に出し、手洗いを済ませて、五五分の予鈴前には着席しておくように。では、一度解散します」

まずトイレに行く。何だろう、廊下の荷物置き用の机の中に、手をつっこんでる男の子がいる。回収のことを知ってて、あらかじめケータイを隠しておいた、なんてね。

『ケータイ提出……と見せかけて』8：40

〈滝本みどり〉

なぜ、食堂に入らない。なぜ、校舎に向かおうとする。貼り紙が見えないのか。この、モンスターたちは。

「すみません、こちらで待機してください。試験終了まではたとえ休憩時間でも、お子さんに会ったり、校舎内に入ったりするのは禁止です」

同じセリフを保護者の人数分言ったかもしれない。また……。

「ちょっと待ってください。そっちは立ち入り禁止です」

「きみ、私だよ」

えらそうに言われても、わからない。同窓会の、とヒントを出されてようやく、沢村会長だと思い出した。

「いつもお世話になってます。すみませんが、校舎内は立ち入り禁止なんです。何かご用ですか？」

「息子が受験なんでね。末っ子くらい付き添ってやろうかと思って来たんだが」

「そうですか、ドキドキですね。待機場所は食堂です」

「俺を他の保護者と一緒に待たせるっていうのか。失礼な。応接室でいいだろう」

「でも、そういう決まりなんです」

「ああ、もう、話にならん。荻野さんを呼べ」

「いや、ここを動くわけには……。あっ！」

また、校舎の方に行ってる保護者がいる。トイレはどこかしら、って目の前に貼り紙があるじゃない。

「お手洗いは、反対側、こちらをまっすぐ進んで突き当たりにある、体育館前のをご利用ください」

貼り紙を指さしながら言い、沢村会長に向き直った。

「荻野先生を呼んでくるので、こんな感じで案内してもらっていいですか？」

「バカを言うんじゃない。どうして俺がそんなことしなけりゃならんのだ」

それはそうだろうけど。まいったな、と頭を掻いたところに、校舎から松島先生がやってきた。茶筒を持っている。

「事務室からこれを預かってきたんだけど、どうかした？」

沢村会長に気付き、わたしが困ってることを察してくれたようだ。沢村会長のわがままを、こそっと耳打ちすると、松島先生は沢村会長に向かって言った。

「今日は部外者は立ち入り禁止です。どうぞ、こちらでお待ちください。荻野は入試終了まで、本部から出ることはできませんが、ここに来ることができても同じです」

「杓子定規な言い方をして。何にでも例外はあるだろう。俺が校舎に入って、何が起こるっていうんだ」

「何も起こらなくても誤解を受けます。息子さんがせっかく実力で合格したのに、あなたが裏で何かをしたなんて噂が立ったらどうするんですか」

「そうだが……。松島さん、あんたはどうなんだ」

「松島先生はここの職員じゃないですか」

「受験生の親であることには変わりない。むしろ、俺よりも誤解を受けるおそれがある。あんたも、ここで待機するべきだ」

「しかし、私にも役割がありますので」

「この子と交代すればいい。松島さんがここでお茶の一杯でも淹れてくれるのなら、俺もここで待とうじゃないか」

松島先生がお茶当番なんてとんでもない。でも、松島先生は納得したようだ。

「昨日も言ったように、僕もここにいた方がいいかもしれない。滝本先生、悪いけど役割を交代してくれないかな」

わたしから荻野先生に報告しておきますね、と言って校舎に向かう。沢村会長の勝ち誇ったような顔といい、まったく、どいつもこいつも、ムカつく。

『ここはしばらく休憩か？』８：45

〈春山杏子〉

サブの私と村井先生も役割分担をしている。入試問題を本部で受け取り、教室まで持って上がるのは、私の担当だ。荻野先生に封をされた茶封筒を渡される。その場で封を開けて、中から国語の問題用紙と解答用紙を取り出し、枚数を数えた。

「足りなかったり、汚れていたりした場合は、予備の封筒から補充してください」

テーブルの真ん中に、予備の封筒が置かれている。

「はい。四〇枚揃ってます」

声に出して報告し、受け取り確認表に署名をした。

三階の教室に向かっていると、巾着を持って階段を下りる村井先生とすれ違った。四〇人分の携帯電話が入った袋はずっしりと重そうだ。

階段の途中で、階下に向かう受験生の男の子とすれ違った。どこに行くのかと訊ねると、二階のトイレに行くと言われた。三階のが混んでいるらしい。じゃあ、と背を向けると、あの、と呼び止められた。

「今年の桜はいつ咲くと思いますか?」

「入学式の二日前、かな」

男の子は少しはにかんだような顔をして、駆け足で階段を下りていった。桜は……、全員には咲かない。

『書き込みしてるのは、今年の受験生だけじゃないだろ』8：48

〈松島崇史〉


校舎では、皆が慌ただしく動き回っている頃だろうか。こちらはのんびりしたものだ。各々、テーブルの好きなところについている保護者たちに、湯飲みに入れたお茶を順番に配っていく。

「あの、すみませんが、これかけてもらえませんか？」

保護者の一人に紙袋を渡された。連続ドラマ『夜に咲く花』のDVDが五枚入っている。

「上の子のときも付き添いに来たんですけど、退屈だったからテレビを点けてもらって。でも今回は、DVDデッキがあったのを思い出して、これを持ってきたんです」

「しかし、他の皆さんの意見も聞かないと……」

「あら。皆さん、『夜花《よるはな》』のDVDを流してもらっていいでしょうか」

子どもが試験を受けているのに、ドラマなど見たい親がいるわけがない。

「賛成ですよ。家内が夢中になっていて、ちょうど見てみたいと思っていたドラマだ」

沢村会長だ。皆はどうだ、と言わんばかりに見回している。

「わたしも賛成。じっと待ってるだけなんて、息が詰まりそうだもの」

沢村会長の向かいに座る女性も、きっぱりと同意した。

「ほら、ね、ね」

勝ち誇ったように微笑まれ、ＤＶＤをデッキにセットする。こういう親の子が受けに来ているのか、と思うと入学後が思いやられる。しかも、良隆の同級生だ。

『ババアとか？　おまえとか？』8：52

〈沢村翔太〉

カバンを廊下の机の上に置く。まだ少し時間はあるが、教室に入ることにする。今朝から、腹の調子がよくない。昨日、ようやく熱が下がって安心していたのに。国語は得意な方だが、これじゃあ、集中できたもんじゃない。おまけに、ムカつくヤツが目の前にいる。参考書を開いて、五段活用の確認をしている。

「良隆くん、今更悪あがきしても無駄じゃね？　それとも、パパに見ておけって言われた問題があるんなら、俺にも教えてくれよ」

良隆の父親は一高の教師だ。ヒントくらいもらっていてもおかしくはない。いや、試験ができなくても合格か？　しかし、無視。

「黙ってんじゃねーよ」

こいつのこういうところがいつもムカつく。が、試験監督の教師がやってきた。こんなことで目をつけられては大変だ。

『まずは国語から』8：55

〈村井祐志〉

予鈴のチャイムが鳴った。いよいよ始まり、一教科目は国語だ。受験生たちは机の端に受験票と鉛筆数本と消しゴムを置き、黙って着席している。教卓の前に水野先生が立った。その横に春山先生と僕が少し離れて並ぶ。教卓の上には封筒が置いてある。

「では、これから問題用紙と解答用紙を配ります。こちらが始めと言うまで、絶対に触らないように。印刷ミス等、質問のある人は黙って挙手をしてください。では」

水野先生が封筒から、解答用紙を取り出して春山先生に、問題用紙を取り出して僕にそれぞれ渡す。それを春山先生が受験番号の若い方、廊下側の端から順に、僕は窓側の端から順に配っていく。事前に春山先生とシミュレーションをして分担を決めた。両方、配り終えたところで、教室の時計の針が九時ちょうどを指してチャイムが鳴った。

「始め！」

水野先生の号令と同時に、受験生たちは一斉に問題用紙をめくり、鉛筆を手に取った。一問ずつ着実に答えを書いていく子、早々に顔をしかめる子、余裕な表情の子。お守りでも入っているのか、片手を制服のブレザーのポケットに添えたまま、漢字問題を丁寧に書いている子がいる。しかし、当時の僕のように泣き出しそうな顔で問題を解いている子はいない。一高を受けられるだけでも、幸せなことなのだ。

『まずは漢字問題、侮る、秀逸……余裕だな』9:05

〈滝本みどり〉

職員室待機係って、本当に名前だけの役割だ。保護者の侵入を松島先生が食い止めておいてくれたら、あとは、うっかり学校に来てしまうのは業者の人くらいだろうし、それなら事務室が対応してくれる。退屈すぎて、時間が経つのが遅い。

荻野先生がやってきた。掲示板に問題用紙を貼っている。

「国語の問題に、よかったら目を通してみてください」

どれどれ、と冊子状の問題用紙を一ページめくる。あなどる、しゅういつ……。ヤバい、全然わからない。

「漢字はまだ例年並みですが、今年は古文が少し難しいようですね。滝本先生も全部解いてみますか？　予備の解答用紙をお持ちしますよ」

とんでもない、と首を振ると、荻野先生は笑いながら出て行った。無理して自分をいじめることはない。それより今わたしを最大に悩ませている問題は……。職員室端にあるパソコンを起動して、『インディゴリゾート』と打ち込む。あと、『カード紛失』と。祈るような気持ちで検索ボタンをクリックした。有力情報、お願い！

『まさか、実況？』9：45

〈春山杏子〉

教室内に鉛筆を動かす音だけが静かに流れている。教室の後ろから子どもたちの背中を眺めていても、四〇人、反応はそれぞれだ。小さく息を飲んだり、ため息をついたり、頭を掻いたり。見直しにかかっている子、頭を抱えている子。すでに鉛筆を置いて、水野先生をじっと見ている子もいる。村井先生が机のあいだを巡回している。

消しゴムを落とした子がいるので、席まで行って拾ってあげた。顔が強ばっているのは、こんなことでも減点の対象になりはしないかと心配しているからだろうか。水野先生は教卓から全体を眺め、時折、受験生名簿にメモをしている。挙動不審な子や、服装や頭髪に問題がある子をチェックしているのだ。消しゴムの子に、大丈夫、と笑顔を向けて、また、後ろに戻った。

窓際に目をやると、鉛筆を置いて大きく息をつきながら、ブレザーのポケットに片手を添えている子がいた。お守りでも入っているのだろうか。

チャイムが鳴った。やめ！　と水野先生の声が響く。

「筆記用具を置いてください。今から答案用紙を回収しますが、こちらが指示を出すまで席を立たないように。問題用紙はなくさないように持ってかえってください」

答案用紙の回収は村井先生と二人で行う。村井先生は窓際の席から、私は廊下側の席から受験番号順に集め、二人が集めたものを重ねて、水野先生に渡す。

水野先生は一枚ずつめくって、受験番号と枚数を確認した。それを封筒に入れ、村井先生に渡す。そして、村井先生と私の二人で教室を出て行く。次の教科の試験問題を取りにいくためではあるが、答案用紙を持った教師がなるべく一人で行動しないようにするためでもある。

「カンニングする生徒もいないし、監督なんて思ったよりラクですね」

階段を下りながら村井先生が言った。緊張感から解放された、といった晴れ晴れとした表情をしている。まだ、一科目が終わっただけなのに。

受験生の男の子が一人、駆け足で私たちを追い越していった。階下のトイレに行くのだろう。

「松島先生の息子さん、さすがによくできてましたね」

村井先生が男の子の後ろ姿を目で追いながら言った。確かに、目もとがよく似ている。ペースを乱さず問題を解き、早めに終わったのに時間いっぱい見直しをしていた。しかし、こういう発言は受験生のいるところでしない方がいい。村井先生に注意した。ですよね、と二人で何か秘密を共有したかのように笑い返される。彼の意味深な表情を、いつも少し気味が悪いと思っていたが、もしかすると、それほど意味は含まれていないのではないか。

試験会場２です、と言いながら二人で本部に入った。村井先生が相田先生の後ろに並び、教頭に答案用紙の枚数を確認してもらうのを待っている。私は二教科目、数学の問題用紙と解答用紙の入った封筒を荻野先生から受け取り、枚数を確認して表に署名をする。隣で小西先生も枚数を数えている。

皆が慌ただしく動いているのに、校長だけが、立派な席についてのんびりとお茶を飲んでいる。本部の監督という立場であるはずなのに、視線はぼんやりと宙を漂っているようだ。

村井先生に声をかけて、先に本部を出る。小西先生も出てきた。

「さっきの時間、問題はなかった？」

「大丈夫ですよ」

「うちも特に問題なしだ。でも、油断はできないな。何か起こるとしたら、こっちが気を抜いた頃だろうから」

階段を上がる私たちを、受験生の男の子が追い越し、くるりと振り返った。

「今年の桜はいつ咲くと思いますか？」

前の休憩時間に私にした質問を、今度は小西先生にしている。

「三月二二日じゃないか？」

「合格発表の日だ。ありがとうございます」

男の子は小西先生に笑顔を返し、階段を上がっていった。何なんだろう？　といった表情で小西先生はこちらを見たので、さあ？　とお手上げポーズを返した。しかし、合格発表の日がとっさに出るとは、なかなかいいセンスだ。

『ガセに決まってんだろ。踊らされてんじゃねーよ』10：00

〈松島崇史〉

仰々しいBGMと大袈裟なセリフまわしが食堂内に響いている。保護者たちはテレビ画面にくぎ付けだ。第一話が終わる。

「こりゃ、想像以上におもしろい。早く第二話を入れてくれ」

沢村会長からせかされる。やれやれ、とため息をつきたい気分だが、これでおとなしくしていてくれるなら、お安い御用なのかもしれない。

『次は数学』10：10

〈滝本みどり〉

超人気モデルでも、カードを忘れて門前払いをくらうなんて。わたしたちなんて、絶対に無理だ。ドアの開く音がして、慌ててブログのページを閉じる。荻野先生が掲示板に二教科目の問題用紙を貼った。

「今年の数学は意地の悪いことをしていますよ。きちんと得点差がつくように難問も入れてるんでしょうけど、私でも解けるかどうか」

「数学で意地悪するなんて、最低ですね。わたしなら、泣いちゃいますよ」

「そんな子が、受験生にいなけりゃいいですけどね」

荻野先生が笑いながら出て行った。数学の問題なんか見なくても、こっちは泣きたい気分でいっぱいだ。とりあえずめくってみたけれど、三秒も見ていられない。証明問題というのはどうにかわかるとして、辺ABを辺CDを軸として時計回りに六〇度ずらし……、ってこれ日本語？　ナニカイテルノカ、ゼンゼンリカイデキマセン、って帰国子女か！　そうだ、メールの返事が来てないかな。

杏子先生の席の引き出しをそっと開ける。携帯電話がない。いつもここに入れてるはずなのに。


『2問目にいきなり証明の超難問。これ、本当に高校入試の問題か？』10：30

〈村井祐志〉

教室内を巡回する。数学は答えがわかってしまう分、表情に出さないように気を付けなければ。五九番、松島先生の息子さんは数学も得意なようだ。彼のように順調に問題を解いている子はそれほどいない。廊下側の一番後ろの席で、鉛筆を回している四六番の子くらいか。完全に手が止まり、頭を掻いている子もいる。五五番、沢村翔太、同窓会会長の息子だったらおもしろいのに。七七番、窓際の麻美ちゃんはまた、ポケットに手を添えている。

洟をすする音がした。ううっ、と声まで上がり、なんと女の子が泣いている。駆け寄ると、同時に春山先生もやってきた。どうかしましたか？　と優しく訊ねる。

「体調が良くないなら、保健室へ行きますか？」

僕も訊ねたが、六八番の園田さんは首を横に振った。

「……難しくて」

この世の終わりのように言われても、どうしてあげることもできない。確かに、今年の問題は難しい。有名私立高の過去問題でよく見かけるような問題がたくさん出ている。問題を解きたいという気持ちはあふれているのに、なんの取っ掛かりも見つけられず、もう泣くしかなかったのだろう。

「でも、条件はみんな同じ。がんばって！」

春山先生がエールを送り、園田さんはどうにか再び鉛筆を持ち直した。こういう言葉がさらりと出るところがうらやましい。

残りの時間は特に問題もなく、試験は終了した。答案用紙の入った封筒を持ち、春山先生と教室を出ようとすると、水野先生に呼び止められた。

「何か問題が生じたときに、二人同時に動くのはよくない。廊下側を春山先生、窓側を村井先生と分けて、教室全体を見渡そう」

了解です！　と気合いを入れて答える。春山先生とまたかぶった。

「あと、春山先生、試験中、個人に対して励ましの言葉をかけないように」

了解です！　と春山先生は元気に答えた。へこたれない。きっと、挫折のない人生を送ってきたんだろうな。


『今年は理系が得意なヤツが有利か』11：10

〈田辺光一〉

理系が得意なヤツ……、か。数学は一〇〇点だった。俺の自己採点の結果を見ながら、淳一ははしゃいだ声を上げた。

――兄ちゃん、絶対に合格だね！

絶対、なんて言葉はない。


『次は社会。まだまだこれから』11：25

〈滝本みどり〉

掲示された社会科の問題用紙の半ばに、やっとわたしにもわかる問題を見つけた。社会はけっこう得意だった。特に年号は担当の先生がごろ合わせを教えてくれたので、今でもしっかり憶えている。

ひと世むなしい、応仁の乱。

虚しい。本当に虚しくなってきた。パソコンの前に戻る。もっと検索ワード増やしてみようかな。何を？『インディゴリゾート』の次に『応仁の乱』と入れて、検索ボタンをクリックした。バカみたい。なのに、どこかの掲示板にヒットした。なんだろう、これ……。

『応仁の乱っていつだっけ？』11：30

〈松島崇史〉

大仰なBGMもすっかり耳に慣れた。つい、うたたねしてしまいそうになるほど、保護者たちは息をひそめるように黙り込んでドラマに見入っている。一一時半になったし、マニュアル通り、ひと声かけておくとするか。

「皆さん、ここでは昼食の時間などは特に決まっていませんので、各自ご都合のよい時間におとりください」

「今、それどころじゃないんだ。黙っといてくれ」

ハンカチ片手の沢村会長が俺を振り返り、涙ながらに訴える。好きにすればいい。だが一人くらい、自分はここに何をしにきているのだ、と正気に戻る保護者はいないものだろうか。

『ところで、インディゴリゾートネタはどうなった？』11：50

〈水野文昭〉

三教科目にもなると、受験生たちも勝手がわかってきたのか、開始前にそれほど注意をしなくてもよくなった。同時に、受かりそうな者とそうではない者も予想がついてきた。文系、理系、どちらが得意かなど問題ではない。公立高校の入試問題など、一高に入ろうと思う者ならば、どれも九割とれて当たり前なのだ。

四六番、五九番、あの二人はまず受かるだろう。五五番は自信のある教科とそうでない教科の取り掛かる姿勢がまるで違う。社会はよほど自信があるのだろう。調子の良いときは人一倍明るいが、少しでも思い通りにならないことが起きた途端、周囲に八つ当たりをするタイプに違いない。恐らく、ボーダーラインギリギリ、できることなら受かってほしくないタイプだ。もう一人気になるのは七七番。ポケットにずっと片手を添えている。携帯電話でも潜ませているのではないかと気になるが、女子にポケットの中を確認させろとは容易に言えない。大学入試の最中に、受験生が携帯電話を操作してネットにアクセスしていたという事件が話題になったばかりだ。だが、ポケットの上から触ったただけで、カンニングができるということはないだろう。

　チャイムが鳴り、午前中の三科目が終了した。受験生たちに連絡事項を伝える。

「これから一時間、休憩に入ります。各自、なるべくこの教室内で昼食をとり、開始の予鈴、午後一時五分に遅れないよう席についてください。尚、休憩時間ですが、校舎から出ることは禁止されています。一階の職員室にも立ち入り禁止です。体調不良の場合は一階の保健室に行ってください。何か質問は？」

　四六番が手を挙げた。

「ケータイは返してもらえないんですか？」

「全教科終了まで返せない決まりになっています」

　受験生たちががっかりした声を上げる。いったい携帯電話で何をしたいというのだろう。そんな暇があるのなら、参考書を一ページでも確認すればいい。他に質問はないようなので、解散とした。

　春山先生、村井先生と一緒に下の階へと向かう。二人とも初めてにしてはよくやってくれているが、そもそも、試験監督などリーダーがきちんと取り仕切っていれば、サブは黙って立っているだけでいい。

「社会はそんなに難しくなかったみたいですね」

　春山先生が言った。帰国子女の彼女は日本史や日本の地理などの勉強をしたことがあるのだろうか。

「いや、わりと重箱の隅をつつくような問題がいくつかあったな」

「じゃあ、そこを見ていたか見ていなかったか、運次第で点数が大きく変わるってことですね」

村井先生が言った。世の中はそんなに甘いものではない。

「いや、日頃からきちんと勉強しているか。努力次第だよ。午前中の全般的な報告をしないといけないから、これは私が持って行くよ」

村井先生から答案用紙の入った封筒を受け取り、本部へ向かった。入試をぶっつぶす、など所詮、こけおどしだったのだろう。


『こっちは休憩時間はケータイつかえるよ』12：10

〈田辺光一〉


昨夜買ってきたコンビニおにぎりを食べる。梅干しは大丈夫だが、米は固くなっている。あいつは弁当でも買っていったのだろうか。俺は花見に持っていくような豪華な弁当を母さんに作ってもらった。

もしかして、あいつは俺を恨んで、おかしなことをやっているのだろうか。

『だるまさん弁当でーす』12：15

〈相田清孝〉

午前中の入試は無事終了。頼りないリーダーの宮下先生も、手抜きの枚数チェックを小西先生に注意されながら、どうにかこなしていた。昨日の貼り紙は気になるが、何か起きるとしても、隣のクラスでだろうし、それよりも、俺には別の問題がある。

今夜はどうなるんだ？

「何か気になることでも？」

小西先生の隣じゃ、考え事もできやしない。

「いや、何でもないっす」

前方に杏子先生と村井くんの姿を発見。試験会場2でも何事もなかったようだ。数学の試験中に泣き出した女子がいたのも一緒で驚いたが、これは事件ではない。公立の入試にあんな難しい問題を出す方が間違っている。俺が受験生でも泣いていた。それより、腹が減った。

「今年の弁当はどこのかなあ」

「朝、ニコニコ食堂の車が玄関前に停まってましたよ」

村井くんのするどい観察眼はこんなところにも発揮されている。まさか、俺のこともバレてないよな。

「ってことは、トンカツ弁当か？」

ピンチの前からは即刻退散だ。

職員室の給湯コーナーにニコニコ食堂の箱がある。やっぱりトンカツ弁当、荻野先生、グッドチョイスだ。一つ取って、箱の蓋に貼られた職員名簿にチェックする。

「ちょ、ちょ、ちょっと、来て」

みどり先生が走り寄ってきて、弁当を持ったままの俺の腕を引っ張った。職員用のパソコン前に連れていかれる。どうした、いったい？　杏子先生と小西先生もついてきているが、大丈夫なのか？

「へんなサイト見つけちゃった。うちの学区の高校生が集まるところみたいなんだけど、内容がちょっと……」

画面を見る。何だ、こりゃ。書き込みが並んでいるが、どれも入試に関する内容だ。『入試をぶっつぶす！』昨日の予告と同じじゃないか。杏子先生が画面をスクロールする。『仕込み完了』、『サカモトあたりがブチ切れか？』って確実に一高のことじゃないのか。

「それだけなら、ただのイタズラで済みそうなんだけど……」

今度はみどり先生が画面をスクロールする。

「侮るとか、応仁の乱とか、今日の問題のことが書いてある」

小西先生が言った。しかも、その書き込みがされているのは、試験時間中だ。これはヤバいんじゃないか？　小西先生がみどり先生に、荻野先生に報告したかと訊ねたが、まだしていないと言う。うちの学校に関係があるかどうかわからないし、ってどう見てもあるだろ、これは。

「でも、サカモトってありますよ」

村井くんが言った。それを聞きつけ、本人がやってくる。

「まあ！　何てこと」

水晶玉登場だ。宮下先生と水野先生もやってきた。パソコン画面をのぞき込む。

「これって、ヤバくないか？」

宮下先生が言い、杏子先生が本部に荻野先生を呼びに行った。俺がやるべきことはない。水野先生や小西先生でもそれは同じ。弁当でも食べるとするか。

『俺はベタにトンカツ弁当』12：25

〈春山杏子〉

掲示板の件を荻野先生に報告するとして、その後、どうなるのだろう。試験中に受験生があんな書き込みをできるのだろうか。しかし、不審者に連れ去られた女子高生が両手を縛られたまま、ポケットの上から携帯電話を操作して、助けを求めたというニュースを聞いたことがあるし……。本部のドアの前をうろついている男の子がいる。

「どうかしたの？」

「腹痛の薬が欲しくて」

「保健室はこっちよ」

一階廊下の突き当たりにある部屋を指し示した。

「あ、ども、ありがとうございます」

男の子はお腹を押さえながら保健室に向かった。私の教室の真ん中辺りに座っている子だ。試験中、頭を掻いたり、顔をゆがめたりしていたのは、体調が悪かったせいかもしれない。受験番号は何番だっただろう。


『ここの存在、先生たちに気付かれちゃったみたいだよ～ん』12：30

〈上条勝〉

食事を中断し、荻野先生と職員室に向かう。的場校長は本部に待機している。こういうときこそ、校長が出て行くものではないのか。威厳を持って檄を飛ばす役割は校長に。都合の悪い連絡事項は教頭に。どうしてこんな図式が出来上がっているのか。しかし、ここを耐えて乗り越えなければ校長にはなれない。

それにしても、いったいどうしてネット上に書き込みなんて。おまけに、ザカモト。在校生がおもしろがって書いているだけなんじゃないのか。今日は休みで退屈なのだろう。だが、彼らが入試問題を知ることはまだできない。ため息ばかりが込み上げてくるが、ぐっと飲み込む。教頭の私より、役職のない荻野先生の方が落ち着いているなんておかしいではないか。ただでさえ、生徒たちに、え？　荻野先生より教頭の方がえらいの？　マジ、ウケる、などと陰口を叩かれて、こちらは不愉快な思いばかりさせられているというのに。

職員室にはトンカツ弁当の匂いが充満している。飯を食って、だらだら待っているだけなんて、いい気なもんだ。

「先程、インターネットの掲示板に不審な書き込みがあるとの報告を受け、本部で検討をしましたので、教頭より報告してもらいます」

荻野先生が先を促すようにこちらを向いた。もっと先まで続けてくれてもいいんじゃないのか。結局、嫌われどころは私が担当しろということか。一歩前に出る。

「荻野先生からの報告を受け、インターネット上の当該ページを確認した結果、表現の仕方が著しく曖昧という点から、本校を対象に書き込まれたものではないと判断しました。また、試験の問題文が掲載されていた点につきましても、試験開始後に出ており、本校では受験生から携帯電話を回収しているという点から、何ら問題はないものとみなします。が、午後からあと二科目。先生方におかれましては、各自、厳重に注意していただきたい。以上」

「ちょっと待ってください」

また、小西先生だ。ねちねち責められる前に撤収しなければ。

「試験はまだ終わっていないのに、いつまでも本部を校長一人にまかせておくわけにはいかんのでね」

不満げな声は聞こえてきたが、勤続三五年で身に付けた空気耳栓をして出ていく。本部では、年がら年中、空気耳栓をしたままの校長が呑気に弁当を食っているのだろう。昔はかなりのやり手だったと聞いたことがあったのだが。

『もう、あきらめたら？』12：40

〈松島良隆〉

ごはんの上に海苔で合格と書いてあるのを見られるのが恥ずかしくて、弁当をかき込んだ。父さんには何て書いたんだ？　と思ったけど学校で弁当が出るって言ってたっけ？　でも、コンビニのおにぎりよりはいいかも、と思ってしまう。あいつは清煌学院を受けに来てたときも、コンビニおにぎりを食べていた。声をかけてみようかとも思うが、試験はまだあと二科目ある。午前中の科目はかなり手ごたえがあった。

「ねえ、さっきの地理の記号の問題、一番はイだよね」

斜め前の席の、他の中学の女子が弁当を食べながら答え合わせをしている。その問題、僕もイにした。女子はこういうときでも誰かと一緒に食事をとるようだ。答えが違っていて、気まずくならないのだろうか。次はエ、それも一緒だ。一人で食べている子もいるけれど。なんだか具合が悪そうだ。大丈夫かな……。

ガン！　と前方から机を叩く音がした。僕と同じ列、沢村だ。女子二人を睨みつけている。自分が書いたのが違っていて、八つ当たりしているのかもしれない。止めにいくべきか。

「ちょっと、何、あの子。え？　あたしたちにムカついてんの？」

女子二人が睨み返すと、沢村はついと目を逸らし、僕の方を見た。

「おい、良隆。バカのくせにこんなとこ受けに来てんじゃねーよ。キモくて集中できねーだろ！」

結局、あいつは僕でストレス解消する。無視していればいい。それがおもしろくないのか、沢村はもう一度、机を叩いた。

「先生、呼びに行く？」

女子の片方が大きな声で言うと、沢村はチッと舌打ちして前を向き、弁当を食べだした。

落ちればいいのに。試験中も、頭をかかえてたじゃないか。マグレで受かっても、付いてこれないだろ。八つ当たりされるのは、もうウンザリだ。

『じゃ、終了、ってことで』12：45

〈相田清孝〉

弁当を食っている最中に、衣里奈からメールが届いた。今バレー部の部室にいるって、何考えてんだあいつは。在校生は立ち入り禁止だろ。辺りを窺いながら部室に入る。ワッ、と衣里奈がロッカーの横から飛び出してきた。何と、一高の制服ではない、セーラー服姿だ。

「おまえ、なんでこんなところにいるんだ？」

「だって、今日、あたしの誕生日だよ。五分でもいいから会いたいなって思ったの」

それは先週気が付いて、昨日、晩飯おごってやっただろ。

「だからって、入試の日の学校に忍び込んでくることないだろ」

「あたし、ちゃんと校門から入ってきたもん。受験生と一緒に」

「そんな時間から？」

「だって、チャンスはそこしかないでしょ。それより、中学の制服、懐かしくない？

あのときから、あたしはキヨタン一筋なの」

はしゃぐ衣里奈にだんだん腹が立ってきた。入試を何だと思ってるんだ。しかも、自分の入試の日に軽く事件を起こしたというのに。

「ったく、全然懲りてないんだな。おまえは」

「違うよ！　あのときみたいにあたしを助けてほしくて、ここに来たの……」

衣里奈は顔を覆った。また嘘泣きか、とため息をつきかけたが、指のあいだから涙が流れているのが見えて、ドキッとする。女の子の涙に弱いんだよな。

『ぶっつぶす、って問題リークするだけのことだったのか？』12：48

〈松島崇史〉

ここはもはや、保護者待機室ではなく、映画館だ。それでもう結構だが、面倒なことがある。本編終了の音楽が流れた。とりあえず、声掛けだけはしておくが。

「子どもたちは昼食時間中ですが……」

「まあ、死んだはずの息子が生きてるじゃない」

「どうなってるんだこれは。最終回だろ、次、次のを入れてくれ！」

俺はすっかり、DVDのセッティング係だ。子どもたちはあとまだ二科目受けなければならないのに。がんばれよ、良隆。

『じゃあ、インディゴリゾートにでも行くか』12：50

〈春山杏子〉

食後に珍しく、宮下先生がコーヒーを淹れてくれた。あと一〇分で昼休みは終わりだが、結局、ネット問題は何も解決していない。

「教頭、問題ないって言い切っちゃいましたね」

「厳重に注意はちゃんと付けたけど。そう言えって、校長から指示されたんだろうな」

「教頭とか、上の役職を狙ってる先生が保守的なのは理解できますが、なんで校長までそうなんですか？　もう、顔色を窺うような相手はいないはずでしょう？」

「甘い！　校長が最終じゃないんだよ。定年後の、楽で快適で儲かる役職を狙ってんの。郷土資料館の館長とか公民館の相談役、まあ簡単に言えば、天下り」

まさか、政治家だけではなかったのか。教師とは、あまり肩書に囚われない、皆が平等な職業だと思っていたのに。

「それに、この時期、保守的になるのは上を目指してるヤツらだけじゃないしさ。杏子ちゃん、いきなり四月からガラの悪い生徒がいっぱいいる高校や、超僻地にある高校に行けって言われたらどうする？」

「仕方ないけど、不安にはなるでしょうね。そうだ、これも疑問に思ってたんですけど、人事って誰が決めるんですか？」

「辞令を出すのは県だけど、採用試験受かりたては別にして、だいたいが校長同士で決めてるって感じかな。俺たちはカードで、校長同士がトレードすんの。この人、口うるさくて厄介だから引き取ってくれない？　とかそんなふうに」

宮下先生は机の上に置いていたデッサン用の模型人形を使って説明してくれた。

「うちみたいな名門校は教師のあいだでもダントツに人気が高いし、来たい人はいっぱいいんの。だから、ちょっとでも逆らうとすぐ飛ばされちゃうよ」

だから、ほとんどの先生たちは今回のように納得のできないことが起きても、意見を言わないのか。

「じゃあ、宮下先生も？」

「あれ？　俺ってそんなに反抗してるように見える？　愛校心はかなり強いはずなんだけどな。まあ、異動になっても構わないんだけどね」

そうだろうか。宮下先生は昨年末にこの辺りに新居を建てたばかりだ。お祝いに花瓶をプレゼントした。

「でも、かみさんには怒られるだろうな。その点、杏子ちゃんは安心だ。ここに四年はいなけりゃならない決まりになってるから、飛ばされる心配がない。みんなを代表してガツンと言ってくんない？」

初任校には四年から六年間勤務しなければならない。だからといって、自分がおかしいと思うことを問いただしても誤魔化されてしまう私が、みんなを代表などできるわけがない。悔しいけれど。

「ゴメン。帰国子女の杏子ちゃんにおかしな仕組みなんて教えない方がよかったかもな。あと二科目、何事も起こらないよう、厳重に注意するのみだ」

宮下先生が膝を叩いて、コーヒーを飲み干した。偏見を持たなそうなこの人ですら、最後には、帰国子女だ。

　──帰国子女のきみにはわからない。

　わからないから、この世界に飛び込んだのに……。

『次は理科』13：05

〈村井祐志〉


予鈴のチャイムが鳴った。受験生たちは心機一転といった様子で席に着いている。昼食はちゃんと喉を通っただろうか。トイレの個室でこっそり涙を流した子はいないだろうか。問題用紙を配りながら、胸の中で一人一人に、がんばれよ、と声をかけてしまう。だけどこの中に、入試をぶっつぶそうとしている者がいるかもしれないのだ。

　本鈴が鳴り、水野先生の掛け声とともに、理科の試験が始まった。同じ理数系教科でも、数学よりは難易度の高い問題は出ていないようで、泣き出しそうな気配の子はいない。懐かしい実験の問題がある。でも、確か数年前にどこかの学校でこの実験中にケガをした生徒がいたとか、いなかったとか。

　男子受験生が挙手をした。水野先生が彼の席まで向かう。

「この問題、うちの中学の先生はこの実験をやりたかったらしいけど、危険だからやらない方がいいって文部科学省からの通達があったので、できなくなったと聞いています。そんな問題、出していいんですか？」

やっぱりそうだったんだ。他の受験生たちも手を止めて水野先生の方を見ている。よく知ってるね、なんて笑って誤魔化すことなんてできない。しかし、どう答えるべきか、僕にはわからない。荻野先生を呼んでこようか。

「文部科学省の通達ということは、条件はどこの中学も同じ。これは座学で十分理解できる問題です」

水野先生の答えに、男子受験生が黙り込んだ。七割納得、三割納得できず、といった表情だけど、これ以上反論するつもりはないようだ。他の受験生も問題を解く手を動かし出した。春山先生も感心している様子だ。さすが、水野先生。

『終了したんじゃねーの？』13：15

〈滝本みどり〉

荻野先生が理科の問題を掲示して出ていった。掲示板を何度か往復してみたけど、理科の問題は書き込まれていない。一高職員にここの存在がバレたからなのか、一高とは関係なく、単に、書き込むタイミングを逃しているだけなのか。どちらにしても、もう、わたしが悩むことじゃない。食後のコーヒーでも飲もう。

弁当が一つあまっている。名簿にチェックが入っていないのは、松島先生だ。食堂に待機してくれているのだから、わたしが気付かなきゃいけなかったのに。

弁当を持って食堂を訪れると、メロドラマ風の音楽が流れていた。まさかのＤＶＤ鑑賞だ。

「松島先生、お弁当です。すみません、気付くのが遅くなって。ところで、ＤＶＤなんて用意していましたっけ？」

「保護者の方が持ってきたのを、みんなで見ることになったんだ」

「いったい何しに来てるんだか」

「きみ、声が大きいぞ。いいところなんだから、邪魔をするな」

沢村会長だ。ここは、あんたの家か。まったく、付き合ってらんない。松島先生には悪いけど、撤収、撤収。

職員室に戻ると、掲示板の前に見慣れない男の人がいて、ギョッとした。

「入試問題って、こんなに難しかったっけ……」

問題用紙をめくっている背後に、おそるおそる近寄ってみる。

「ここの先生ですか？」

パッと振り返り、不審者らしからぬさわやかな笑顔で訊かれて、つい頷いた。

「大洋ツーリストの徳原といいます。春山先生に緊急で渡さなければならないものがあって来たんですけど」

ゴールドカードだ。

「再発行してもらえたんですか？　ホントに、ホントにありがとう」

「じゃあ、お渡しするので、杏子によろしく伝えてください」

徳原さんはカバンからカードの入った封筒を取り出した。優ちゃん、って男の人だったんだ。呼び捨てにしてるし、杏子先生の彼氏だろうか。

「せっかくだから、お茶くらい飲んでいってくださいよ」

「いや、でも」

「杏子先生の席、座ってください」

「じゃあ、一杯だけ」

それほど迷惑そうではない。やはり、彼女の職場は気になるのだろう。徳原さんは杏子先生の席につくと、カバンをあけてゴソゴソしはじめた。何が出てくるんだろう。


『禁止されてる理科の実験なんか、出すな』13：55

〈春山杏子〉

チャイムが鳴り、理科の試験が終了した。私にはどう答えていいのかわからない質問が出たときはドキリとした。試験中に無理難題を試験監督に突き付けることも、入試をぶっつぶすことになるのかもしれない、と。しかし、水野先生がひと言で解決してくれた。試験監督が三人いるのも納得だ。残り一教科。朝からの好天は続いている。

あれ？　校門から出て行った人が優ちゃんのように見えたが、気のせいだろうか。

本部で村井先生が理科の答案用紙を教頭に渡し、私は英語の問題用紙を受け取る。

「何も問題なし？」

小西先生に訊かれる。

「いちゃもんつけるような質問をした子がいたけど、水野先生が上手く返してくれました。ついに、あと一科目ですね」

村井先生が明るく返したが、小西先生は心配そうだ。

「何も起こらないっすよ」

「気を引き締めていきましょう」

相田先生が気分を盛り上げるように言ったのに合わせて、私も元気にかけ声を上げた。

問題用紙と解答用紙の枚数を確認する。

「あれ、解答用紙が一枚足りない。補充します」

荻野先生に向かって言い、テーブル中央にある予備用の封筒から一枚抜いて補充した。

最終科目、英語の始まりだ。気持ちを集中させて、解答用紙を配る——。

『終了？　これからだろ』14：10

第4章　賽は投げられた

『終了直前、事件が起きる』14：20

〈荻野正夫〉


五教科目の英語が始まった。職員室に問題を掲示しに行く。

「シェークスピアについてですね」

長文問題を見ながら何気なく発した言葉だったが、滝本先生は感心するようにこちらを見た。一高に赴任して三年目の彼女は、私が元は英語科を担当していたことは知らなかったようだ。

「そうそう、書き込み、まだ続いてますよ」

滝本先生がパソコンを指さした。

「顔の見えない人たちです。ほうっておきましょう」

今日一日、インターネットに接続してはならないというルールを決めておけばよかったのだ。滝本先生にも最初に注意しておくべきだった。問題を漏洩している犯人は受験生とは限らないのだから。

『がんばれ、期待してるぞ！』14：40

付き添いで来たはずの保護者たちは、晴れやかな顔をして昼飯を食っているが、子どもたちの試験が終わったわけではない。終わったのは、くだらないドラマだ。

「夢中になりすぎて、腹が減ってることにも気付かなかった」

沢村会長が大声を上げながら、トンカツを頬張っている。おかずにどんな意味がこめられているのか、考えようともしないのだろう。

〈松島崇史〉

「松島さん、お茶をもらえないか」

まったく、何様のつもりなのだ。少子化ゆえ、公立でも、受験生をお客様のように迎える学校もあるのかもしれないが、一高は断じてそうではない。とはいえ、俺が腹を立てても仕方がない。あともう少しのあいだおとなしくしていてくれれば何の問題もない。

沢村会長の向かいの席についている女性は、携帯電話を取り出してきょろきょろしている。

『携帯電話使用可』この貼り紙のおかげで、こちらに確認を求めてくることはない。来年は、『ＤＶＤはセルフでお願いします』と用意すればいいのではないか。いや、保護者の付き添いを禁止にすればいいのだ。

『まだ？』14：45

〈春山杏子〉


時計を確認する。終了のチャイムまで、あと一五分だ。

受験生たちはラストスパートをかけるように、必死で鉛筆を動かしているが、中には、頭をかきむしりながら問題用紙を眺めている子もいる。昼休みに、保健室に行っていた子だ。あの場では、体調の良くない彼に同情もしたが、全員の後ろ姿を見ていると、体調管理も試験のうちなのだと思えてくる。体調を崩しても、家族や友人とケンカをしても、失恋しても、決められた日は個人の回復など待ってはくれない。

すべては今日に、集約されているのだ。なのに、村井先生は欠伸をかみ殺している。午前中はあれほどはりきっていたのに、もう終わったと思っているのだろうか。それとも、周囲を油断させる演技なのだろうか。受験生の中にも、時計を確認する生徒がいる。松島先生の息子さんはひと通り終了させ、見直しにかかっている。

突然、携帯電話の着信音が教室内に響いた。

ＣＭで聴いたことのある女性アーティストの歌だ。窓側の辺りから聞こえる。水野先生と村井先生も教室内を見渡している。声を上げる受験生はいないが、皆が音の出どころを探している。水野先生が一瞬、黒板の上を見たが、そんな高いところから聞こえているのではない。受験生の制服のポケットからだ。

窓際の席で固まりついている女の子。ようやく、音楽が止まった。

「そのまま、試験を続けてください」

水野先生が全体に指示を出して、女の子の席に向かった。首を長くして彼女を見ている受験生がいる。

「気をつけて。カンニング行為とみなされますよ」

重く受け止められない程度に注意を促し、教室全体を見渡した。

「携帯電話を出しなさい」

水野先生が片手を差し出した。女の子は俯いたまま首をブンブンと横に振った。

「じゃあ、机の上はそのままにして、退出しなさい」

「試験は？」

かすれるような細い声だ。

「続けることはできません」

女の子の呼吸が荒くなる。からだ全体がカタカタと震え始めた。

「春山先生、この子を保健室へ」

水野先生に呼ばれ、慌てて二人のところに向かったが、震える女の子にどう手を差し出せばよいのかわからない。

「待ってください、彼女、きっと過呼吸です」

村井先生がビニル袋を片手にやってきて、膨らませた袋の口をゆっくりと女の子の口元に当てた。私は女の子の背中を支えてあげる。少しずつ、呼吸が整ってきたようだ。

村井先生が袋を外した。

「これで、歩けるね？」

村井先生が優しく問いかけると、女の子はあきらめたように頷いた。

「やっぱり、女性の先生の方がいいですよね。春山先生、お願いします」

村井先生の提案に水野先生も頷いた。

「わかりました。行きましょう」

女の子を立たせて、教室を出た。試験終了を待たずに、退出することになるとは。どうにかならないかと振り返ったが、残った人にまかせるしかないようだ。泣かれるのが辛い。だが、泣くくらいなら、どうして携帯電話を試験前に提出しなかったのか。今日のこのときに、どうしてルール違反をしてまで、こんなものを持っていたのだろう。

失格になるとわかっていて。

『事件起きた？』15：00

〈村井祐志〉

まさか、こんなことが起きるなんて。彼女、芝田麻美は僕が携帯電話を回収した際、持っていない、と言って提出しなかった。考えてみれば、今時の子が携帯電話を持っていないはずがない。ましてや、グループ行動をする女子には必須アイテムだろう。

水野先生が芝田麻美の机から答案用紙を取り、筆記用具を端に整えて、教卓に戻った。

「アクシデントが生じましたが、時間の延長はありませんので、試験を続けてください」

えっ、と声を上げ、受験生たちは慌てて問題を解きだした。何事もなかったかのように、静けさが戻る。携帯電話が鳴ったのは、明らかに試験妨害だ。僕も何か責任を問われることになるのだろうか。

掃除用具入れの戸を開けたままだった。……どうしてこんなものがここに？　今、水野先生に報告すると混乱を招くだけだ。後で報告するとして、とりあえず、ポケットに入れておこう。念のため、電源も切っておく。春山先生が時間内に戻ってくるのは難しそうだな。

『もう10分、切ってるんですけど』15：02

〈滝本みどり〉

時計を見ながら、ついカウントダウンをしてしまう。試験はもうすぐ終了。そして、わたしの手にはインディゴリゾートのゴールドカードが……。廊下からパタパタと足音が聞こえてきたので、様子を見に出ることにする。職員じゃない、保護者の一人がものすごい勢いでこちらに向かって歩いてきている。まだチャイムは鳴っていないというのに。

「すみませんが、ここは……」

目の前に立ち、両手を広げて通せんぼした。睨みつけられる。保護者の後ろから、松島先生が小走りでやってきた。

「娘さんが保健室に運ばれたそうなんだ」

そういう事情があるなら仕方がない。二人を先に通す。しかし、さらに後からついてきている人は明らかに部外者のはずだ。

「会長さんは何のご用ですか」

「俺は芝田さんの付き添いだ」

「ご親戚？」

「県会議員のご主人にはお世話になっているし、後援会にも入ってる」

「うーん、アウトです。お引き取りください」

「何だと！　きみ、出身校はどこだ」

「同窓会の圧力なんてちーっとも怖くない、菫ヶ丘女子高でーす」

沢村会長はチッと舌打ちして食堂に戻っていく。ざまあみろ。出身校はどこだなんて、一高ＯＢがそんなにえらいのか。……と、今度は窓越しに、校舎の周りをうろうろしている人を発見だ。制服姿の女の子、受験生？　まだチャイムは鳴っていないのに。目が合った。走って逃げていく。見覚えのある顔だけど、名前が出てこない。まあ、いっか。早く帰れることを優先しなければ。

『あと5分』15：05

〈春山杏子〉

この子は今どんな気持ちなのだろう。保健室のベッドに横たわる麻美さんに付き添っていると、彼女の母親が飛び込んできた。麻美さんの強ばっていた表情がホッと緩んだが、すぐにハッとしたように布団を頭からかぶる。

「何が起きたんですか？」

母親、芝田さんが私を振り向いた。過呼吸を起こしたことを簡単に説明する。

「こんなときに……。小さな頃から、純粋で傷付きやすい子なんです。でも先生、試験の続きはここでさせてもらえるんですよね」

どうやら、携帯電話が鳴ったことは知らないようだ。

「いいえ、終了です」

「体調管理はこっちの責任だっておっしゃるの？　何の教科だったんですか？」

「英語です」

「なら大丈夫だわ。麻美ちゃんは英語が得意だから、もうほとんどできていたんじゃないの？」

芝田さんの問いかけに、麻美さんはピクリとも動かない。携帯電話が鳴ったと本人の口から打ち明けるのは難しそうだ。

「途中退出しても、減点はされないわよね」

芝田さんが私に訊いた。そういう問題ではないことを、私から説明するべきなのだろうか。事実を伝えることに何の抵抗もないが、私の役割ではないのではないかとも思う。

チャイムが鳴った。誰かが呼びにくるまで、話題が携帯電話や合否のことにならないように乗り切るのが賢明か。

『ここで騒いでるだけだろ』15：10

〈田辺淳一〉

チャイムが鳴った。眼鏡の教師の、やめ！　の号令と同時に受験生が手を止めた。女の教師がケータイを鳴らした子に付き添って出ていったので、若い男の教師が一人で答案用紙を回収し始めた。さっきまでの名残か、廊下側から受験番号の若い順に並んでいるのに、窓側の列からまわっている。マニュアル通りの行動しかできないタイプなのだろう。好都合だが……。

まだ試験は終わっていないというように、黒板前の教卓から眼鏡の教師が教室全体に目を光らせている。が、ふと思い出したように、ケータイ、と口にした。

「あ、僕が取りに行くんだった。水野先生、回収を」

若い男の教師が回収の手を止めたが、私が行こう、と眼鏡の教師が教室を出て行った。机の端に置いていた鉛筆が落ちる。若い男の教師は鉛筆を拾い上げ、それと交換するように、僕の答案用紙を持っていった。

教卓で回収した答案用紙の枚数を数えている。数が合わないようだ。困った表情をしているが、すぐに何かを思い出したように教卓をのぞき、答案用紙を取り出した。ケータイを鳴らした子のものだ。安心した様子でそれを答案用紙の束に挟み込んで封筒に入れたところに、携帯電話の入った袋を持って、眼鏡の教師が戻ってきた。

「どうも、すみません。回収、終わりました」

若い教師が気遣うように頭を下げている。両隣の教室からガヤガヤと受験生が出てくる音が聞こえてきた。眼鏡の教師が袋を置いて、封筒から三分の一ほど答案用紙の束を出し、枚数を確認する。

「よし。これを本部へ」

眼鏡の教師に封筒を渡されて、今度は若い男の教師が出て行った。ストラップがからまったり、同じ機種のものがあったりと、探すのに皆手間取っているようだったが、全員が携帯電話を受け取った。

「携帯電話の電源はもう入れても構いません。これで終了です。お疲れさま。気をつけて帰ってください」

眼鏡の教師の号令で、皆、ワッと一斉に立ち上がる。伸びをしたり、携帯電話を開いたり。解放感に満ち溢れている。きっと今だけは、結果のことなど忘れているに違いない。

『トラブル発生！』15：25

〈村井祐志〉

英語の答案用紙が入った封筒を教頭に渡した。的場校長と荻野先生はいない。試験中に携帯電話が鳴った芝田麻美の処分を言い渡すため、応接室に行っているようだ。上条教頭は答案用紙の束を封筒から三分の二ほど出して、ぱらぱらとめくっている。

「はい、揃いました、っと」

回収表に僕が先に署名し、最後の空欄に教頭が署名した。

「これで無事終了と言いたいところだけど、携帯電話が鳴ってしまった、か。普通なら、中学の教師に失格を伝えればいいだけなのに、注意したら過呼吸を起こして、そのうえ、親がここに来ているとは、やっかいだねえ。教室担当責任者は水野先生か。残念なことにならなきゃいいが……」

「水野先生は何も悪くありません」

「講師ごときのきみが口を挟むことじゃない」

ごとき……。講師などいわゆる便利屋で、三月末から四月初めの時期だけ、うちに来てください、と頭を下げられるが、了承したが最後、試験に合格していない半人前を正規料金でやとってやっているのだと言わんばかりの扱いを受けることになる。教員採用試験に合格したか否か。それだけで、人間性まで測られるのだ。

水野先生がやってきた。

「ああ、水野先生。校長と荻野先生がすでに応接室に行ってるから、きみもすぐに」

「わかりました」

水野先生の表情が険しい。採用試験に合格して、教諭になれたら、また別の悩みを背負わされることになる。それでも僕は合格したい。一人一人の生徒に伝えたいことがあるからだ。


『ミッションって、アレのことだったの?』15：30

〈的場一郎〉

そもそも、入試業務はまだ終了していないというのに、なぜ、このような場を設けなければならないのか。試験中に携帯電話が鳴ったのなら失格だ。それは、直接本人や保護者に言い渡さなくても、不合格判定を出せばいいだけではないのか。とは思っていたが、父親が県議だというのだから話は別だ。定年まであと二年、できることなら穏やかに過ごしたい。それが、家族のためだ。

「試験中に携帯電話が鳴った？　だから、麻美ちゃんは過呼吸を起こしてしまったのね。かわいそうに」

荻野先生からの話を受けて、母親は携帯電話のことを初めて知ったようだ。

「ママのせいだからね」

「ごめんなさい。でも、試験はちゃんとできていたんでしょう？」

「ほとんど終わってたけど……」

「じゃあ、何も心配することないじゃない」

母親はにこやかに職員を見渡した。一字一句余さず口にしなければこちらの言いたいことが伝わらない保護者が急激に増えてきたのはいつからだろう。

「あの、お母さん。本校におきましては、試験中に携帯電話が鳴った場合、試験妨害とみなして、失格とさせていただく決まりになっています」

荻野先生はそれを十分にわかっているようだ。

「失格、ですって？　たかだか、携帯電話がほんの数秒鳴っただけじゃないですか。それで試験妨害だなんて、大袈裟すぎるんじゃありません？　いったい、どこの誰が迷惑を被ったというんですか」

それでも伝わらないのが、今の世の中だ。

『詳細ヨロシク』15：35

〈沢村幸造〉

試験中に携帯電話が鳴っただと。なのに、受験生をそのまま帰らせるなど、けしからんことだ。今日中に対処しておかなければ。おそらく、学校側はなかったことにするはずだ。そんなことは断固、阻止せねばならない。

「ちょっと、会長さん、入っちゃダメって何度も言ってるじゃないですか。まだこれから採点があるんですよ」

女教師が後を追いかけてくる。また、こいつか。こんな小娘の相手をしている暇などない。

「もう、誰か止めてください」

「ああ、沢村さん、いけませんよ」

松島まで、俺の邪魔をするように正面に立ちふさがる。

「どけ、校長はどこだ。大事な用があるんだ」

「こちらで伺いますから。ご用件を言ってください」

「さっき、試験中に息子のクラスで携帯電話が鳴ったそうじゃないか」

「その件は今話し合っているので」

「話し合い？　被害者の言い分も聞かずにか？」

「被害者？」

どこまでしらばっくれるつもりだ。翔太は難しい長文問題を解いている最中に、音楽が鳴って、シェまで思い出していたシェークスピアの名前が、一瞬にして頭の中から消えてしまった、と俺に涙ながらに訴えてきたというのに。完全に試験妨害ではないか。

「そうだ！　同じ中学だから、松島さん、あんたの息子もいたんじゃないか。ということは、あんたも被害者の親だ。協力してくれ」

「私は息子が被害者だなんて思っていませんよ」

カッコつけやがって。

「そのセリフ、一点差で不合格になったあとでも言えるのか」

「それは……」

そらみろ。

「とにかく、この問題は今日中にきっちりカタをつけてもらう。何時になっても構わん。もう部外者じゃないんだから、応接室で待たせてもらうよ」

松島と小娘を振り切り、応接室のドアを勢いよく開けた。なんだ、校長も荻野さんもいるではないか。

「まあ、沢村さん」

芝田さんまで。松島などに応援を求めなくとも、同志はいたということか。

「もしかして、携帯電話の件でここに？」

「そうなんですよ」

県議の奥さんがいれば心強い。納得できるまで闘おうではないか。


『試験中にケータイ鳴った子がいたけど、ミッションって、まさか、あれ？』15：40

〈相田清孝〉

校内の見回りに行くと教頭に断って出てくると、悪い予感が的中した。バレー部の部室に衣里奈がまだいたのだ。しかも、みどり先生に姿を見られたかも、なんて言っている。勘弁してくれよ。

「でも、すぐに逃げたから、あたしだって気付かれていないと思う」

「まあ、彼女は視力があまりよくないからなあ。俺が何とかごまかしとくよ。コンタクトの度が最近合ってないらしい」

「よく知ってるね」

衣里奈が俺の顔を覗きこむように言った。一歩下がって、咳払いをする。

「職員なら誰でも知ってることだ。それより、受験生がまだ校内に残っているうちにおまえも帰れ」

「うん。……それだけ？」

「誕生日おめでとう」

「ありがとう。春休み、どこか連れて行ってね」

まったく、こんな状況でよく誕生日の話ができるな。

「その話は今度だ。さ、急いで」

衣里奈にカバンを持たせ、ドアを薄く開けて外の様子を窺う。

「今なら、大丈夫だ」

「うん。……あのね、インディゴリゾート、誰と行くの？」

どうして、衣里奈がそれを知ってるんだ？

「これ、部屋で見つけたんだから」

衣里奈がポケットから取り出したのは、ゴールドカードだ。

「おまえが持ってたのか！」

「ないと困る？」

「当たり前だろ」

「予約とるのメチャクチャ大変なんでしょ？」

その辺りはよくわからないが、とにかく衣里奈を納得させて取り戻さなければならない。

「返さなかったら、彼女に怒られる？」

「バカ言うな。これは、修学旅行の下見に、み、み……水野先生と行くんだ。ほら、水野先生、一年生の担任だろ。来年はそのまま持ち上がって二年の担任になる予定だから」

「キヨタンはどうして？」

「俺はスキーができるからじゃないか？　それとも、次は二年の担任になるのかな」

「行くの、楽しみ？」

「微妙だな。一緒に行くのが水野先生じゃなあ……」

「ふーん。わかった。じゃあね」

どうにか納得した様子で衣里奈は出て行った。脇の下にじわりと汗が流れる。今度こそ、本当に帰ってくれよ。あっ、カード……。


『注意されたら、息止まりそうになって、保健室へ。結局、帰ってこなかった』15：45

〈水野文昭〉

電話を鳴らした受験生、その母親。母親だけでもやっかいだと思っているところに、沢村会長までやってきた。あとから松島先生も入ってきたが、どうして食い止めることができなかったのだ。学校側には何の非もないというのに、この場を支配しているのは、母親と沢村会長だ。

「何だって？　芝田さんのお嬢さんのケータイが鳴った？」

「そうなんです。わたしがうっかりメールを送ってしまって。それだけで、失格にするって言うんですよ、この人たちは」

「それはまた、厳しい処分だ」

沢村会長は何をしにここに来たのだろうか。

「わからないんですよ。受験慣れしたこの人たちには、受験生一人一人やその親たちの気持ちなんて。学校が終われば塾に行って、遅くに帰ってきて食事もそこそこにまた机に向かう。親にできることといえば、体調管理くらい」

「そうそう。なのに、うちの息子は人生大一番の日にまさか風邪を引いてしまうなんて。そうなっても、こっちは付き添ってやることくらいしかできない」

「その通り！　だから、せめて激励のメールでもと、送ったんじゃないですか。それに、わたしは何もタブーを犯したわけじゃありませんよ。食堂には、携帯電話使用可という貼り紙をしてあったじゃないですか」

「そうだ、私も見たぞ」

「あそこに使用不可と書いてあれば、いいえ、そもそも使用可なんて、わざわざ煽るような紙を貼っていなければ、わたしだってメールなんか送りません」

「確かに、学校側が煽ったというふうに受け止められますな」

勝ち誇ったように校長の方を見ているが、そんな理屈が通用するわけがない。荻野先生が二人に向き直った。

「しかし、お母さんがメールを送られても、娘さんがこちらの指示に従って携帯電話を提出していれば、起こらなかった問題です。我々は専用の袋を用意して受験生一人一人の席をまわって携帯電話の回収に努めましたし、試験中に携帯電話が鳴ると失格になるという警告もしています。そうですよね、水野先生」

「はい、口頭でも説明しましたし、黒板に掲示してある注意事項も全部読むように促しました」

「そうなの？　麻美ちゃん」

母親が態度一変、急におろおろした口調で娘に訊ねる。娘は俯いたまま……、黙って首を横に振った？

「バカな。私はちゃんと言った。嘘をついても、他の受験生に確認すればわかることですよ」

「麻美ちゃん、ママは信じてるから、ちゃんと口に出して説明してちょうだい」

娘が顔を上げた。こちらを睨みつけている。

「その先生はもごもごしゃべるので、注意していたかもしれないけど、よく聞き取れませんでした」

「何だって？」

「でも、黒板に貼ってあった紙はちゃんと読みました。失格なんて、どこにも書いていなかった」

いい加減なことを言うな、と喉元まで出かかったが、ぐっと飲み込む。確かに、黒板に掲示していた注意事項には失格と書いていなかったような覚えがある。

『定員割れのガッコ？』15：50

〈上条勝〉

採点の準備をするため、金庫から答案用紙が入った封筒の束を取り出して、中央のテーブルに並べる。これは荻野先生の仕事のはずなのに、なぜ私がやらなければならない。いや、保護者に対応するよりは気楽な作業か。それより、腹が急に痛くなってきた。昼飯のトンカツがレアだったのか？　便所に行きたいが、本部をカラにするわけにはいかない。誰かいないだろうか。

ドアを開けて部屋の外を見ると、応接室前に滝本先生がいた。ちょうどいい。ちょっと、と手招きをして呼んだ。

「手洗いに行きたいんだが、二、三分、ここで見張りをしておいてくれないかね」

「いいですよ」

滝本先生が中に入ったのを確認して、手洗いに駆け込んだ。

『まさか、毎年、競争率1・5倍前後。3人に1人が落ちる予定』16：00

〈春山杏子〉

受験番号のカードをはがし、机を並べかえる。教室の片付けは村井先生と二人でだ。水野先生は応接室に呼ばれたきり、まだ戻ってこない。受験生とその保護者に、携帯電話が鳴り、失格になったことを伝えるだけなのに、こんなにも時間がかかるのだろうか。

「水野先生、大丈夫ですかね」

村井先生も心配そうだ。

「A組は終わったから、手伝うよ」

小西先生と宮下先生が入ってきた。相田先生は校内の見回りに出ているらしい。

「ケータイ鳴っちゃったんだって？　ざわついてたから何かあったんだろうとは思ったけど、まさか、予告通りのことが起こるとは」

宮下先生がさらりと言った。昨日の貼り紙のことだろうか。入試をぶっつぶす！

「宮下先生は受験生がわざとケータイを鳴らしたって考えてるんですか？」

「誰だって思うよ。なあ、小西くん」

「そうですね。初めに坂本先生のケータイを仕込んでおいて、それが見つかったから自分のを鳴らした」

「でも、受験生は坂本先生のケータイを盗めないでしょう？」

「単独犯じゃないってことだ。この学校にきょうだいがいるとか。ケータイ鳴らしたのはどんな子だった？」宮下先生に訊かれた。

「普通の女の子ですよ。どちらかといえば気の弱そうな。ケータイがバレて、過呼吸を起こしちゃったし」

「それで、すぐに退室させてたのか。他の受験生が混乱するだろうから、最後まで試験を受けさせた方がよかったのに、って思ってたけど、それじゃ仕方ない。大変だったんだな」

「村井先生がすぐに対応してくれて」

「いや、僕はたまたま過呼吸によくなる友だちがいたから、慣れてただけです。とにかく袋をって思ったら……。そうだ」

村井先生が何かを思い出したようにポケットに手を入れた。

「これ、おかしくないか」

教室を見渡していた小西先生が黒板に目を留めて言った。一日中貼られていた注意事項の紙はまだはがしていない。

「使い回しをしているんじゃないんですか？　一応、試験前に水野先生が年度だけ書き換えたんですけど」

村井先生が言った。私がいないときに、そんなやりとりがあったようだ。確かに、年度は去年のものだが、内容におかしいと感じるところはない。

「A組のは、ちゃんと今年用に新しく書いたものでしたよね、宮下先生」

「うん、そうだ」

「何か、変更になっている項目があるんですか？」

「おおありだよ。これじゃ……」

ガラッとドアが開いた。芝田さん、麻美さん、沢村会長までもがバタバタと入ってくる。的場校長、荻野先生、水野先生、松島先生もあとに続いた。

「ほら、見て」

麻美さんが黒板を指さした。

「まあ、本当に。どこにも、携帯電話を持ち込んだら失格だなんて書いてないわ」

芝田さんが答えるのを聞いて、この貼り紙のどこに問題があるのかに私も気が付いた。校長をはじめ、あとからやってきた先生たちは皆、がっくりと肩を落として黒板に向かっている。反して、芝田さん、麻美さん、沢村会長は勝ち誇った様子だ。

「校長、どうしますかな。結論は早めに出した方が身のためですぞ。なんてったって、こちらは県会議員の奥様とお嬢様なんだから」

沢村会長がとどめをさすように言ったが、ここに芝田さんたちの肩書は関係ないはずだ。しかし、校長の態度は煮え切らない。助けを求めるように、荻野先生を見た。

「まだこれから採点をしないといけませんし、今日のところは芝田さんたちにはお帰りいただいて、採点後、会議を開き、ご報告させていただくことにしたらどうでしょう」

荻野先生の提案に、私も賛成だ。水野先生、松島先生、他の先生たちも頷いている。

いいえ、と声を上げたのは芝田さんだ。

「今ここで結論を出してもらわないと困ります。でないと、待ってるあいだに気がおかしくなりそうだわ。だいたい、どうしてこちらが処分を受けるような言い方をされなきゃならないんですか」

「そうだ、証拠は目の前にあるじゃないか」沢村会長が加勢する。

「むしろ、わたしたちは被害者よ。試験の最中に失格だなんて言われたから、麻美ちゃんは過呼吸を起こして、教室を出ていかなきゃならなくなったんでしょ。そっちの方が試験妨害じゃない。もしも、これで失格だなんておっしゃるなら、こちらは正式に訴えさせていただきますわ」

「訴える？　それはお待ちください。冷静に」

校長が慌てた様子で芝田さんをなだめる。

「わたしは冷静ですよ。さあ、早く結論を出してください」

皆が校長に注目する。ここで他の職員が口を開いても意味はない。校長が毅然と判断をしてくれなければ、ルール違反の受験生を失格にすることはできない。

「注意事項に不備があったのはこちらの責任ですので、芝田さんの失格は取り消します」

がっかりを通り越して、あきれるしかない。水野先生も肩を落としてうなだれている。

「安心しました。でも、これでいいのかしら。こちらは妨害されたんだから、英語の点数を加点してもらわないと」

芝田さんはなおも要求を重ねてきた。

「そんなの！」

間違ってます、と言わせてくれなかったのは、小西先生だ。すっと前に立たれた。しかし、遮られたのは私だけではない。

「ママ、いいよ。英語はちゃんと出来てると思うから」

芝田さんはにっこりと娘に笑い返し、校長に向き直った。

「では、加点は結構。でも、合否関係なく、開示請求させていただきますからね」

わかりました、と校長はもう芝田さんに言われるがままだ。すっかり満足した様子で麻美さんを伴い、教室を出ていく芝田さんを、玄関まで送ります、とそそくさと追いかけて行った。我々も、と荻野先生が水野先生を促した。私の責任です、と荻野先生が水野先生を励ますように声をかけ、二人も出て行く。俺も帰るかな、と沢村会長が出て行き、少しあいだをあけて、騒がせて悪かったね、と松島先生も出て行った。

嵐が去った、そんな感じだ。

「入試をぶっつぶす、ってこういうことだったのか？」小西先生がポツリと言った。

まさか。大変な騒ぎではあったが、ぶっつぶされてはいない。何かぶっつぶされたとすれば、的場校長に対する信頼か。

『それで合格してたら、奇跡だな』16：15

〈滝本みどり〉

なんと、掲示板にケータイ騒ぎのことが書いてある。こうなるともう、一高のことじゃないかもしれない、じゃ逃げ切れないだろうな。頼むから、インディゴリゾート行きの邪魔だけはしないで。ケータイ騒ぎのことはよく知らないし、本部に報告して帰りが遅くなっても困るし、ここのことはほうっておこう。

「国語チーム、そろそろ、採点始めますか」

職員室の端から掛け声が上がる。

「はい、午後八時解散目指しましょう！」

元気よく返事をすると、坂本先生に睨まれた。のんびりコーヒーを飲んでいる暇があるのなら、さっさと採点を始めてほしい。毎年、ダントツでビリなのは英語チームなのだから。

『いや、合格するよ。親が議員だからな』16：20

〈村井祐志〉

二年B組の教室も、入試仕様から通常仕様に片付いた。窓から校門を見下ろすと、芝田親子と沢村会長が出て行くのが見えた。ここからでも、上機嫌な様子がわかる。本当にこれでよかったのだろうか。

「これにて一件落着」

宮下先生が手を打って言った。しかし、僕の胸の中はずっともやもやとしたままだ。世の中、大声を上げたもの勝ちなのだろうか。僕の一番嫌いなタイプの人たちだ。過呼吸を起こした芝田麻美には、少なからず同情していたのに。それすらも腹立たしい。……あっ。

「ちょっといいですか？　さっき言いそびれたんですけど、これ……」

ジャケットのポケットから携帯電話を取り出す。宮下先生、小西先生、春山先生が注目した。携帯電話はストラップもない、男女兼用の地味なデザインだ。

「これ、私の！」

春山先生が声を上げて、僕の手から携帯電話を取り上げた。僕が切っておいた電源を入れている。

「中、見てない？」

「バタバタの連続で、そんなヒマなかったので」

「どうして村井先生が春山先生のケータイを？」

小西先生に訊かれ、携帯電話を掃除用具入れの中で見つけたことを説明した。英語の試験中に過呼吸を起こした芝田麻美のために、ビニル袋を出そうと思ったら、棚の奥に携帯電話があったのだ。

「杏子ちゃんがこの中に？」

「入れませんよ」

「もしかして、盗まれたとか。これを最後に見たのは？」

小西先生が春山先生に訊ねた。今朝、下駄箱のところでメールをしていたことを僕が指摘すると、春山先生は驚いたように、滝本先生から頼まれごとがあったのだと答えた。僕は別に、春山先生を観察していたわけではない。偶然見かけただけだ。

「そのあとはいつものように、職員室の机の一番上の引き出しに入れたはずだけど……。プラカードを取りに行ったり、バタバタしているうちに、どこか、置きっぱなしにしちゃったのかな」

「それにしても、こんなところからは出てこないだろう。それとも、教室に入ってきて、ここを開けるようなことがあった？」

宮下先生の問いに、春山先生は、それはない、と言い切った。

「もしかして、入試をつぶそうとしていたヤツらは、試験中にこれを鳴らすつもりだったんじゃないか？」

小西先生の意見に、なるほど！　と同意する。偶然、本当に携帯電話が鳴った受験生がいて、予定変更したというわけか。

「盗まれたとはいえ、杏子ちゃんのケータイが鳴ってたら、やっかいなことになってたな。沢村会長あたり、この教室で英語を受けた子全員を満点にしろ！　なんて言い出しかねない」

宮下先生が言うことも大袈裟だとは思わない。注意事項の貼り紙であれだ。的場校長が守ってくれるとも思わない。

「春山先生、ラッキーでしたね」

笑顔で言ってみたものの、携帯電話は本当に盗まれたのだろうか。

『そんなのアリか？　俺の受けたガッコは、ケータイ持ち込みバレたら失格だ、って言ってたぞ』16：30

〈坂本多恵子〉

国語科チーム、理科チーム、他の教科はどんどん採点会場に向かっているというのに、英語科チームのメンバーは誰一人、職員室にいない。封筒を取りに行くのは春山先生に頼んでいたけれど、私が行くことにする。

本部では、上条教頭が一人で座っていた。思った通り、机の上にあるのは英語の答案用紙が入った封筒だけだ。

「ちょっと、教頭。他の英語のメンバーがいないのよ」

「片付けじゃないかい？　試験会場2でアクシデントがあったからね」

「携帯電話が鳴ったんでしょ。まったく、どうして最初にちゃんと回収しなかったのかしら」

「持ってないって言ったらしいよ」

「バカね。最近の子がケータイを持ってないはずないじゃない。そんな嘘も見抜けないなんて。もう、私、早く終わらせたいのよ」

「何かご用でも？」

「用はないけど、早く終わらせたいの！」

「じゃあ、先に坂本先生だけで採点を始めたらいい。最終的に全員で確認すればいいんだから、開始は一人でも構わないよ」

「そうね、そうするわ」

上条教頭に英語の答案用紙の封筒の束と、模範解答と書かれた封筒を渡されて、本部を出て行く。まったく若い先生たちときたら、口ばかり達者で肝心なときに役に立たないのだから。採点は各教科それぞれに割り当てられた教室で行われる。図書室、視聴覚室、進路指導室、英語科は会議室、など基本的に暖房を設置してある場所だ。三月半ばとはいえ、日が落ちると隙間だらけの古い校舎内は、震えるほどに寒くなる。それも、早く終わらせたい理由のうちの一つだ。

お手洗いにも先に行っておこう。個室に棚を付けてほしいと前々から要望を出しているのに、聞き入れられる様子はない。また坂本が面倒なことを言っている、と的場校長も上条教頭も私を疎ましがるが、私が悪いのではない。個人の要望などできるだけなかったことにしようと誤魔化す、学校側に問題があるのだ。

洗面台の上に答案用紙の入った封筒を置いて個室に入る。

鏡の前でブローチなどを直し、封筒を持って出て行く。トイレの入り口にドアがないのは生徒のいじめや喫煙を防止するためだが、職員用にくらい設置してくれてもいいのではないか。提案しても聞き流されるのだろうけど。

前髪を手櫛で直して出てきたところで、男性用洗面所から出てきた松島先生と鉢合わせになった。こういうふうになるのが嫌なのだ。

「これから採点ですか。僕は参加できませんが、よろしくお願いします」

今更、採点に参加できないなんて強調するのは、ミスをするなと釘をさされているようでおもしろくない。

「心配ご無用よ」

軽く返して階段に向かう。正面から相田先生がやってきた。

「あなた、今年は英語チームでしょ。まったく、何してたのよ」

「受験生が校内に残っていないか、確認を。あ、これ持ちますよ」

相田先生が封筒を取った。今年は同じ生徒指導部の担当だが、相田先生は荷物を持ってくれたり、汚れる仕事を引き受けてくれたり、そういう気の利くところは評価している。女子生徒に甘いところは問題だけど。

「あとの三人を見なかった？」

「あれ、まだっすか？」

「そうなのよ。そうだわ、あなた、先に行ってて」

上ってきたばかりの階段を下りていく。もう五時前だ。どこで油を売ってるのやら、職員室から、校内放送で呼び出してやることにした。

『うちも同じく』17：00

〈相田清孝〉


校内放送を終えて会議室にやってきた坂本先生は、俺しかいないのを見て、不機嫌な様子を露わにした。かなり急いで机と椅子の準備を一人でやったというのに。俺だって、坂本先生と二人きりなんて気分が沈む。

部屋の中央に長机を二つ合わせ、その周りに椅子を五脚置いた。坂本先生が各席の前に答案用紙の束を置いていき、俺はその横に事務室から届けられた電卓と赤ペンを置いていく。こういうとき、答案用紙と電卓と赤ペンが平行に置かれていないと、俺は落ち着かない。坂本先生は口うるさいくせに、こういうところはざっとしているので、一クラス分の答案用紙を机に置いた段階でバラけてしまっている。直そうとしたら、後ろから強烈な圧力がかかった。坂本先生の尻に突き飛ばされ、床に転びそうになる。

机に手をついた拍子に、床の上にバラバラと答案用紙が散らばり落ちた。

「ああ、もう」

ヒステリックな声を上げられ、急いで答案用紙を拾い集める。髪の毛が落ちていたり、掃除が行き届いていないので、一枚ずつ丁寧に拾う。と、白紙の答案用紙も交ざっていた。採点用の予備なのか、試験監督が配布のときに枚数が多いことに気付き、そのまま答案用紙と一緒に提出したのか。まぎらわしいので、端の机の上に除けておく。答案用紙を番号順に並べ替えようかと思ったが、坂本先生が時計を見ながら舌打ちしたので、角を揃えておくだけにして、次の準備に移った。

出版社の違う辞書五冊を机の真ん中に置く。

「なんで、こんなにいろんな種類の辞書が必要なんすか？」

「各中学校で統一されていないからよ。単語の意味を書きなさいっていう問題で、たまに六番目くらいに書いてあるかないかっていうマイナーな意味を書く子がいるの。そんなことで採点ミスだなんて揚げ足取られるんだから、たまんないわ」

英語チームには去年もかなり待たされて覚悟はしていたが、採点は他の科目よりも面倒そうだ。最後に、模範解答の入った封筒を机の中央、辞書の隣に置き、準備完了だ。

ドアが開き、宮下先生、小西先生、杏子先生が入ってきた。もしかして外で準備が終わるのを待っていたんじゃないだろうかというタイミングだ。

「こんなに遅くまで、何してたのよ」坂本先生が嚙みついた。

「片付けに決まってるじゃん。途中、乱入者もあって大変だったんだから。なあ」

宮下先生が小西先生と杏子先生を振り返る。携帯電話騒動を受けて、本部と当事者とで教室の確認があったようだ。このあと会議でもあるのかと気が重くなったが、不起訴だという。会議がないのはありがたいが、この判断はおかしい。

「失格にならないってことっすよね。あっさり決めちゃっていいんすか？　あとで訴えられたりとか」

「やめて！　よりによってどうして英語の時間にそんなことが起きるのよ」

坂本先生がヒステリックな声を上げた。

「大丈夫。取りあえず学校側に不手際があったことになってるけど、坂本先生には関係ないから。でも、英語の答案用紙の開示請求はするって言ってたから、今から気をつけないとね」

宮下先生がなだめたが、開示請求の言葉に坂本先生が固まった。

「じゃ、リラックスして採点できるように、コーヒーでも飲みますか」

宮下先生はあくまでマイペースだ。こういうところは見習いたい。

「なんですって？　また英語チームが最後か、なんて今年こそ言われたくないのよ」

「ご心配なく。毎年それ言ってんの、俺だから。自販機のコーヒーでいいよな。俺のおごり～。坂本先生にもおごっちゃう。杏子ちゃん、お願いしていいかな？」

宮下先生がポケットからしわくちゃの千円札を取り出して、杏子先生に渡した。杏子先生と同じ年の俺に頼まないのは、ここの準備をねぎらってくれているということだろう。それは小西先生も同じなのか、一緒に行く、と杏子先生と出ていった。

しばし休憩。携帯電話を取り出した。衣里奈からメールが届いている。

『今、何してる？』今度こそ、帰ってくれたようだ。

『これから採点。ひぇ～（笑）』と返信メッセージを打つ。

宮下先生が近寄ってきたので、慌ててメール画面を閉じた。

「相田っち、昼にみどりちゃんが開いてた、入試をぶっつぶす！　のところ、どうやったら見られんの？」

俺も気になって入試関連のキーワードを入れて検索してみたが、それらしいところに辿りつけなかった。みどり先生は何を入れたのだろう。インディゴリゾート？　まさかね。

『多分、今年はどこでもそう』17：10

〈小西俊也〉

食堂入り口前の自動販売機で缶コーヒーを買い終えた。銘柄は気にせず、砂糖とミルクがたっぷり入ったものにする。中で松島先生が使用済みの湯呑を盆に集めているのが見えた。春山先生も気付いたようで、二人で中に入った。

「採点前にコーヒーか。いいアイデアだ」

こちらの手元の缶コーヒーを見て、松島先生が言った。

「湯呑の片付け、手伝いましょうか？」

春山先生の申し出を、松島先生は、家ではしょっちゅうしていることだからね、と断った。掲示板の貼り紙が目に留まる。

『携帯電話使用可』

「あの貼り紙は松島先生が？」

「いや、あれは滝本先生が書いたんだ」

「そうか、今日は役割を代わったんですね。でも、なんでわざわざこんなことを書いたんだろう」

「去年、保護者にいちいち聞かれて面倒だったからじゃないかな」

そう言われれば納得だが、他に書きようはなかったのか。そもそも、受験生だけが携帯電話を使用できないというのはおかしい。問題を起こすのは受験生に限ったことではないのだから。職員のも付き添いの保護者のも、すべて回収していれば、今日起きたいくつかの問題は防げていたのではないだろうか。

「開示請求は確実にあるだろうから、採点、気を引き締めて頼んだよ」

松島先生に激励を受け、食堂を出た。

「あれ？　電気が点いてる」

春山先生が校舎とは逆の方を向いて言った。体育館の隣、部室棟の辺りだ。

二人で向かうと、男子バレー部の部室の窓から明かりが漏れていた。

「誰かいるのか？」

返事はない。ドアノブをひねるが鍵がかかっている。

「相田先生が電気を消し忘れたんじゃないですか？」

春山先生に言われ、校舎に戻ることにした。顧問の相田先生に確認するのが一番早い。

会議室に戻り、皆に缶コーヒーを配った。ありがとさん、と宮下先生が席についたままプルトップを引こうとする。

「待って！　飲むのはあっちで。開示請求されたときに、答案用紙にコーヒーのしみなんてついてたら、誠意を疑われるでしょ」

坂本先生の言うことはもっともだ。へいへい、と宮下先生も席を立ち、一同、窓際に並んでコーヒーを飲んだ。外はまだ明るい。日が長くなったのに、いつ電気など点けたのだろう。

「そうだ、相田先生。バレー部の部室に電気が点いてたよ」

え？　と言ったのか、ぶへ？　だったのか、相田先生はむせてコーヒーを噴き出した。

驚くことではないはずだ。

「ほーら、こっちで飲んでいてよかったでしょ」

坂本先生が勝ち誇ったように言う。もしかすると、節電についても日頃から、相田先生は坂本先生に生徒指導部で厳しく言われているのかもしれない。が、ちょっと消してきます、と出て行こうとする相田先生を坂本先生が、あとでいいわよ、と引き留めた。余程早く採点を終わらせたいようだ。坂本先生のミスさえなければすぐ終わりますよ、とは言えないな。

『そいつが合格したら、みんなで訴えようぜ！』17：15

〈上条勝〉

試験中に携帯電話が鳴ったことを不問にしたと、荻野先生から報告を受けたときには驚いたが、相手のことや注意書きのことを考えると、仕方のない判断のようにも思える。本部待機係でよかった。

本部の我々以外は総出で採点に当たっているところだ。しばしの休憩か。的場校長と荻野先生も疲れた様子でお茶を飲んでいる。パソコン前に座り、昼休みに荻野先生が入力した履歴を検索して、滝本先生がみつけた掲示板を開く。昨年、半年間パソコン教室に通ったかいもあり、こんなことは朝飯前の作業だ。

試験中に携帯電話が鳴ったことが書いてある。校長と荻野先生を呼んだ。

「明らかに本校のことですね」

荻野先生がマウスを横取りし、画面をスクロールさせた。ムッとする間もないほどに、おそろしい書き込みが連なっているのが、目に飛び込んでくる。

訴える！　確かにそう書いてある。

「あの子が受かったらってことですよね。どうします？　校長」

校長は短く唸り声を上げるだけだ。

「やはり、性急に結論を出すべきじゃなかった。困ったことになりましたね」

荻野先生の他人事のような物言いも耳障りだが、これぞといった案を出すことはできない。マスコミの取材を受けるなど、想像しただけで眩暈を起こしてしまいそうだ。

『名前さらしていいんじゃね？』17：20

〈春山杏子〉

黒板に背を向けて座る坂本先生を中心に、窓側の席に小西先生と私、廊下側の席に相田先生と宮下先生がついた。いよいよ、採点の始まりだ。英語科主任の坂本先生が模範解答を全員に配り、説明を始めた。

「答案用紙は試験会場ごとに分かれたままです。記号の問題は二番と四番なので、二番を相田先生、四番を宮下先生、記述式の問題は、一番を私、三番を小西先生、五番を春山先生が採点し、一クラス分終えたら、右隣に回すことにしましょう。それではよろしくお願いします」

掛け声とともに、全員が赤ペンを手に取り、採点を始めた。私が担当するのは長文問題で、シェークスピアについての記述に対して、記号を含め、十の設問がある。アルファベット一つ、見落とすことはできない。

「あれ？　受験番号通りに重なってないじゃないか」

宮下先生が答案用紙をめくりながらぼやいた。

「すんません。並べてるとき、俺のせいで机から落ちてしまって」

相田先生が答える。

「ま、最後に並べ替えたらいいか」

宮下先生は採点を始めた。D、A、E、B、C……、と声を出して。

「宮下先生、黙ってやって」

坂本先生に怒られ、宮下先生は頭をかいた。会議室内にペンの音だけが響く。

「あの～、質問」

宮下先生がまた声を上げた。何？　と坂本先生がイライラした口調で訊ねる。ペースを崩されたことを怒っているようだ。

「模範解答は大文字なのに、小文字で解答してるんだけど、どうしよう」

「選択肢と違うものを書いているんだから、バツでいいんじゃないの？」

「惜しいなあ。全部合ってるのに」

定期考査ではよくあることだった。私はその場合、三角をつけている。

「三角にはできないんですか？　一問二点なので、一点をつけるとか」

「そんな中途半端な採点、開示したときにやっかいなことになるのよ」

「模範解答裏面の注意事項を確認しましょう」

小西先生が模範解答の用紙を裏返した。紙面いっぱいに注意事項が記載されている。

その中に、『稀に大文字で答える記号問題を小文字で答える、またはその反対のことが起こるケースがあるが、問題を理解できているという観点から○で統一すること』と書いてあるのを見つけた。

「注意事項が書いてあるなら、先に言ってくれなきゃ。気付かなかったらマイナス一〇点。大問題だよ」

宮下先生が坂本先生に言った。

「最終的には気付いたわよ。もういいでしょ」

坂本先生はいつものように受け流したが、これに関しては宮下先生の意見に賛成だ。

それにしても、試験中にも思ったことだが、問題に納得できない。

「シェークスピア、を答えさせるまではまだ納得できます。でも、この人物が書いた四大悲劇と呼ばれる作品をあげなさいって、英語の問題になるんですか？」

注意書きを読んでいた小西先生に訊ねた。

「質問が英語でされているから、それを理解できているかどうかの判断じゃないかな」

「なるほど。『ロミオとジュリエット』は違うんですね。けっこう書いてる子多いな。

質問は理解できてるってことなのに」

注意書きにこれに関する項目はない。

「そんなことを気にしていたら、徹夜になるわよ」坂本先生が面倒臭そうに言った。

「早く終わらせればいいってわけじゃないと思います」

「ああ、もう。例外を作らない。模範解答に徹底的に従う。これが一番平等なの」

「平等。それなら納得です」

採点を続けた。相田先生は時折外を気にしている。部室の電気のことだろうか。小西先生は念入りに注意事項を確認している。坂本先生はスピードが命！ といわんばかりの速さで答案用紙をめくっている。しっかり見られているのだろうか。

宮下先生はまたぶつぶつと記号をつぶやきだした。答案用紙をめくり、手を止める。

「なあちょっと」

「今度は何？ 自分で注意事項を読んで確認してから質問しなさいよ」

「いや、多分、載ってないだろ。告発文が書かれていた場合、なんて」

ドキリとする言葉が出たのに、坂本先生はあきれ顔だ。

「訳した文章でも書いてるんじゃないの？」

「絶対に違う、ほれ」

宮下先生が答案用紙の向きをかえて、机の中央に置いた。余白に小さく薄い文字で文章が書かれている。

『ケータイ騒ぎの最中に、五五番が六一番の答えをカンニング』

カンニング……。しかし、坂本先生はフンと鼻をならしただけだ。

「バカバカしい。こんなのただの落書きじゃない」

「でも、一応、確認をしてみた方がいい」

小西先生に言われて、宮下先生が答案用紙の束から五五番と六一番のものを、番号順でないことに手間取りながら抜き出した。二枚を並べて、皆で確認をする。

「全部同じってわけじゃないから、何とも判断がつけにくいっすね」

「座席の位置からすると、答案用紙の右斜め下が見えやすいんじゃないか？　小西くん、そのへんで、これっていうのはないの？」

「難しいな。ただ、シェークスピアは書けていないのに、四大悲劇は全部合ってる」

「たまたまド忘れしちゃったんじゃないの？　その程度じゃ何の証拠にもならないわ。時間の無駄よ」

坂本先生が言い、これには宮下先生も同意した。答案用紙を見比べただけで、カンニングの証拠をあげることは難しい。しかし、私はあることに気が付いた。

「あの、この二枚のことじゃなくて。こっちの告発文が書かれてる方なんですけど。受験番号五九番。……採点中に言ってもいいのかな」

「気付いたことは何でも言っておいた方がいい」

小西先生が言った。宮下先生も頷く。

「じゃあ、言います。五九番、松島先生の息子さんです」

少し、空気が揺れた。

「坂本先生、ほうっておいて、いいんすか？」

「取りあえず、全部採点をしてから本部に報告しましょう。それでいいわね、宮下先生」

「そうだな。ここで審議することじゃない」

「さあ、作業を続けるわよ」

採点を再開する。赤ペンを手に取ったが、宮下先生は、番号順に並べ替えておくか、と答案を束ごと手に取った。四〇枚、なかなか大変そうだ。

「うん？　おかしいな」

宮下先生の手が止まる。答案用紙を揃えて、一枚ずつ丁寧に数え出した。やっぱり、とゆっくり顔を上げる。お調子者の表情ではない。何かとても困ったことが起きたように口を開いた。

「答案用紙が一枚足りないんだ」

『賽は投げられた』17：45

第５章　答案用紙が１枚足りない？

『大騒ぎしてっけど、高校入ってなんかいいことあんの？』17：48

〈宮下輝明〉

答案用紙が三九枚しかない。俺が数えただけじゃ信用できないのか、杏子ちゃんが試験会場２の答案用紙の枚数を確認することになった。

「本当だ、やっぱり一枚足りない」

「もう、二枚重なってるんじゃないの？」

「なら、坂本先生が数えてみたら？　一枚ずつぺろぺろ嘗めた指の跡つけてさ。しっかり数えましたって、誠意の証しになったりして」

坂本先生が俺に摑みかかってくる。暴力はだめっす、と相田っちが割って入ってくれた。

「一枚足りないとして、何番が抜けてるのよ」

「四六番」

四〇番台は三回数えた。

「ケータイが鳴った子のじゃないんですか？　水野先生が一緒に綴じずに、本部に預けたのかもしれない」

小西くんが言った。なるほど。

「そうじゃないかと思ってたのよ。宮下先生が大袈裟に騒ぐから。さあ、採点を続けましょう」

坂本先生も胸をなでおろし、仕切り直すようにパンパンと手を叩いた。

「違います。ケータイが鳴ったのは、七七番です」

声を上げたのは杏子ちゃんだ。試験会場2を担当していたのだから、間違いないのだろうが、答案用紙を確認する。

「ああ、七七番あった。最後の三問だけ空欄になってる。この前にケータイが鳴ったんだろうな」

「じゃあ、どういうことよ」

坂本先生がまたむくれる。あっ、と相田っちが何か思い出したようだ。

「そういや、さっき答案を落としてしまったとき、白紙が交ざっていたから、予備かと思って向こうに除けたんだった」

カラの封筒や事務用品などを置いている脇の机から、白紙の答案用紙を持ってきた。

「でも、これ、きれいだし、受験番号も書いてないっすよ」

確かに、まったく手をつけられていない白紙の答案用紙だ。

「問題を見た途端、あきらめて、何も書かなかったのかな」

「難関私立高ならともかく、県立高校の入試問題よ。ピンからキリまでこの問題で合否を決めるのに、一問も解けないような子が、うちを受験するはずないでしょ」

坂本先生の意見はごもっともだ。一高の合格ラインが五教科平均九〇点だということはどこの中学でもわかっているはずだから、そこからかけ離れた生徒は、まず教師が受けさせない。

「でも、パッと見て、六割くらいしかわからなかったら、いっそ白紙で出そうって思うんじゃないっすか？」

「そんなことしたら、零点よ。他の教科が満点でも不合格だわ。戦わずして試合を放棄するようなものじゃない」

「最近の若い子は、恥をかくのが嫌だから勝負をしない、ってのが増えてるみたいだしなあ」

「あら、宮下先生、若い子のことをよく知ってるのね。でも、そんな生徒、うちにはいらないわ。じゃあ、この白紙が四六番ということで、零点でいいわね」

坂本先生が白紙の受験番号欄に鉛筆で46と書いた。勝手にこれが足りない一枚だと決め付けちゃってもいいのかねえ。

『なあ、ミッションって終わったの?』18:00

〈石川衣里奈〉

あたしがキヨタンを好きなほど、キヨタンはあたしのことを好きじゃない。きっと、同級生からハブられるあたしに同情して優しくしてくれただけなんだ。

入試の日、英語の試験中に廊下から着信音が流れてきたときは、心臓が止まりそうになった。あたしが大好きな東山ユキの歌だった。別の子のケータイから鳴ってればいいのに、と祈りたい気分だったけど、試験監督のキヨタンが没収したケータイの入っているリュックはあたしのものだった。電源は切ったつもりでいたけど、画面が消えるまでは確認していなかった。

でも、神様がこっそり電源を入れたとしたら、意地悪な神様ではなく、恋愛の神様だったんじゃないかと思う。

一高、落ちちゃった。得意な英語を活かして、将来は女子アナか通訳の仕事をしたいなあと思って、毎日四時間くらいしか寝ずにがんばったのに……。試験終了後、そんなことを思いながら一人で教室に残っていると、キヨタンがリュックを持ってきてくれた。

——きみのケータイが鳴ったことで、受験生が少し混乱したけど、幸い、大きな騒ぎにはならなかったし、学校側もケータイについての禁止事項に関する罰則を設けていなかったから、お咎めはなしだそうだ。中学の先生には報告するけど、合否判定には関係ないから。……気にすんなって、合格してるよ。

その言葉だけでも、あたしは涙が出るくらい嬉しかったのに、入学後もキヨタンはあたしを助けてくれた。試験中にあたしのケータイが鳴ったことに、言いがかりをつけてくる子たちがいたのだ。

三人組の仲良しグループの一人が、あたしのせいで一高に落ちたらしい。落ちた子は中三のとき、近所に住む高校生からストーカーみたいなこと、例えば、無言のまま電話口で音楽流すような気持ち悪いことを毎晩のようにされていて、受験勉強どころじゃなかったそうだ。そんなの、あたしには関係ない。なのに、大アリなんだと言う。

やっと犯人をとっつかまえて、警察を通じて、二度と電話をかけてこないようにしてもらい、彼女も心を落ち着かせて巻き返しをはかるために猛勉強したのに、あたしのケータイのせいで全部パーになったのだ、と。

あたしのケータイの着信音が、変態男が毎晩電話口で鳴らしていた音楽と一緒だったせいで、彼女は英語の試験がまったく手に付かなくなってしまった、なんて言われても、そんなの言いがかりでしかない。だけど、そんなふうに開き直るあたしの態度が気に入らなかったようで、証拠があるとまで言い出した。

三人で入試の得点の開示請求をしたそうだ。すると、落ちた子の他の四科目は受かった二人よりも点数が高かったのに、英語だけがものすごく低かったという。一方的に被害者ぶられるのが嫌で、それって、単に英語が苦手だっただけじゃないの？　って言い返してやると、逆効果。

――彼女はスピーチコンテストの代表に選ばれるくらい、英語が得意だったの。あんたのケータイさえ鳴らなきゃ、確実に今頃三人でここにいられたんだから。あんたのせいであの子が落ちて、なんであんたが失格にもならずにこんなところにいるんだろう。ホント、ムカつく。謝るくらいしたらどうなの。

逆ギレされた挙げ句、クラスの女子全員におかしなメールをまわされた。隠し撮りした、あたし自身から見ても意地悪そうに見える顔をした写真付きで。それをあたしにまで送ってくるのだから、本当に最低だ。

『試験中にケータイ鳴らしたの、あたしでーす。でも受かっちゃった』

入学してひと月も経たないうちに、あたしはクラスの女子全員からハブにされた。こんなことなら、受からなきゃよかったと思うくらい、学校生活はつまらなかった。体育の担当がキヨタンじゃなかったら、不登校になっていたかもしれない。

その体育の片付けも、毎回押し付けられていた。あの日は、バドミントンだった。ラケットやシャトルを一人でカゴに集めていると、体育教官室に戻ったはずのキヨタンがやってきた。

――あれ、片付け一人でやってんの？　他の子たちは？

――いえ、今日の当番はあたしだから、一人でいいんです。

――そうか。このあいだもしていたような……。

言いながら、キヨタンは事情を察してくれたようだ。

——学校はもう慣れた？　そうだ、部活は？

——何も入ってません。

——じゃあ、男子バレー部のマネージャーをやってみないか？　キャプテンがやたらとモテてな。そいつ目当てにマネージャーになる女子はいっぱいいるけど、振られたらすぐに辞めちまうから、こっちも困ってるんだ。まあ、ちょっと考えてみてくれ。

キヨタンはバドミントンの道具が入ったカゴを持ち上げた。ついで、ついで、と笑いながら。恩着せがましくない優しさが嬉しくて、あたしはマネージャーになることをその場でキヨタンに伝えた。キヨタンはあたしを励ますようにニッと笑ってくれ、そのときからあたしはキヨタンのことを好きで好きでたまらなくなったのだ。

だけど、キヨタンだって、あたしのことを好きって言ってくれた。二人の思い出はこのケータイにいっぱい詰まってる。なのに……。

突然、ケータイが鳴った。大好きな東山ユキの曲だけど、用件は嬉しいことじゃない。

『試験問題のリーク、お疲れさま。ありがと。まだ、学校にいるよね。本番はこれからだから、校内の実況もよろしく』

ヤバいことはもうやらないってキヨタンと約束した。ほうっておけばいい。また、ケータイが鳴った。

『ところで、きみの彼氏のセンセは音楽のセンセと二股かけてるよ。これが終わると、二人でインディゴリゾートに！　だから、思いきりジャマしちゃって』
そんなこと知ってるって！　ケータイをポケットに仕舞い、バレー部の部室を出て行った。キヨタン、あたしはどうすればいい？

『ケータイ鳴らしただけ？』18：10

〈荻野正夫〉


書き込みはどんどん増えている。試験を終えた受験生たちも書き込んでいるのだろう。操作を私にまかせたまま、的場校長も、上条教頭も、なすすべなくパソコン画面を眺めるだけだ。

「どんどん書き込みが増えていますよ。これが噂の炎上ってヤツですかね」

「上条くん、ここはもう、ほうっておこう。荻野くん、もういいよ」

的場校長に言われ、掲示板を閉じた。何らかの対処はしなければならないのかもしれないが、それを思いつかないうちは時間の無駄だと、的場校長も気付いたのだろう。三人で中央のソファに移動する。パソコン上の問題は閉じればいいだけかもしれないが、校内で起きた問題からは目を背けることはできない。

「芝田麻美が合格したら、他の受験生に訴えられる。不合格だったら、県議である親に訴えられる。どちらにしても、訴えられるのは確実なんですよ、校長」

上条教頭がすがるような目で校長を見ている。

「だが、芝田さんは確実に訴えるだろうが、パソコン上の連中は騒いでいるだけじゃないのか？　裁判には金もかかる。訴えたところでヤツらには何の得もない。だいたい、現実じゃ何もできないから、ネット上で騒いでいるのに、訴える度胸なんてあるわけがない」

「じゃあ、芝田麻美を合格に？」

合否は外部の声で判断されるものではないのだが。やんわりと忠告をしておく。

「しかし、訴える場所は裁判所だけではありませんよ。ネット上に実名で公表されれば、個人で裁判を起こされるより、激しく糾弾される可能性もありますからね」

そして、心が壊れてしまうこともある。

「ということは、不合格……」

上条教頭は頭をかかえ、的場校長は深く溜息をついた。トップ二人がこれでは、いつまで経っても問題は解決しそうにない。

『それで、ぶっつぶす？　↑バカ』18：15

〈春山杏子〉

試験会場２で行われた受験番号四六番の英語の答案用紙がない。かわりに、何も記入されていない白紙の答案用紙が一枚ある。大問題であるはずなのに、坂本先生はあっけなく白紙の答案用紙に46と書き、試験会場2の答案用紙の束にはさみ込もうとしている。こんなことが許されるのだろうか……。

「待ってください。もっと慎重に対処するべきだ」小西先生が言った。

「しっかり議論を重ねたじゃない。何か反論があるの？」

「いや、僕も、相田先生の意見はありえるかもしれない、とは思ってます」

「なら、いいじゃない」

「ただ、わざと白紙で提出したのは、試合を放棄するためとは思えなくて。むしろ、勝負に出たのかもしれない」

「何を言ってるのか、さっぱり理解できないわ」

「では、坂本先生。この四六番、僕、ないし、わたし、が、合格発表後に開示請求をして、自分の答案用紙が白紙扱いになっていることを知り、これではない、ちゃんと試験問題を解いて提出しました、と言い張ったらどうしますか？」

「こちらが受け取ったのは白紙なんだから、ただの言いがかりじゃない」

「こちらが受け取ったのは白紙だと、ちゃんと証明できますか？」

えっ、と坂本先生が言葉を詰まらせる。宮下先生と相田先生も、小西先生の想定する事態を理解できたようだ。

「なるほど、学校側にミスがあったと思わせるんだな」

「ちゃんと問題を解いた答案用紙を、そっちがなくしたんじゃないか！　白紙に勝手に受験番号を書いて零点にするなんて、隠蔽および偽装工作だ！　訴えてやる！　ってことっすよね」

そんな……、と坂本先生が慌てて消しゴムで番号を消す。が、何事もなかったかのように開き直った表情に戻った。バカバカしい、とでも言うように。

「そんな卑怯な手が簡単に通用するもんですか。じゃあ、小西先生、逆にその子が解答用紙に記入していたっていう証拠はあるの？」

「そうだな……。試験時間中、まったく手をつけていない子がいたら、試験監督の誰かが気付くんじゃないかな。そのために、三人も配置しているんだから。僕だったら、具合でも悪いのか？　ってそれっぽく声をかけると思うし」

「だよな。その辺り、四六番はどうだったの？　杏子ちゃん」宮下先生に訊かれた。

「席の場所でいうと、黒板に向かって右端の一番後ろの子ですよね。男子でしたけど、ちゃんと問題を解いていたと思います。他の教科も併せて、挙動不審な様子があった覚えはありません」

「間違いないのね？」

坂本先生に念を押され、はい、と断定した。

「問題を解いていたんなら、白紙じゃ出せないよな。これ、一度書いて消した跡もないし、やっぱり余りじゃないっすか？」

「英語の解答用紙は私が配ったんですけど、数はぴったりでした」

「何年か前に、問題が全然できなかったから、提出せずに持って帰ろうとした子はいたけどな。そういうのは回収の段階で気が付くし」宮下先生が言った。

「そうですね。どうにかして問題を解いているように見せかけて、白紙を提出したとしても、回収のときにこれを渡されたら、気付くよな。受験番号忘れは、その場で書かせる決まりになっているし」

小西先生も腑に落ちない様子だ。

「答案用紙を集めたのは？」宮下先生が私に訊ねた。

「私はケータイが鳴った麻美さんを保健室に連れて行って、そのまま試験終了まで付き添っていたので、回収のときの状態がわからないんです」

「水野っちと村井くんか。ケータイの袋も一人取りに行かなきゃならなかったしなあ」

「それ、僕が取りに行ったとき、水野先生と一緒になりましたよ」

小西先生が宮下先生に言った。

「ってことは、村井くんが一人で回収か。あっちむいてホイで白紙を渡されたら、気付かないかも」

「ああ……。ということは、こちらの回収ミス……」

坂本先生が頭を抱え、ブレザーのポケットから水晶玉を取り出しておでこに当てる。

「あらら、水晶玉登場。ついに頭痛がでちゃったよ」

安易な解決法は免れたが、別の解決法が見つかったわけではない。ただ、皆で議論を重ねることには意味があるはずだ。

『ケータイ鳴らしたのは、大問題だぞ』18：20

〈芝田麻美〉

あたしのケータイは鳴っちゃいけないときに鳴って、鳴ってほしいときは何の音も鳴らない。なのに、掲示板にはあたしのことがいっぱい書き込まれている。あたしのことなのに、あたしのケータイを直接鳴らす子は一人もいない。

ドアをノックする音がして、ママが入ってきた。夕飯のハンバーグができたらしい。疲れたあたしのために作ってあげたみたいな言い方してるけど、あたしのからだは今、そんな重いものを受け付けられる状態じゃない。ママはあたしの大好物を作ってあげたつもりでいるけど、あたしはハンバーグが好きだなんて一度も言ったことがない。若い子は大概、ハンバーグが好き、とママが勝手に思い込んでいるだけだ。ハンバーグをいらないと言うと、うどんを作るという。体調のよくないときは大概、うどんを食べるものだと思っているからだ。

どうして、あたしが何を食べたいか聞いてくれないのだろう。ママはあたしのことを考えているようで、あたしの姿なんてまったく見えていない。ママの中にはこうあってほしいというあたしの姿があって、その子を大事にしているだけなんだ。

「もういい！　何もいらない。それから、あたし、一高、受かっても行かないから」

ママが息を飲んだ。どうして？　と目を見開いてあたしに訊ねる。やっぱりそうだ。ママは学校で起きたことをすべて知っているのに、あたしの気持ちなんて想像もしてくれていない。

「ケータイが試験中に鳴ったことは、たくさんの人に知られてるの。あたしが県議の子どもだってことも。あの教室にいた子たちだけじゃない。数えきれないくらい、いっぱいの人。こんな状態で受かっても、学校、行けるはずないじゃん」

「だって、あれは学校の注意事項が行き届いていなかったからじゃない」

一言一句省略せずに伝えても、自分が思い込んでいること以外は考えようともしない。

「そんな言い訳、田舎の教師には通用しても、世間には通用しないの。もういい、あたしは菫ヶ丘の芸術科に行く。もう一回、ピアノやりたいもん」

滑り止めという名目で受けた私立の女子校だ。

「だって、この辺の優秀な子は大概、一高に行くのよ」

「大概、大概、大概！　大概って何よ。ケータイ持ってても、ネットも使えないくせに、どこからの情報？」

「ママはいろんな人に聞いて……」

「せいぜい、この辺のおばさん三人くらいと、あとは自分の思い込みでしょう。じゃなけりゃ、大概の親はもっと子どもの意見を聞いてくれるんじゃないの？」

「そんな……。今日だって、ママはできる限りのことをしたつもりよ。なのに、どうして今頃になって……」

「もういいから、出てってよ。晩御飯は何もいらないし、高校は菫ヶ丘に行く。これが、あたしが今望んでることなの！」

ママにクッションを投げつけた。慌てて出て行ったけど、部屋を追い出された理由も、あたしの立場になって考えようとはしないのだろう。

あたしのケータイが鳴らないのも、ママのせいだ。

中三になって仲良くなったグループの子たちはみんな、ケータイを持っていた。持っていないのはあたしだけ。ケータイを持っていると犯罪に巻き込まれてしまう、というママの思い込みで、買ってもらえなかったからだ。

ある月曜日、学校に行くと、みんながケータイを出して楽しそうにおしゃべりしてた。ケータイにはおそろいのかわいいストラップがついていた。いつ買ったの？　って訊ねると、昨日みんなで買い物に行ったのだと言われた。メールのやり取りをしているうちに、自然とそんな流れになったらしい。あたしだけ仲間外れ。何かみんなの気に障ることをしちゃったんだろうかと不安が込み上げて、心臓がどきどきした。だけど、

——麻美もケータイ持ってればよかったのにね。

笑いながら言われて、ホッとした。だから、全力でママを説得した。買い物に誘って

もらえなかったことも話したし、ケータイを買ってくれないのなら学校に行かない、と少し脅すような言い方もした。でも、おかげでママも折れて、ケータイを買ってもらえることになった。みんなとアドレスの交換もした。

なのに、鳴らないのは、きっと、みんなの中であたしはケータイを持ってない子になってしまっていたからだ。ママがもっと早く買ってくれていたら、大概、なんて変な理屈を押しつけられなかったら、みんなともっと仲良くできていたはずだ。

『議員の親はどう出る?』18：25

〈春山杏子〉

一枚足りない答案用紙についての解決策は誰もまだ思いつかない。皆、黙り込んだままだ。突然、宮下先生がパンと手を打った。

「こうしていても埒があかん。とりあえず、採点を終わらせよう」

「そうですね。ひょっこり、他の会場の束から出てくるかもしれない」

小西先生も同意した。

「賛成。とにかく終わらせましょう。四六番、仮に、最終教科を白紙で出していたとすれば、他の教科の出来もイマイチだったたってことじゃないっすか? それならどっちみち、不合格ですよ」

「おお、いいとこつくね。やぶれかぶれの白紙提出。その推理、俺も一票のった。杏子ちゃんは？」

「私は他の会場の束から出てくるに、一票」

「私はやぶれかぶれに一票よ！　こんなふざけたマネをする子は、他の教科も惨憺たる結果に決まってるわ」

坂本先生がキッと顔を上げて水晶玉を置き、赤ペンを手に取った。採点を再開する。心なしか、皆、集中力が高まっているような気がする。

『議員に何ができるんだ？』18：30

〈上条勝〉

裁判を起こされるか、ネットで叩かれるか。両方を回避する方法はないものだろうか。的場校長も腕を組んで黙りこんだままだ。立ち歩きながら思案していた荻野先生が足を止めた。何かいい方法を思いついたのか？

「とりあえず今は採点結果を待ちましょう。結果を見ずして合否を判定するなんておかしいでしょう。もしかして、芝田麻美は英語が一〇〇点だったとしても、合格は難しいというラインにいるかもしれない」

なるほど、それは考えていなかった。的場校長も頷いている。

「たとえ不合格になって開示請求をされても、英語以外の点数が低いのであれば、こちらが責められることは何もないし、ネット上で訴えられることもない、ってことだな。よーし、落ちろ～、落ちろ～」

もう、ここは祈るしかない。

ドアがノックされ、水野先生が入ってきた。早くも、社会科の採点が終わったようだ。

「重箱の隅をつつくような問題がいくつかあったので、時間がかかると思っていましたが、できていたのは二割程度の受験生だけでした。わからない問題は空欄。ゆとり教育の影響でしょうかね。その分、残りの八割はあまり点差が開かず、合否判定が難しくなってくるかもしれません」

点差がない？　しかし、今は全体のことなどどうでもいい。芝田麻美が何点か、だ。

水野先生がパソコンの前に座った。ここに教科の代表が点数を入力することになっている。受験生名簿は私が作成した。芝田麻美の受験番号は七七番――。

「では、私が読み上げましょう」

荻野先生が水野先生の隣に立ち、答案用紙を受け取った。一番八八点、と受験番号順に読み上げていく。いよいよ、運命のときがやってきた。

『新しい事件、まだ？』18：35

〈沢村翔太〉

やっと試験が終わって、居間のソファでゆっくりテレビを見られるようになったのに、兄貴が缶ビールを片手にやってきた。うちは高校生になったら部屋にテレビを買ってもらえる。自分の部屋にテレビがあるのに、どうして邪魔をしに来るんだろう。

「入試どうだった？　っつか、一高なんか受かって当然、楽勝だよな」

兄貴はソファにだらんと横になった。背もたれに足を乗せるもんだから、臭いが直で鼻にやってくる。こうやって、一日中、だらだらだらだら。退屈で死にそうにならないんだろうか。

「……それよかさあ、仕事しないの？」

「うるせえ。まだ何年も学生でいられるおまえには、俺の気持ちなんてわかんねえよ」

ホントにわからない。親父が帰ってきた。ダイニングテーブルに全員分の晩御飯が揃っているのを見て、ただいま、ではなく、先に食っててもよかったんだぞ、と言われた。腹の調子は大分マシにはなったけど、食欲はそれほどない。

「いいよ、そんなの。ところで、アレ、どうなった？」

親父に訊ねると、ハッとしたような顔になった。もしかして忘れていたのか？

「アレって？」

「いや、別に。兄貴には関係ないよ」

「おまえ、もしかして、試験の出来が悪かったからって、親父に裏から手まわしてもらおうとしてんのか？」

「ち、違うよ。なあ、父さん」

「そうだ、哲也、バカなことを言うもんじゃないぞ」

ニヤニヤとからかうように言った兄貴に、親父はきつく言い返してくれた。ならいいけど、と兄貴は一気に不機嫌な表情になる。でも、今は兄貴に構ってる場合じゃない。

「で、どうなった？」

「それが……。ちょっと、もう一度出てくる。晩飯は先に食ってろ」

親父がテーブルに置いたカバンを手に取って、居間を出て行った。もしかして、本当に忘れていたのか。こんなに遅く帰ってきたのに、いったい、何をしていたのだろう。

「晩飯、おまえの大好物のハンバーグか。俺、あんまり好きじゃないんだよな」

兄貴がカラになった缶をぐしゃりとつぶして立ち上がり、テーブルに向かった。あんなふうにはなりたくない。あいつ以下になるのは、まっぴらごめんだ。

『一高→二流大学→フリーター。就職しない理由：まだやりたいことがみつからないから』18：40

〈春山杏子〉

息をついて赤ペンを置く。ああ、と宮下先生も両手を上げて伸びをしながらペンを置いた。肩をぐるぐると回している。坂本先生、小西先生、相田先生も五会場分、二〇〇人の採点を終えたようだ。

「これから確認作業に入ります。一番を春山先生、二番を宮下先生、三番を坂本、四番を相田先生、五番を小西先生でお願いします。設問ごとに書き込んだ得点に誤りがないかも、ちゃんと確認するように」坂本先生が言った。

「了解。なんだ、英語チーム毎年ビリなのに、今年は順調じゃないか。助っ人が優秀だからか？」

宮下先生が調子よく言った。

「いや、ここからがやっかいなんです」

小西先生がチラリと坂本先生を見た。どういう意味なのかわからないが、坂本先生は何か覚えがあるようで、咳払いをしてそっぽを向いた。相田先生もよくわかっていないようだ。

確認作業が始まった。皆、時間をかけて丁寧に採点をしていたのだから、間違いなどなさそうなのだが。

「ちょっと、宮下先生、小文字のｄとｂ逆なのに丸付いてるじゃないっすか。中学生レベルの間違いっすよ。ホントに一高ＯＢっすか？」

「ブロック体はちと苦手で。そう言う相田っちもミスってるぞ。片仮名のアとオなんか、全然違うじゃないか」

「あれ？　老眼かな？」

宮下先生と相田先生はゲラゲラ笑いながら、互いのミスを直した。ヘルプに入っている立場ゆえ、緊張感もあまりないのだろうか。答案用紙をめくる。

「あれ？　ここから全部、記号の問題が一点で計算されてる」

設問の横に点数が記入されているのだが、偶数点にしかならない箇所に、三点、五点、などと書かれている。

「坂本先生、今年もですか」

小西先生がため息をついた。

「失礼な言い方しないでちょうだい。記号は普通、一点でしょう」

「坂本先生のテストはそうかもしれませんが、県は二点と指定しているんですから、ちゃんと従ってくれなきゃ」

「たかだか、一点、二点のことで、そんなに目くじら立てて責めないでよ」

「その一点、二点で大きく人生を変えられてしまうのが高校入試なんです。心覚えがあるでしょう」

「そんなに私を責めるんなら、もう採点なんかやらない」

坂本先生が赤ペンを置いてそっぽを向いた。坂本先生の、もうやらない、は今日初めて聞くわけではない。エクセルが未だに使えず、成績処理を他人まかせにしたことが二回ある。しかし、今日は定期考査ではない。入試だ。

「去年もそうやって、坂本先生が逃げ出したから、他の教科より一時間も遅れたんじゃないですか」

小西先生の言った、やっかい、はこのことだったのか。

「勘弁してくれよ。……じゃなくて、坂本先生、さっさと終わらせて、早く帰って寝ましょう。美容によくないっすよ」

相田先生が慣れた様子で坂本先生をなだめた。

「そうそう。今度、ロン様のコンサート行くって言ってたじゃん。杏子ちゃんも、小さなミスくらい、黙ってチャチャッと直してよ」

「そうですよね。そのための確認作業ですもんね」

宮下先生に言われ、納得できないながらも、間違えている点数を書き直す。今、大切なのは、採点を進めることだ。間違えていることを指摘せずに、黙って直せばよかったのかもしれない。仕方ないわね、と坂本先生も赤ペンを手に取った。そして、勝ち誇ったような笑みを浮かべる。

「小西先生、熟語のミスがあるのに丸をつけてるじゃない。しかも、同じミスがいくつもあるわ」

「どれですか？　これはどちらも正解なんです。注意事項を確認してくださいよ」

「悪かったわね、クイーンズイングリッシュしか話せなくて」

「そういう問題っすか？」相田先生が小声で宮下先生に訊ねた。

「まあ、答えが一つじゃないってことだよな。もっとやっかいなのは、日本語に訳す問題だ。環境について学習することは、私たちの未来を作ることと同じである。これが模範解答。二点問題。でも、この答案」

宮下先生が手前の答案用紙を指差した。

「環境学習は未来を作る。これ、三角っすか？」

「意味は間違っちゃいないし、だらだらとした模範解答の文章より、的を射ていて、すっきりしているのにな」

「どこがいけないんっすか？」

「注意事項だよ。な、杏子ちゃん」

「そうです」

宮下先生の言う問題は、訳した文章の中に、環境、学習、未来、作る、同じ、この五つの言葉が全部入っていないと◯にならない。どれか一つ抜けていたら三角、二つ以上なら×になる。

「うわ、こまか」

「俺もさ、さっき気づいたところ。英語の先生たちがこんなに神経使う作業をしていたのにさ、dとbを間違えた自分が情けないよ」

「アとオを間違えた俺の方がもっと情けないっす。しかも、同じ二点問題なんすよね」

「そうそう。採点するのは人間なんだからさ、どんなに注意を払っても、複数の目を通しても、完璧ってことはないんだよ。それなのに、わずかなミスが他人の人生を左右してしまうことがある」

宮下先生はいつもの軽い口調だが、内容は私も頷ける。

「もう、それは事故でしかないんじゃないかな」

そう開き直るのは間違っている。しかし、今度は坂本先生が頷いている。

「そうよ、そうなのよ。あなた、たまにはいいこと言うじゃない」

「だからさ、マークシートに変えてもらうか、専門の業者に採点してもらうか、せめて、特別手当くらいはもらいたいよな」

「ええ、そこ？　まあ、晩の弁当くらいは出して欲しいっすよね」

相田先生が時計を確認しながら言った。午後六時四〇分。まだ、夕飯について文句をいう時間ではない。民間企業でなら。


『不合格だとこいつ以下ってことなのか？』18：45

〈上条勝〉

水野先生が社会科の点数の入力を終えた。芝田麻美は八九点。また、合否ラインギリギリの微妙な点数だ。滝本先生が入ってきた。国語チームの採点も終わったようだ。

「わたしが入力しても大丈夫ですか？」

「問題ありません」

荻野先生が答えた。国語教師たちは文章問題の採点で疲れているのだろう。私が採点に加わっていた頃は、後半になると判断基準も曖昧になってきて、前半は×をつけたよく似た解答に○をつけてしまうこともしばしばあった。

点数は水野先生が読み上げることになり、国語科の入力が始まったが、果たして芝田麻美は何点だろうか。まだ二教科目なのにこんなに心配していては、こちらの心臓がもたなくなってしまいそうだ。

的場校長は今日何杯目のお茶を飲むつもりなのだろう。

『そういうこと』18:50

〈松島良隆〉

母さんと二人で夕飯を食べる。父さんはまだ帰ってきていない。昨日は家族三人揃ってトンカツを食べたが、今日は普通に焼き魚と煮物だ。母さんが時計を見た。

「そろそろ採点も終わった頃かしら。お父さんがこっそり結果を教えてくれるといいのにね」

「そんなことしてくれなくても、合格してるよ。一高なんて、父さんや母さんの頃はホントの秀才が集まってたんだろうけど、今じゃたいしたことないんだから」

両親ともに一高卒だが、二人が一高自慢をすることはそれほどない。しかし、正月に親戚で集まったときには、僕が今年受験だと知ると、おじさんおばさん皆が口を揃えて、うちの一族なら一高に受かって当然、などと言い出してうんざりした。

「そりゃあ、よっちゃんにしてみれば、もの足りないところもあるでしょうけど、一高は今だって優秀な学校よ。一時は優秀な子が有名私立高に流れていって、一高の一流大学への進学率も下がったって言われてたけど、ここ数年、経済的なことも含めて、公立がまた見直されてきたじゃない。今年は東大に一〇人も受かったそうだし、よっちゃんも一高から東大を目指せばいいじゃない」

僕は東大に行きたいなどと一度も言ったことはない。星の観察が好きだからそっちの勉強をしてみたいと思うけど、職業としては、父さんのような教師になりたいと思っている。

「そういや、前の入試のときに同じ教室にいたヤツが今日もいたんだ」

話したわけではないから見間違いかもしれないが、同じリュックを背負っていたから、合っている確率の方が高そうだ。でも、ケータイは違っていたな。

「ほら、やっぱり優秀な子が受けに来ているんじゃない。入学したら、いいお友だちになれるんじゃないの？　中学とは違って、周りはみんな同じレベルの子だもの。充実した学校生活が送れるに決まってるわ」

友だちなんか期待していない。あいつさえいなければ十分だ。ごはんをかき込み、部屋に戻った。イジメ、なんて言葉は使いたくない。沢村翔太はただのバカだ。バカなくせにそれを認めようとしないバカが一番やっかいだ。

数学の宿題プリントを見せてくれと僕から奪い取り、わからなかった問題を書き写して、自分のプリントだけ提出する。わざとじゃない、出し忘れただけ。バカみたいにヘラヘラしながら言ってるかと思えば、いきなり、俺のことバカにしてんだろ、と逆ギレする。いつ気付くことができるのだろう。沢村自身が自分を追いつめていることに。

英語の試験中、ケータイが鳴って具合が悪くなった女の子に、試験監督三人がかかりきりだった。その間にあいつがカンニングしたのを、僕は見逃していない。そんな汚いことまでして合格しようとする沢村を僕は許せないし、あんなわかりやすいカンニングを見逃す教師がいるような学校に受かっても、父さんには申し訳ないが、僕は嬉しいとは思えない。

『ベタだけど、毎年恒例、カンニングネタはないの?』19:00

〈春山杏子〉

確認作業が終了した。もしこれを怠っていたら、とんでもないことになっていたはずだ。情けないことだが、私の採点にも一ヵ所、間違いがあった。確認作業中にも話題になった和訳の問題に、見落としがあったのだ。二点の問題だ。

「さあ、いよいよラストスパート、得点を出していくわよ」

坂本先生の掛け声に従い、それぞれが電卓を手に取って、合計点を出し、書き込んでいく。これは一人が一会場分受け持ち、その後、三回確認作業をすることになっている。私の担当は試験会場２の答案用紙、三九枚だ。

「待ってください。それだけバツがついているのに、九五点なんておかしいと気付きませんか？」

小西先生が坂本先生に言った。確かに、私のところから見ても、×は五つ以上あることがわかる。

「また、不良品に当たったのかしら」

とぼけた様子で答える坂本先生に、宮下先生が大袈裟に声を上げた。

「電卓のせい？　まさかの責任転嫁」

「ここの五番の点数、一二点なのに、二一って入れたんです」

「あら、すぐに言いなさいよ。ホント、小西先生ったら粗探しばかりするんだから」

「書く前に自分で気付いてほしかったんですけどね」

「そうやって観察されてたってことは、毎年、同じミスをやらかしてるんだな」

「失礼ね。去年は本当に電卓が壊れていたのよ」

宮下先生がお手上げポーズで小西先生を見た。私もどういうことなのか知りたい。

「去年、英語チームには薄い関数電卓が配られたんですけど、坂本先生は消したつもりの数字が累計されていたり、大変だったたんですよ」

「なんつーか、使いこなせなかっただけだな」

「だから、今年はシンプルで丈夫なのにして欲しいって、本部に連絡しておいたんです」

「ちょっと、それ、私がミスをしたことを本部に報告したってこと？」

「坂本先生が、とは言ってません」

「そうそう。全員で確認するんだから、坂本先生が間違えても、問題ないっすよ」

「何ですって！」

坂本先生が相田先生に水晶玉を振り上げた。受験生たちが自分の答案用紙をこんなふうに採点されていると知ったらどんな気持ちになるだろう。後になって採点ミスが見つかっても、坂本先生は道具や他人のせいにして開き直るのだろうか。周りもただ茶化すだけなのだろうか。

――ミスなんて、誰にでもあることじゃない。完璧な人間なんていないんだから。もっと、前向きに考えようよ。

――世の中、そうやって開き直ったもの勝ちなのか？

真剣に対峙したあの人は、こんな人たちに負けたことになるのだろうか。

『ケータイ持ちこめてるくらいだから、あるんじゃね？』19：10

〈松島崇史〉

職員室から賑やかな声が聞こえてくる。いくつかの科目が採点を終えたのだろう。外で暇つぶしをする必要もなさそうだ。タバコを携帯灰皿でつぶし、立ち上がる。

「校内禁煙ですよ」

背後から声がした。祐志だ。数学の採点は終わったということか。

「入力は他の先生がしてくれるので、僕の今日の仕事は全部終了です」

「そうか。じゃ、一服するか」

タバコの箱を祐志に差し出した。

「今日は遠慮します。あっちにしましょう。僕がおごりますよ」

祐志が食堂前の自動販売機を指差した。昔の教え子におごってもらうのも悪くない。

温かい缶コーヒーを受け取り、二人並んでプルトップを引いた。高校生の頃は、成績はいいし、人当たりもいいが、どこか控えめで陰のある子だと思っていたが、社会人になって、積極的になったようだ。採用試験も受かるといいのだが。

「息子さんの結果、気になりますか？」

ぼんやりとしていたのを、勘違いして受け取られたようだ。まあな、と誤魔化しながら答えると、私立は受験しているのかと訊かれた。

「県外を一校」

「わざわざ。まあ、誰にも会わないところの方が心機一転できそうですよね。いや、先生の息子さんなら、絶対に一高受かると思いますけど。ちなみに、どこですか？」

「……清煌学院」

「超進学校じゃないですか。すごいなあ。一高なんて、どうでもいいんじゃないですか？　僕が言うのもなんですけど。一高が県下有数の進学校でも、全国レベルの清煌学院とじゃ比べ物になりませんよ」

「……落ちたんだ」

先月末、不合格通知が届いた。祐志は、しまった、という顔をしている。が、そんなに深刻なことではない。

「一高に落ちれば後がないってことだ。大学は好きなところに行かせてやるから、高校は地元にしておけって説得したんだが、井の中の蛙になりたくない、なんて古臭い言葉を使いながら俺を説得して、がんばっていたんだけどな」

「それなら今日は楽勝ってことですね。すごいなあ、一高がすべり止めだなんて」

「そんなに秀才ってわけじゃない。本人は俺には何も言わないから断定はできんが、同じ中学に嫌なヤツがいるんだろうな」

妻から何度か、制服を汚して帰ってくる、と相談を受けたことがある。本人に訊ねると、学校でプロレスごっこが流行っている、と笑いながら返された。中学生などそんなものだと良隆の言葉を信じたが、清煌学院を受けたい、と言われて、やはり何かあったあっ、と祐志が何か思い出したように小さく声を上げた。

「試験中に何かあったのか？」

「いいえ、自分にも思い当たることがあって」

「そうか。で、そいつも一高を受けるから、余所に行きたい。それなら、一高よりも難しいところを受けないといけない。そんな感じだったんじゃないか」

「じゃあ、息子さんが受かって、その嫌なヤツが落ちていたらいいですね」

俺もそう願うところだが、祐志に笑顔で言われると、それでいいのだろうか、と親ではなく、教師として考えてしまう。いや、親としてだろうか。自分の努力で満足を得るのではなく、他人の失敗で満足を得る人間にはなってほしくない。

自分に泥をかけた人間でも、そいつが困っていれば手を差し伸べることができる人間になってほしい……。なんて、親の俺が聖人君子でもないのに、息子にそれを望むのはお門違いというものだ。

「他人の失敗を望んでいたら、自分の足元を掬われてしまうからな。息子のことだけ祈っておくよ」

コーヒーを飲み干した。親としても、教師としても、俺は若者を見届ける立場になってしまったようだ。

『ただいま採点中』19：20

〈上条勝〉

英語以外の四教科の点数が入力された。芝田麻美は合格ラインから五番も下にいる。案ずるより産むが易し、とはこのことだ。

「このまま無事終わりそうですねえ、校長」

「合格ライン上の子とたった六点差じゃないか」

的場校長は浮かない様子だが、残り一科目で六点差を覆すのは難しいだろう。

『県議、どーなった？』19：30

〈坂本多恵子〉

他の科目はもう採点を終わらせているかもしれない。しかし、ダントツにという遅れ方ではないはずだ。点数を記入した試験会場別の答案用紙の束を、右隣にまわす。

「では、一回目の得点確認作業を始めます」

私の掛け声とともに、皆が電卓を手に取り、打ち始める。今年の電卓は使いやすい。春山先生が点数を二重線で消し、新たに点数を書き加えたが、私の計算したものではない。小西先生がやったものだ。しっかりしてくれないと困る。

答案用紙の束を右隣にまわす。

「二回目の得点確認作業を始めます」

二回目ともなると、訂正する箇所はほとんどない。

「あれ？　丸バツは訂正されてるのに、点数はそのままだ」

宮下先生が設問の点数を書き直し、トータルの点数も変更した。春山先生、小西先生の二人が見落としたことになる。他人の粗探しをする前に、自分の役割を全うしてもらいたいものだ。

答案用紙の束を右隣にまわす。

「三回目、最終得点確認作業を始めます」

皆、電卓を手にしたまま、赤ペンに持ち替える人はいない。これで、完璧なはずだ。

宮下先生が電卓を置いた。

「終わり、っと。ケータイ少女、まさかの九五点。時間いっぱいできていたら満点だったかもしれないし、これで失格になってたら、本当に裁判起こされてただろうな」

裁判、なんて言わないでほしい。相田先生も電卓を置いた。

「ルール違反はダメだけど、自分の実力以外のことで不合格になるのは、納得できないだろうからなあ。一生引きずりそうっすよね。管理職のことなかれ主義も、たまにはいい結果に結びつくもんっすね」

不満をあげればキリがないが、事を大きくしなかった点については、私も上はよくやってくれたと思う。全員が電卓を置いた。五会場分の答案用紙を集めて重ね、ひもで綴じる。私から表紙の採点者欄に印鑑を押し、小西先生、春山先生、宮下先生、相田先生の順に続く。これで、もし採点ミスがあれば五人全員の責任ということになる。

「お疲れ様。今年も無事終了ね」

「いや、答案用紙が一枚足りないことを本部に報告しないと」

小西先生に言われて、棚上げしていた問題を思い出した。しかし、よく考えてみれば、あの白紙がただの予備で、回収ミスおよび回収後の紛失だったとしても、英語だからといって、私には関係ないのだ。

「試験会場2の担当……、春山先生が本部に届ければいいんじゃないの？」

「構いませんが、報告も私がするんですか？」

確かに、余計な提案などされては困る。

「そうね、教科主任として、報告は私がやるわ。パソコン入力は小西先生にやってもらおうかしら。まさか、私がやれなんて思ってないわよね」

「ここまでの苦労が全部水の泡になる可能性もありますからね。何せ、二学期の期末考査の点数を一人分ずらして入力していたんだから」

余計なことを。勇者だな、と宮下先生に茶化される。

「うるさい。宮下先生と相田先生はここの片づけでもしておきなさい。じゃ、行くわよ」

とにかく、今年の入試に関して私には何の落ち度もない。それだけは断言できる。

『答案用紙が1枚足りない？』20：00

第6章　ケータイ母&同窓会長、ついに校長室に殴り込み！

『新たな事件発生』20：03

〈田辺淳一〉


五年前、僕も両親も、兄さんの一高合格を信じて疑わなかった。

入試の翌日、朝一番で兄さんは、新聞に掲載された公立高校入試模範解答を見ながら、問題用紙に書き込んだ答えを自己採点した。

先に朝食をとっていると、兄さんはしょんぼりした顔でダイニングに入ってきた。それを見て母さんは顔を曇らせた。だがそれはお調子者だった兄さんの演技で、ニッと笑って五教科の平均は九一点、ちゃんと合格ラインの九〇点あったことを嬉しそうに教えてくれた。

一番に合格を確信していたのは、兄さん本人だったはずだ。

母さんは兄さんに、合格発表の日はごちそうを作るから何が食べたいか教えて、と言った。ステーキ、お寿司、ケーキ、と好物をあげる兄さんの横で、僕もから揚げと声を張り上げてリクエストした。

淳ちゃんのお祝いじゃないでしょ、と母さんは困ったように笑いながら言ったが、兄さんがから揚げも一緒にリクエストしてくれた。いつも仕事で帰りが深夜になる父さんも、その日は早く帰ってきてくれることになっていた。

兄さんは同じ中学の友人と一緒に合格発表を見に行った。友人は自己採点の結果、平均が八七点だったらしく、兄さんは前日から、自分が受かって友人が落ちたらどう声をかけようかと悩んでいた。

高校入試は通過点にすぎないよ。……そう言うつもりなのだと僕にだけこっそり教えてくれた。

その日、小学校は卒業式で、四年生だった僕は朝から休みだったため、画用紙に『光一兄ちゃん、一高、合格おめでとう！』とカラーペンで書き、母さんがそれをダイニングの壁に貼ってくれていた。

ダイニングテーブルの上で、寿司飯を作る母さんを手伝ってうちわであおいでいると、玄関の開く音が聞こえた。兄ちゃんだ、と二人で手を止め、ダイニングのドアの前で待ち構えていると、兄さんが落ち込んだ顔で俯いたまま入ってきた。

――おかえり。あらあら、その顔にはもう騙されないわよ。

母さんは笑いながらそう言ったが、兄さんは落ち込んだ顔のまま、母さんをじっと見つめ返すだけだった。いつまでも笑い出す気配のない兄さんに、母さんの顔も徐々に曇っていった。

――落ちてた。

兄さんは声を振り絞るようにそう言った。声と一緒に涙も流れていた。嘘でしょ、とつぶやく母さんに、兄さんは合格発表の紙を何度も見たこと、付き添いの中学の先生が確認してくれたことをゆっくりと話した。

なんてこと……、とがっくりと肩を落とす母さんを励ますように、兄さんは目に涙をためたまま、母さんの肩に手をのせた。

――お父さんに、何て報告をすればいいのかしら。

母さんが泣き崩れるようにそう言った瞬間、兄さんの顔から表情が消えた。

――なんだよ、それ！

兄さんはそう叫んで、肩からかけていたカバンをダイニングテーブルに投げつけた。寿司桶がひっくり返り、床につやつやと光るご飯が飛び散った。兄さんは壁に貼られた紙にも目を留めた。

――ふざけんな！

壁に駆け寄り、紙を真ん中から引きちぎると、音を立ててドアを閉めて出て行った。母さんは床に泣き崩れ、僕はどうすればいいのかわからず、寿司桶を拾いあげ、カラになった底をぼんやりと眺めていた。

誰か助けて。そう思ったけど、僕がピンチのときに助けてくれていたのはいつも兄さんだったので、このときは、誰の顔も頭の中に浮かんでこなかった。

風呂から上がり、ダイニングの前を通ると、会社から帰ってきた父さんが母さんを怒鳴りつけていた。

——一高に落ちたなんて、俺に恥をかかせる気か。俺も兄貴も、兄貴の子たちもみんな一高なんだぞ。うちの家系から一高に落ちるヤツが出るだけでも許し難いことなのに、それがよりによって俺の子だとは……。

父さんは拳を思い切りテーブルに叩きつけた。母さんは泣きじゃくりながら父さんに謝り続けていた。

耐え切れずに二階に上がると、少しだけ開いたドアのかげから、兄さんが使い古した参考書を破り捨てているのが見えた。

——なんであいつが合格で、俺が不合格なんだ！

兄さんが泣きながらそう言っているのを聞いて、僕は、自己採点の結果が兄さんより悪かった友人が一高に合格したことを知った。だから、兄さんは納得できずに悔しがっているのだ、と思った。

あのときの僕は、兄さんになぐさめの言葉をかけることすらできなかった。

だが、今の僕は違う。もうすぐだ。兄さん、あいつらは裁きを受けるからね。

ノートパソコンを開き、キーボードを叩いた。

『罪を犯したヤツらに裁きを下せ!』20:05

〈春山杏子〉

私はただ、皆の反応を見ていることしかできない。上条教頭は坂本先生から受け取った英語の答案用紙の束を手にしたまま、呆然としている。的場校長は目を見開いたまま黙り込み、荻野先生ですら、信じられないといった様子で校長や教頭の様子を窺っている。答案用紙の紛失というのは、過去に一度も起きたことのない事件のようだ。

「ほんっとうに、一枚足りないのか? 重なっているとか、別の番号のところにまぎれ込んでいるとか」

上条教頭が坂本先生に訊ねた。

「五人がかりで採点をして、確認をしたのよ。そんなことなら、とっくに気付いてるわ。ただ、白紙も交ざっていて……」

「それじゃないのか?」

「その可能性も考えてみたんですけどね。どう?」

坂本先生がパソコンの前に座る小西先生に訊ねた。画面には受験生の各教科の得点の一覧表が表示されている。

「四六番、他の科目の点数、ほぼ満点です。すごい、ダントツだ」

坂本先生はがっくりと肩を落として、上条教頭に向き直る。

「そんな子が英語だけ白紙で出すと思いますか？」

「英語だけ極端にできないのかもしれない」

「それはありませんね」

荻野先生が金庫から『極秘』と書かれたファイルを持ってきて、上条教頭に見せた。

「中学から送られてきた内申書には、英語も十段階評価の十がついています」

「じゃあ、回収ミス？」

「しかし、回収した答案用紙の確認をされたのは、教頭じゃないですか」

荻野先生はファイルと重ねて持っていた、確認の署名をしてある表を、そっと上条教頭に差し出した。

「ということは、確認後に紛失した。もしや、盗難？　校長、どうしましょう」

全員が的場校長に注目する。

「捜そう」

思いがけず、力の籠った声だった。

「職員全員で、ですか？」

「いや、事が大きくなって、外部に漏れたら困る。この事を知っている英語チームと試験会場2の担当者のみで捜した方がいい」

「じゃあ、私も？」坂本先生が不満げに訊ねた。

「当然じゃないか。答案をここから持ち出したのは、坂本先生なんだから」上条教頭が答える。

「捜すだけじゃなく、疑われているってこと？」

「二人とも、ケンカはあとにしてください。ところで、校長、他の先生たちに何か報告しておかなくてもいいんですか？　採点が終わったのに帰れないとなれば、皆、おかしいと思うはずです」荻野先生が言った。

「そうだな」

「いっそ、関係者以外を帰してから捜すというのはどうでしょう？」

「関係者とそうじゃない人なんて、どうやって見分けるのよ。私、ここから答案を持って会議室に行く途中、トイレに寄ったけど、松島先生に会ったわよ」

「トイレといえば、私も滝本先生に留守番を……」

坂本先生、上条教頭、それぞれに何か思い当たる節があるようだ。

「校長、一時間待ってください。本部のパソコンに問題が生じたことにしましょう。その間に、試験会場2の英語の答案用紙にかかわった人たちから、一人ずつ事情を聴いて、残ってもらう人を選びませんか」

荻野先生の提案に的場校長は同意した。私は英語の答案の回収にかかわっていない。話を訊かれることになるとしても、後半になりそうだ。

「ここでじっとしていても仕方ないので、順番がまわってくるまで、校内を捜していてもいいですか？」

荻野先生の同意を得て、僕も、と挙手をした小西先生と一緒に本部を後にした。電気が点いているのは第一校舎の一階くらいで、廊下の窓に目を向けても、映るのは自分の姿だけだ。

まずは、試験会場2となった二年B組の教室に向かった。電気を点けて、小西先生と分担して机の中をのぞいていく。

「ここにあれば、片付けのときに気付いているはずなんだけどな」

小西先生が言った。

「それでも、机の中から出てくればいいのにって思っちゃいます」

机の中を確認した後、掃除用具入れやゴミ箱の中を確認したが、答案用紙はどこにもなかった。果たして、校内にあるのだろうか。だが、掃除用具入れから私の携帯電話が出てきたように、思いがけないところからひょっこり出てくる可能性はある。

『答案用紙、なくされたらどうなるの？』20：20

〈荻野正夫〉

事情聴取、と呼ぶのは聞こえが悪いか。英語の答案用紙に関わった先生たちからの聞き取りを、応接室で私が行うことになった。答案用紙に触れた順、まずは試験会場2で答案用紙を回収した村井先生に来てもらう。携帯電話の件で呼び出されたと思っていたらしく、新たに起こった事件を把握しきれていない様子だ。

「試験会場2の英語の答案用紙が、一枚足りないんですか？」

「そうです。ただ、村井先生を疑っているわけじゃありません。受験生が故意に提出しなかったのか、学校側が回収し忘れたのか、回収後に紛失したのか、あらゆる可能性を検討するために、順番に話を伺っていきたいと思いますので、ご協力ください」

村井先生は力強く頷いた。

「では、まず、試験終了後、答案用紙を回収したのは村井先生でよろしいでしょうか」

「はい。他の時間は春山先生と分担で回収していたんですけど、ケータイ騒ぎで春山先生が受験生を連れて出ていったので、僕が全員分を一人で集めました」

「その際に何か変わったことは？」

村井先生は空を見つめるようにして、数秒考え込んだ。

「特に何も」

「枚数はきちんと数えましたか」

「はい。三九枚に、教卓に置いてあったケータイを鳴らした子の分を足して、ちゃんと四〇枚ありました」

「受験番号が書かれているかも確認しましたか」

「は、はい。もちろん」

「絶対に？」

念を押すと、村井先生は眉を寄せながら、必死にそのときのことを思い返しているようだったが、逆に、混乱し、自信を失ってしまったふうにも見える。

「多分……。あ、だって、すぐ後に水野先生にも確認してもらいましたから」

村井先生に礼を言い、水野先生を呼んできてくれるように頼んだ。確実に回収した、とは断定できない――と。

『百点満点』20：23

〈相田清孝〉

男子バレー部の部室前までやってきたが、電気なんかどこにも点いていない。夕焼けでも反射していたんじゃないだろうか。ドアノブをひねるが、鍵もかかっている。よかった、衣里奈が潜んでいなくて。いつまでもこんなところにいては不審に思われる。そうか、英語の答案用紙を捜していたことにすればいい。

『無条件に合格』20：26

〈荻野正夫〉

応接室にやってきた水野先生に答案用紙が一枚足りないことを伝えると、心底驚いたような顔をした。

「いったいどうしてそんなことが」

「では、水野先生が確認されたときには、ちゃんと四〇枚揃っていたんですね」

「はい、確かに」

「受験番号の確認もされましたか」

「もちろん」

一拍置いてからの、力強い返事だ。

「ケータイ騒動の方が気になって、集中できなかったということはありませんか」

「気になっていましたが、だからこそ、これ以上ミスのないようにしなければという思いを、より強く持っていました」

「そうですか。しかし、水野先生、受験生の携帯電話が鳴ったのは先生のミスではありませんよ」

「ありがとうございます」

水野先生が深く頭を下げた。ひとまず解決したとはいえ、答案用紙のことよりも、携帯電話の方が気になっているのだろう。


『受験生に罪をかぶせて、失格』20：29

〈坂本多恵子〉

女子トイレの掃除用具入れを開ける。こんなところに答案用紙があるはずないけれど、職員室でじっと座っていたら、何を言われるかわかったものじゃない。英語の答案用紙が一枚足りないことは、この学校の職員であっても、なるべくなら知られたくない。ましてや、私が疑われることなどあってはならない。

『腐りきった組織だな』20：32

〈荻野正夫〉

水野先生の次は本部で英語の答案用紙を受け取った上条教頭だ。事情はわかっているはずなのに、事情聴取というスタイルが気に入らないのか、不機嫌そうな顔をしている。

「私は村井くんから封筒を受け取ってちゃんと枚数を確認したよ。四〇枚あったから署名をしたんだ」

「受験番号の確認もされましたか」

「当然じゃないか」

「絶対に？」

「私を疑うなんて、失礼だよ」

怒り出すのは、おそらく、自分の行動に自信がないからだろう。が、これ以上問い詰めても、手がかりは得られなそうだ。

『学校側の杜撰な管理。これも訴えようぜ』20：35

〈相田清孝〉

職員室に戻ろうとしていたら、廊下で会った坂本先生に、あなたも答案用紙を捜しなさい、と言われ、とりあえず二年B組の教室に向かった。ドアの前で宮下先生と合流する。教室には電気が点いていて、小西先生と杏子先生が教卓の中や黒板の上まで調べているところだった。

「いやあ、お疲れ。事情聴取が始まっちゃったねえ。俺は採点始まるまで試験会場2の答案用紙にはまったく触ってないけど、居残りしなけりゃならないのかな」

宮下先生が小西先生に言った。事情聴取、って何だ？

「当然ですよ。第一発見者じゃないですか」

「なるほど。別の言い方をすれば容疑者ってわけだな。こっそり一枚抜いて、おや、足りないぞ、って言えばいいわけだ」

「それなら早く出してください」

「残念ながらそれはできない。なぜなら俺は犯人じゃないから！　なーんて、やっかいなことになったな」

どういうことだ？　と言うように杏子先生を見た。

「英語チームは全員残るみたいよ」

「じゃあ、俺も？　やっべ、いつまでかかるんだろ」

「何か予定でも？」

小西先生に訊かれ、いや、と誤魔化す。

「インディゴリゾート？」

杏子先生に訊かれる。何だ、知っていたのか。

「そういや、予約入れてくれたの杏子先生だもんな」

「ビンゴ！　みどり先生の彼氏って、相田先生だったんだ」

杏子先生が指を鳴らした。もしかして、俺、カマかけられた？

「相田っち、みどりちゃんと付き合ってたんだ。俺はてっきり別の……」

「わー、ちょっと、勘弁してください。みどり先生と付き合ってることは認めるけど、おかしなこと言わないでくださいよ」

どいつもこいつも油断がならない。

「何のことかな。インディゴリゾートいいなあ。いつ行くの？」

「今晩出て、明日、朝一の飛行機で行って泊まる予定なんすけど、俺、まだ帰れないんすよね。めちゃくちゃ怒られそうだな。俺のせいじゃないのに」

「その心配なら、大丈夫じゃないか？」

小西先生が澄ました様子で言った。俺にはもう誰が何のことを言ってるのか、何をどこまで知っているのか、さっぱりわからない。

『ケータイ鳴らしたヤツの答案だったら？』20：38

〈荻野正夫〉

教頭先生が手洗いに行っているあいだ、本部に待機していたという滝本先生に来てもらった。事情を知るなり、勘弁してくださいよ、と困った顔で訴えられた。一刻も早く、帰りたいそうだ。が、願いを聞き届けることは難しいだろう。

「教頭先生に頼まれて、本部で五分くらい見張りをしました。同窓会長さんが勝手に校舎に入ってきて、お引き取りいただこうとしたんですけど、へんな言いがかりをつけながら応接室に入っちゃったから、仕方ないなって職員室に戻ろうとしたところを、呼び止められたんです」

「見張りの間に何か変わったことは？」

「いいえ、何も。誰も来ませんでしたし、何にも指一本触れてません」

「途中で退室はしていませんか？」

「教頭先生が戻ってくるまでずっといました。もしかして、疑われてるかもしれないけど、絶対にわたしじゃないですから」

「滝本先生を疑っているわけではありません。滝本先生は職員室待機係でしたよね。掲示板を見つけてくれたことには、とても感謝をしています」

「いえ、たまたまなので」

「他に今日一日を通して、何か気付いたことはありませんか」

「えっとですね。そうだ、校内で在校生を見かけました」

誰からも聞いていない情報だ。

「おかしいですね。立ち入り禁止の連絡をしているはずなのに。誰だかわかりますか」

「多分、二年生の石川衣里奈です」

滝本先生は自信あり気にそう言ったが、石川衣里奈が学校にいた理由には思い当たらないようだ。

『それなら失格でオケー』20:41

〈小西俊也〉

一度、職員室に戻り、しばらく呼び出しがかからなそうな宮下先生と、校舎内の男子トイレを一階から順に見て行くことになった。掃除用具入れやゴミ箱を確認するが、手当たりしだいに捜しても、出てこないのではないか。それよりも、何故、答案用紙が紛失したのか、想定できる理由や状況を考えてみた方がいい。

「入試をぶっつぶすって、答案用紙を一枚紛失させることだったんでしょうか」

「だとしたら、まんまとやられたわけだ」

宮下先生はお手上げポーズで答えたが、今の段階ではまだ、ぶっつぶせているとは言えない。次に起きることは何だ。いや、学校側の人間として、次に起きてほしくないことは何だ。

この状況を、外部に知られることだ。

『合否ってそんなことで決めていいの？』20：44

〈荻野正夫〉

本部で上条教頭から答案用紙の入った封筒を預かったという、坂本先生の番だ。応接室に入ってくるなり、私は関係ありませんからね、とこちらにくぎを刺す。

「さっきも言ったように、私は本部で封筒を受け取ったあと、一階のお手洗いに寄って、会議室に向かったんです」

「失礼ですが、手洗いでは、封筒はどちらに」

「洗面台よ。だって、個室に棚がないんだから仕方ないでしょ。要望はずっと前から出しているんですけどね」

「手洗いに他の人は？」

「多分、私だけだったはずよ。人が出入りする気配がなかったもの。廊下に出たところで隣の男性用から出てきた松島先生とは鉢合わせになったけど」

「そのまま会議室へ？」

「階段で相田先生に会って、あとの英語チームのメンバーを呼び出すために、封筒を預けて、職員室に戻って校内放送をかけたのよ。ほらね、どこか悪いところがある？」

封筒を洗面台に置きっぱなしにしていたことに問題があるが、指摘しても、誰か別の人間が悪いことになるのだろう。


『おまえの答案用紙だったらどうする？』20：47

〈村井祐志〉

聞き取りが終わったため、春山先生と校舎の周りを捜すことになった。ここは試験会場2の担当者であった僕たちで見つけたいところだ。植え込みの下を覗いてみるが、暗くて何も見えない。事務室で懐中電灯を借りてくることにする。


『誰の答案用紙かなんて調べられんのか？』20：50

〈荻野正夫〉

入試業務からあえて外れてもらっている松島先生に事情を話し、聞き取りをするのは気が引けるが、調査中に名前が挙がったのだから、仕方がない。

「採点に向から坂本先生と手洗いで会いましたが、それが何か？」

「実は、英語の答案用紙が一枚足りないという事態が起こりまして」

「僕が呼ばれたということは、息子が関わっているんですか？」

「いいえ。息子さんは無関係です。ただ、坂本先生がお手洗いに入っているあいだに、あの辺りで誰か見かけなかったか、伺いたかっただけです」

「誰にも会っていませんね」

他の職員や生徒の名前が挙がることなく、五分も経たずに終了したが、この後も残ってもらわなければならない。しかし、松島先生は嫌な顔一つせずに、事態を知ったからにはほうっておけません、と了承してくれた。

『開示請求したらいいんじゃね？』20：53

〈水野文昭〉

滝本先生と一緒に食堂周辺を調べる。自動販売機の裏やゴミ箱を確認するが、こんなところに答案用紙があるとは思えない。受験生が持って帰ったのではないか、と考えるのが一番妥当なところだが、そうなると責任は試験監督の私にあるということになる。回収後の確認時、答案用紙は確かに四〇枚あった。それは断言できるが、受験番号は正直なところ、見ていなかった。他の教室から受験生が出て行く音が聞こえてあせっていたからだが、あんなところで後れをとったからといって、マイナスになることは何もないのに。

滝本先生はしきりに腕時計を気にしている。

「何か用でも？」

「今晩から旅行に出る予定なんですけど、まだ、大丈夫です。……うん？」

滝本先生が体育館の方を振り返った。

「足音が聞こえたような……」

私の耳には届いていない。が、念のため、見に行く。不審者が潜んでいれば、事件は一挙に解決するはずだ。

『県議の娘の答案用紙じゃないよ』20：56

〈荻野正夫〉

階段で坂本先生と会い、一人で採点会場である会議室に英語の答案用紙を持っていったという相田先生に来てもらった。試験終了後の答案用紙は原則、試験監督二人で本部まで運ぶことになっているのに、その後は一人に預けるというのは、上条教頭にしろ、坂本先生にしろ、不用心なことだ。こういった点も、今後の課題としなければならない。

「校内を見回りして、職員室に戻ろうとしていたら、坂本先生に会ったんです。で、そのまま封筒を受け取って、会議室に行きました」

「途中、手洗いやどこか別の場所に寄ったということは？」

「ないっす」

「会議室についてからはどうしましたか？」

「準備を始めました。英語の採点は初めてだったんすけど、去年は社会だったんで、机のセッティングなんかは同じだろうなと思って、一人で進めていたんす」

「その間に、会議室に誰か入ってきましたか」

「いえ。校内放送のあとで坂本先生が戻ってきたので、指示を出してもらいながら、一緒に準備をしました。あ……、そのときに、坂本先生とぶつかって、試験会場2の答案用紙を床に落としてしまったんす」

「そのときの状況をもう少し詳しく教えてくれませんか」

「そうっすね」

相田先生は立ちあがり、こんな感じで、とそのときの様子を動きを交えてわかりやすく再現してくれた。

「机に手をつきながら転んで、たまたま手の下にあったのが試験会場2の答案用紙で、バラバラ〜と落ちちゃったんす」

「答案用紙を拾ったのは？」

「俺っす。そうしたら、答案の束の中に白紙が交ざっていて、きれいなままだったんで予備だと思って、端の机に除けたんです」

「白紙は答案の束の一番下ではなく、あいだに交ざっていたんですか？」

「どうかなあ。なんせ盛大に広がっていったんで、何とも言えないっすね」

「拾い集めたときに、枚数の確認はしなかったんですか？」

「してないっす。ちゃんと番号順に揃えなおそうかと思ったんすけど、坂本先生に怒られそうで。体育祭のプログラムを作るときにも、似たようなことがあったんで、つい」

「なるほど、そのあとは」

「宮下先生と小西先生と春山先生が来て、採点が始まって、宮下先生が一枚足りないことに気付いたんす」

「そうですか。ありがとうございました。ところで、相田先生はどうして校内の見回りをしていたんですか？」

「いや、生徒指導部のいつもの習慣で、つい」

「そのときに、何か気付いたことはありませんか？」

「いえ、特に何も」

「他の先生から、在校生の姿を見かけたという報告があるのですが」

「い、いや、俺は誰にも会ってないっす」

相田先生はかなりあせった様子だ。おそらく、石川衣里奈を見かけたのだろう。

『じゃあ、誰の？』21：00

〈上条勝〉


現在は答案用紙の見当たらない四六番の英語の得点を零点にして入力している。まさか、他四教科すべて最高点の子の答案がないとは。的場校長を呼んだ。校長も四六番の成績を見て、小さく唸り声を上げた。

「これで零点扱いのままにして不合格にしたら、それこそ裁判沙汰ですよ」

「四教科の平均点を英語の得点にしてみてはどうだろう」

「ねつ造ですか」

「人聞きの悪いことを言うんじゃない。対処法の一案だ。それより、芝田麻美はどうなってる」

こちらもまた、頭の痛い結果となっている。

「英語の点数がやたらとよくて、合格ラインぎりぎりのところに食い込んだんです」

今は、四六番が英語の点数を零点で打ち込んでいるため合格ラインの下にいるが、もし答案用紙が出てきたり、いくらか点数を加算すると、芝田麻美が不合格になる。一点差で不合格ということが万が一、芝田麻美の親に発覚すれば、英語の試験を中断させたことに不服を唱え、裁判を起こすと言い出しかねない。

「内申書はどうなってる」

校長に訊かれる。内申点は、本校では試験の点差がない場合に参照するのだが、一点差くらいならどうにかなりそうだ。金庫から内申書のファイルを持ってきて確認する。

「ややっ、一点差で芝田麻美の上にいるのは、沢村同窓会長の息子です」

芝田麻美に下駄をはかせると、沢村翔太が不合格になる。まったく、どうすればいいんだ。

『合格するの、だーれだ？』21：20

〈春山杏子〉

つい先ほど、職員室に職員が全員集められ、荻野先生が解散の号令をかけた。

――このあと、役割のない方々は速やかにお帰りください。

英語の答案用紙に少しでも関わった職員は捜索続行。試験会場2の担当であり、英語の採点チームの私は、事情聴取こそ受けなかったが居残りは当然だ。下駄箱前に置かれたスノコを村井先生と一緒に持ち上げる。昨日の大掃除の甲斐あって、土埃すらろくに落ちていない。みどり先生もやる気なさそうに玄関マットをめくっている。

「あんな予告もあったんだし、受験生が入試をぶっつぶそうとして、答案持って帰っちゃったんじゃないの？　だとしたらその子が犯人なんだから、捜すだけ無駄じゃん。とっとと不合格にしてやればいいのに」

「そう簡単にはいきませんよ。受験生が犯人だとして、自分の答案を持ち帰ったとは限らないじゃないですか。そんなことをしたら、自分が不合格になる。人生の大切な勝負がかかってるんですよ。仮に何か学校に恨みがあるとして、入試をぶっつぶすにしても、自分以外の答案用紙を持って帰る、いや、この場合、盗むんじゃないですかね」

「確かに。村井くん、頭いい～」

村井先生が照れた様子で頭をかいた。ガラス戸越しに人の気配を感じる。あっ！　と声を上げてしまった。玄関口に沢村会長が立っている。いつからいたのだろう。勢いよくドアを開けて入ってきた。

「今の話は事実なのか。答案用紙が盗まれたというのは。まさか、うちの息子のじゃないだろうな」

「違います」

沢村会長の正面に立ち、答えた。

「じゃあ、誰のだ」

「それは、お答えできません」

「それより、会長さん。まだ関係者以外は立ち入り禁止なんですけど」

みどり先生が沢村会長を通せんぼするように、私の横に立ってくれた。まったく動じない様子で、沢村会長はポケットから折りたたんだ紙を取り出した。

「これでも、関係者じゃないと言えるのか？」

沢村会長が紙を広げ、私たちの前に突き付ける。答えがびっしりと書き込まれた、英語の答案用紙だ。

「どこで、それを！」

「こんなところで説明しろと？」

村井先生が荻野先生を連れてやってきた。みどり先生が荻野先生に事情を話すと、まさか、と荻野先生は目を見開いて答案用紙を眺めた。

「受験番号をよく見てみろ」

「あれ？　違う」

受験番号欄には「46」ではなく「55」と書かれている。

「何が違うんだ。五五番はうちの息子の受験番号だろう。がんばって全部の問題を解いている。なのに、いったいどうしてこんなことが起きているのか、しっかり説明してもらおうじゃないか」

沢村会長はそう言うと、勝手知ったると言わんばかりに靴を脱いで、下駄箱から来客用のスリッパを取り出し、ずかずかと応接室に向かっていった。どうしてこんな展開になるのだ。

『答案用紙、発見！』21：35

〈春山杏子〉


職員室にいた坂本先生、小西先生、宮下先生、相田先生に坂本先生の席に集まってもらい、英語の答案用紙を机の上に置いた。

「この校舎の中庭側の壁にテープで貼ってあったそうです」

「そんなところに？」

坂本先生があきれたように言った。

「合格発表の紙を掲示する場所だ」

小西先生が言った。そんなところだったとは思いも寄らなかった。

「何か裏がありそうだな」

宮下先生が腕を組みながら言った。

「まあ、見つかってよかったじゃないっすか。さっさと採点して終わらせましょう」

相田先生が調子よく言ったが、小西先生が答案用紙を取り上げ、さっと目を通す。

「これ、満点だ」

私もそうではないかと思っていたことだ。

「じゃあ本物ね。見つかって本当によかったわ。零点にしていたら大問題になっていたところよ」

坂本先生が胸をなでおろすように言った。しかし、問題はまだ片付いていない。

「それ、受験番号が違うんです」

小西先生が答案用紙を机に置き、皆が受験番号欄に注目した。

「どういうこと？　五五番が二枚あるってことなのかしら」

「そうです」

小西先生が、あっ、と何かに思い当たったようだ。

「五五番って確か、カンニングを告発されてなかったっけ？」

採点が終了したのはつい一時間ほど前のことなのに、すっかり忘れていた。

「書き間違いかな。まあ、筆跡を他の教科の答案用紙と照らし合わせればすぐにわかるんじゃない？」

宮下先生がたいした問題ではないというふうに言った。

「近い番号ならともかく、四六番と五五番の書き間違いなんてあるかしら。でも、消して書き直した跡は……ないわね。とりあえず、先に採点をしましょう」

坂本先生が席に着き、ペンたてから赤ペンを取った。みどり先生が入ってくる。食器棚から客用のカップを取り出し、コーヒーを淹れ始めた。

誰に？　と相田先生が訊ね、同窓会長さん、とみどり先生が答えた。

「また来ちゃったんですよ。とんでもないお土産付きで」

もしかして、と宮下先生が眉をひそめて私を見た。

「この答案用紙を見つけたの、沢村さんなんです」

沢村会長から聞いた、答案用紙を見つけたいきさつを皆に説明した。

学校側に確認し忘れたことを思い出した沢村会長は、学校付近のファミリーレストランで採点が終わるタイミングを見計らってから、再び来校した。真っ暗な中、校門を通過し、第一校舎の玄関前まで来たところでタバコを吸いたくなり、ジャケットのポケットから取り出したが、校内禁煙だったことを思い出した。職員室から大勢の職員が出てきてこちらに向かっているのが見えたため、沢村会長は中庭に向かった。

窓から漏れる明かりで、校舎の壁に何かあることに気付いた。近寄ると、英語の答案用紙がテープで貼られていた。おまけに五五番は息子の受験番号で、心底驚いたのだという。

五五番が沢村会長の息子だということに、皆、顔を曇らせた。四六番の答案用紙を捜していたのに、出てきたのは五五番。五五番の答案用紙は二枚存在することになる。おまけに、五五番はカンニングを告発されている。告発したのは五九番。

つまり、松島先生の息子が沢村会長の息子を告発したことになるのだ。

いったい、何から解決していけばいいのだろう。


『同窓会長、採点中の学校に乱入』21：40

〈松島良隆〉

見たいテレビ番組も読みたい本も特になく、何をしていいのかわからない。受験勉強中は試験が終わったらあれもやりたい、これもやろうと考えていたのに。パソコンを起動させる。調べたいことも特になく、今日のことを誰か書いているかもと、一高、入試、などのキーワードを打ち込んで検索した。

一高の入試に関して書いてあるような掲示板を見つけた。入試をぶっつぶす! と書いてある。画面をスクロールさせながら、書き込みを流し読みしていく。

入試問題が試験時間中にアップされているし、英語の時間にケータイが鳴った子のことも書いてある。まんま、僕の教室のことだ。だが、ケータイは鳴ったけど、試験は無事終了した。ぶっつぶせてはいない。それとも、まだミッションの途中なのだろうか。

父さんが帰ってこないのは、学校で何か事件が起きているからだろうか。

父さんにメールを送ってみようか。

『今学校で、何か困ったこと起きてる?』

だが、仕事中に家族からケータイにメールがくるのはヤバいことかもしれない。特に、僕は今日一高を受けたのだから。誤解をまねくようなことになったら、父さんに申し訳ない。

こうしている間にも、書き込みは増えていっている。

『同窓会長、採点中の学校に乱入』これって、沢村の父親のことじゃないだろうか。まさか、息子を合格させろ、とでも言いに行っているのでは。

『新キャラ、入試に関係あんのか?』21：45

〈沢村幸造〉

コーヒーを飲み終えたというのに、校長も荻野さんもまだ応接室に来ない。目の前にいるのは菫ヶ丘出だという生意気な女教師だけだ。まったく、バカにされたもんだ。こちらは何年、同窓会会長を引き受けてやっていると思っているのだ。

「校長たちは何をしているんだ」

「まだ、入試の作業が残ってるんです。会長さんこそ、どうしてまた来たんですか?」

「息子の試験中にケータイが鳴った件に関して、聞きそびれたことがあったのを思い出したんだ」

電話を鳴らした芝田さんのお嬢さんについての対応は聞いたが、あの教室にいた受験生についての対応は聞かずじまいだった。

「芝田さんのところのお嬢さんのケータイが鳴ったのは、学校側のミスだということになった。ならば、あの教室にいた受験生が、ケータイが鳴ったことによって、問題を解く手が止まったり、覚えていた単語が飛んでしまったりしたのも、学校のせいといえる。

それなら、点数をプラスするなり、何かしらの誠意を示してもらわなければ、フェアじゃないだろう」

「要は、点数を少し上げてくれって言いにきたわけですね。何点くらいが妥当だと思ってます？」

身も蓋もない物言いだが、なるほど具体的な数字を提示した方が説得力があるかもしれない。

「五点、いや、一〇点だ」

「ということは、息子さんがそれくらいもらわなきゃ、合格できないと思ってるわけですか。余裕でできていたり、絶望的にダメなら、わざわざ来ませんもんね。でも、今の段階で息子さんが合格圏内にいたら、会長さんがここに来ていることって、息子さんにとって不利になると思いません？」

「あんた、息子の結果を知っているのか」

「いいえ、わかんないです。でもね、もっとやっかいなことは知ってますよ」

「何だ、それは」

「会長さん、ケータイ持ってますか？」

携帯電話を菫ヶ丘教師に渡す。慣れた手つきで操作をして、画面をこちらに見せてきた。

試験中に携帯電話が鳴ったことが書いてある。県会議員の娘とまで……。

「おい、合格したら訴えるって、大変じゃないか。何だ、これは」

「誰でも見られる掲示板です。ここに会長さんが今来ていることが載ったら、もし息子さんが合格しても、会長さんが裏で手回しをしたって思われて、訴えてやる、なんて書かれちゃうかもしれませんよ」

「そんなこと……。続きの画面はどうやって見るんだ」

「続きを読むってところに合わせて、まん中のボタンを押してください」

携帯電話を操作しながら、書き込みを読んでいく。酷い言葉ばかりだ。他人の娘に向けられていても気持ちが悪いと思うのに、こんな言葉が翔太に向けられたら。

「帰るなら、今のうちだと思うんですけどねぇ」

菫ヶ丘教師が壁の時計を見ながら溜息をついた。もう午後一〇時になろうとしている。

うん？

「何だ、これは！」

「どうかしました？」

「俺が学校に乱入と書いてあるぞ」

同窓会長——まさに、俺のことだ。いったい、誰がこんな書き込みをしたんだ。

「ホントだ。間に合いませんでしたね」

「学校には教師しかいないはずだろう。犯人を今すぐここに連れてこい」

「そんな……。ここに来る途中に誰かに会ったりしていません？　学校の近所の人たちって、割と厳しく観察しているんですよ」

親睦会として同窓会役員と教師とで、校庭でテニス大会をしていたのに、公務時間中に遊んでいると、近隣住人から教育委員会に抗議の電話をかけられたことがある。ファミレスで誰かに気付かれたのか? 何だ、これは。匿名で書き込むことができるからといって、嘘八百を並べても許されるというのか。しかも、翔太のことを。

これを翔太が見たら、ナイーブなあいつのことだ、高校になんか行かない、などと言い出しかねない。

『ケータイ騒ぎに便乗してカンニングしたヤツもいる。試験官は気付いた様子。でも、同窓会長の息子なら見逃すか?』21:50

〈村井祐志〉

手持ち無沙汰になり、渡り廊下に出ると、松島先生がまたタバコを吸っていた。

「またルール違反ですか?」

「暇だからな」

松島先生にタバコの箱を差し出され、今度は有難く一本もらう。

「松島先生ってどうして残されているんですか? 試験会場2にも英語の採点にも関わってないのに」

「答案の紛失ルートに運悪く居合わせてしまったからな。坂本先生が英語の答案を洗面台に置いて便所に入ったときに、たまたま俺も便所にいて、出たところで鉢合わせになったんだ」

たった、それだけ？　松島先生も残ることになったと知り、息子さんが何か関係しているのかと思っていたのに。

「いくら洗面台が入ってすぐのところでも、女子便所になんて入れませんよね。しかも、中には坂本先生。絶対に無理です」

だよな、と松島先生も笑いながら答えた。が、すぐに真顔になる。

「上の連中は関係ないと言ってるが、多分、試験会場2に俺の息子もいたからじゃないかな」

「でも、紛失した答案は先生の息子さんのじゃありませんよね。それに、見つかったし」

「そうなのか？」

松島先生はつい今しがたまで、グラウンドや側溝を捜して回っていたそうだ。

「すみません。すぐに報告すればよかった」

「祐志が見つけたのか？」

「いいえ。実は、沢村会長がまたやって来て、答案用紙を見つけてしまったんです」

「まったく。どうなってるんだ……」

松島先生はため息をつくようにタバコをふかした。人当たりのいい松島先生だが、沢村会長に対しては、僕たち普通の職員以上に、疎ましく思っているように見える。

『県議の娘がケータイ鳴らしても合格なら、同窓会長の息子がカンニングしても合格かな』22：00

〈春山杏子〉

坂本先生が後から出てきた答案用紙の採点を終えた。やはり、満点だ。そのうえ、注意事項の確認も必要ないほどの完璧な解答だった。

「これさ、結果は沢村さんに知られない方がいいよな。こっちが自分の息子のだって言い張るに決まってるんだから」

宮下先生が言った。しかし、筆跡を確認しないと何とも言いきれないが、もし、こちらが本物の五五番ではないとして、沢村会長に内緒で処理しても、開示請求をされたら、気付かれるのではないだろうか。宮下先生にそれを訊ねる。

「沢村さん、答案の内容まで覚えてるかな」

「がんばって全部の問題を解いている、と言ってました」

「確か、五五番のカンニングの確認をしたとき、英作文の問題で、二、三カ所、空欄がなかったっけ？」小西先生が言った。

「ありました。おまけに、シェークスピアを書けていない」

「別にいいじゃない。開示は自分の答案用紙しか見られないんだから。筆跡を調べたところ、息子さんの答案は先に出ていたこちらでした。しかし、後から出てきたのは、全部埋まってたけど点数は低かったです、って答えればいいじゃない」

坂本先生が前もって考えていたかのように言った。なるほど、自分の点数を確認することしかできないから、採点ミスがあったとしても、それがどう合否に関係しているかまではわからないのだ。

「じゃあ、開示なんて意味ないじゃないですか」

「自己採点して、自分より結果が悪かった人が受かっていた、という場合に開示請求されるパターンも多いから、無駄ってことはないよ」小西先生が言った。

「採点ミスがわかって、もしかして合格だったのかもって思っても、こんなふうにして合否判定とは関係ないって誤魔化されるんでしょう？」

「春山先生、あなたいったいどっちの味方なの？」

坂本先生がイラついたように声を上げた。

「どちらの味方でもありませんが、正しくありたい、とは思います」

「じゃあ、開示請求される前に、今から会長に報告してきなさいよ。あなたが拾った息子さんの答案用紙は満点でしたって！」

坂本先生が私に答案用紙を突き付ける。そんなことをすれば、取り返しのつかないことになるとわかっていて。さあ、と坂本先生の手が伸びる。

「出来るわけないじゃないですか！」

満点の答案用紙から目をそむけ、職員室から走り出た。どうしてこんなことになるのだろう。私は入試作業について皆と一緒に真剣に話し合いたいだけなのに。

洗面所の鏡に映った情けない自分の顔が許せない。何やってるんだ、杏子。逃げてどうする、しっかりしろ！　思い切り頰を叩いた。

洗面所から出ると、廊下の端の暗がりに、携帯電話らしき明かりが光っているのが見えた。誰だろう。

「ちょっと」

光の方に向かおうとすると、背中越しに声をかけられた。玄関に芝田麻美さんの母親が立っている。

「いったいどうされたんですか？」

「校長に話があるの。応接室で待たせてもらうからすぐに呼んできてちょうだい」

芝田さんも沢村会長同様、こちらが返事をする前に靴を脱いで上がり、応接室に向かった。スリッパを持って追いかける。

芝田さんが応接室のドアを勢いよく開けた。中では沢村会長とみどり先生が、多分、沢村会長のものだと思われる携帯電話の画面を眺めていた。

「あら、沢村さん」

「芝田さん、いいところに来た。大変な騒ぎになってることを、ご存じですか？」

沢村会長が芝田さんのところにきて、携帯電話を見せた。例の掲示板だろう。みどり先生が教えたのだろうか。

「何なのこれは！」

立ちくらみを起こすように足をふらつかせる芝田さんを、沢村会長と私とで支えた。みどり先生がこちらを見てお手上げポーズをする。部外者がこれで二人になった。


『2人とも合格なら、日本の政治よりも腐った世界だな』22：10

〈上条勝〉

掲示板の書き込みはますます増えていく一方だ。内容も過激になっている。いったいどうすればいいのだ。おまけに、沢村会長がまたやってくるとは。

「沢村さんは？」

中央のソファに沈み込むように座っている的場校長が、向かいに座る荻野先生に訊ねた。

「応接室に入ってもらっています。滝本先生にお茶をお願いしたので、しばらく時間稼ぎをしてくれるはずですよ」

「イヤな役割を押しつけて、あとで怒られないかな」

「滝本先生は機転が利くので、誰にでも上手く対応できますし、そんなことで怒るような人じゃありません」

「しっかり観察しているねえ、きみは」

的場校長がちらりとこちらを見る。気付かなかったふりをして、パソコン画面に視線を戻した。

「今日次第ではどうなることか。まさか沢村さんが答案用紙を見つけるとは思ってもいませんでした。やっかいなのか、感謝すべきなのか」

荻野先生がため息をついた。ドアがノックされる。

「はいはい、誰ですか」

こういうのは私の仕事だ。よっこらしょ、と立ち上がり、ドアを開けに行く。

坂本先生が答案用紙を持って入ってきた。何と、満点だ。見つかって本当に良かった。

しかし、まだ何か用件があるようだ。咳払いをして、的場校長に向き直った。

「ご報告することが二点あります。まずは、一枚抜けていたのは受験番号四六番の答案でしたが、これに書かれている番号は五五番です。つまり、五五番の答案が二枚存在することになります。それから、五五番は沢村同窓会長の息子さんの受験番号です」

「まさか」

的場校長が唸るように声を上げたが、驚いたのは私も同じだ。内線電話が鳴り、荻野先生が出た。

「……わかりました。こちらが片付いたらすぐに向かいます」

荻野先生の表情が険しい。こちらも、よくない用件のようだ。

「春山先生から内線で、芝田さんもまた来られたと連絡がありました。今、沢村さんと一緒に応接室にいるそうです」

納得して帰ったんじゃなかったのか。なんでまた、と的場校長も力なく訊ねた。

「家に帰ってから、また気になることが出てきたんじゃないでしょうか」

二人の様子を窺いながら、坂本先生がこそこそとドアに向かっている。

「ああ、坂本先生。まだ、答案の件が」

急いで坂本先生を追いかけたが、目の前でドアを閉められた。この場から逃げられることがうらやましい。

「校長、いったいどうすりゃいいんですか」

的場校長は腕を組んだまま黙り込んだ。頼れる人もなし。

「しばらくお待ちいただいてもいいんじゃないですか?」

荻野先生が的場校長と私を交互に見ながら言った。

「答案用紙は全部揃ったわけですから、まずは、同じ番号の答案について、どう扱うのが受験生にとって一番公平なのか考えて、対処していきましょう」

そうだな、と的場校長が立ち上がった。

「我々が今すべきことは保護者への対応じゃない。入試だ。もう一度、要項を見直そう。

受験番号の書き間違いということなら、こちらに落ち度があるわけじゃないんだから、県の本部に確認しても問題ないだろう。むしろ、ちゃんと確認して指示を仰いだ方がいい」

「さすが、校長！　早速、電話をしましょう」

荻野先生の提案だというのはおもしろくないが、せっかく校長が勢い付いたのだ。私も後に続く。勢いよくドアがノックされた。また、坂本先生か。

「そんなに強く叩かなくても。忘れ物ですか？」

ドアを開けた。沢村会長と芝田さんが立っている。敵はついに、本丸まで攻めてきた。こちらは丸腰だ。がっくりと肩を落として、白旗を上げるしかないのだろうか。

『ケータイ母&同窓会長、ついに校長室に殴り込み！』22：15

第7章　本物どーっちだ！

『おい、誰かマスコミにリークしろよ』22：16

〈田辺淳一〉

僕の一家がバラバラになってしまったのは、兄さんが受験に失敗したからではない。一高に落ちた兄さんは、何度も涙を流しながらその事実を受け入れ、四月に私立楢沢《ならさわ》学園に入学した。甲子園に三回出場したことがある野球部を中心に、スポーツ系、文化系、どちらのクラブ活動も盛んな学校で、兄さんは放送部に入った。

僕としては昼休みに校内放送を流すようなイメージしか持っていなかったが、兄さんによると、学校行事の補助的な役割もするが、メインの活動は、ドキュメンタリー番組、ショートドラマなどを制作してコンクールに出展することらしく、なかなかおもしろそうな部活だなと思い直した。

何よりも、兄さんが毎日学校に楽しそうに通っているのが嬉しかった。僕自身が、嬉しかったのだろうか。母さんが兄さんを笑顔で送り出していたから、僕も笑顔になれたのだ。兄さんが一年生のときに制作したドキュメンタリー番組は県大会で三位に入賞し、それが上映される文化祭に母さんと二人で見に行ったこともある。

町の伝統行事であるたちばな祭りを追ったものだった。僕と母さんは兄さんに、おもしろかった、と伝えたが、兄さんは満足している様子ではなかった。もっと、世の中に問題提起できる題材を探して、全国大会を目指すのだ、と意気込んでいた。

将来はジャーナリストになりたい、と家族全員の前で目を輝かせて宣言もした。父さんは兄さんを許していないそうで、兄さんが学校の話をするのを嫌がるところもあったが、それでも、大学入試で汚名返上しろ、と兄さんの大学進学も許可してくれた。

汚名、という言葉に、一瞬兄さんの顔は曇ったが、それを吹き飛ばすような勢いで、まずは全国大会だ、と意気込んだ。

兄さんの行きたい大学は、全国大会入賞実績があると、推薦入試を受けることができたからだ。

兄さんは毎朝、念入りに新聞を読んでいた。兄さんが二年生になった六月のある日だ。新聞に目を落としたまま、兄さんは、えっ、と声を上げた。小学六年生の僕は自分で読もうとせず、何が書いてあるのかと兄さんに訊ねた。

――公立高校入試で採点ミスがあったらしい。

――そういうの、バレちゃうんだ。学校って秘密主義だから、採点ミスがあっても、黙ってそうなのに。

学園ドラマの受け売りのような返事をした。兄さんは採点ミスが発覚したいきさつを説明してくれた。受験生が県の教育委員会に答案用紙の開示請求をしたそうだ。

開示請求には二段階ある。一つは五科目の得点のみ教えてもらえるもの。もう一つが、採点済みの自分の答案用紙を見せてもらえるものだ。後者は、兄さんでさえも知らなかった。しかし、どちらにしろわかるのは自分の得点だけだ。学校別の合格最低点は公表されないため、合格までに何点足りなかったかを知ることはできない。

合格最低点が公表されないのは、学校のランク付けが明確になるのを避けるため、だと言われている。

――合格最低点がわからないんじゃ、得点の開示請求をする意味がないよね。

――そうだな。一年間に県内だけでも何万人っていう受験生がいるのに、開示請求するのは、十人単位の人数らしい。俺もしなかったし……。

僕の意見に答えながら、兄さんは、あっ、と思いついた。

今回、採点ミスが発覚した人は、入試結果に納得できず、第一段階である得点の開示請求をした。そこでおそらく、提示された得点が自己採点の結果と大きく離れていたのではないか。そのため、第二段階である答案用紙の開示請求をしたところ、採点ミスが発覚した。

何点分のミスであったのかは、新聞には書いていなかった。『開示は過去五年まで遡って請求することができる。この件を知り、これから答案用紙の開示請求をする人が増えるだろう』記事はそう結んであった。

——俺もしようかな。

兄さんがつぶやいた。せっかく、みんなが笑顔になったのに、今更一高不合格を蒸し返さないでほしい。僕の思いは顔に出てしまったのだろう。兄さんは明るく言った。

——ドキュメンタリー番組のテーマとして使えるかもしれないだろ。人生をかける思いで挑んだ高校入試が、どんなふうに扱われているのか、知りたいと思わないか？

——そうだね。僕もだし、多分、中学生なんかはみんな知りたいんじゃないかな。

——だろう？　だからまずは自分のから。

兄さんは魅力的なテーマを得たことに活力が湧いたのか、意気揚揚と語ったが、ふと顔を曇らせた。

——何で俺は失敗したのかな……。

そのつぶやきを、僕は聞こえなかったことにした。本当は、その思いが残っているのなら、このテーマに手を出しちゃダメだ、と引き留めなければならなかったのに。

それから五カ月後の新聞記事にはこう書いてある。

『過去五年間に及び、採点ミスが五〇〇件以上あったことが判明。県の教育委員会はいずれも合否判定に影響するものではなかったとコメントしている』

そんなの、信じられるか。

『明日の新聞が楽しみだな』22：17

〈上条勝〉

入試業務の本丸である校長室の入り口まで攻め込んできた、沢村同窓会会長と県議を夫に持つ芝田さんの前に両手を広げて立ちはだかる。ここは絶対に突破させるわけにはいかない。

「いったいいつまで待たせるつもりだ。事態は刻一刻と悪い方に向かっているというのに。まだ、そっちは結論を出せないのか」

二人が中を覗きこみながら言う。しまった、英語の答案用紙をテーブルの上に置いたままだ。荻野先生がそれをさりげなく裏返し、こちらへ来て、私と並んで立ちはだかった。

「ここには入試に関するデータが揃っているので、部外者の入室は固くお断りいたします。いや、ここだけじゃない。すみやかに校内からお引き取りください」

校内から、荻野先生はきっぱりとそう言い切った。

「部外者じゃないだろう。俺は答案用紙を見つけて、わざわざ届けてやったんだぞ」

「立ち入り禁止の校内に無断で入ってきて、校内にあるものを見つけたからといって、関係者になり得るわけではありません」

「何だと？　それに、俺は試験中にケータイが鳴って迷惑を被った受験生への対応について確認しにきたんだぞ」

「その問題は今ここで、いち受験生の保護者に、個別にご説明するようなことではありません。最初から、校舎内に立ち入ることを厳しくお断りしておくべきでした。まずは、試験中に携帯電話が鳴ったことについて、職員全員で話し合い、それから、この件について疑問を持つ方々全員に、学校側の見解をお伝えしなければならなかったのに」

がんばれ荻野先生、と心の中で応援する。しかし、敵は一歩も引かない。

「合否が決まったあとに、結論だけ聞かされても仕方がないとは思うが。……まあいい」

沢村会長がいきなり手のひらを返したように一歩引いた。思わぬ肩すかしにあったような気分だ。

「俺がここにいることで息子があらぬ疑いを持たれるのだけは避けねばならん。俺が見つけた息子の英語の答案はほぼ満点だった。ケータイの影響を受けているとはいえん。そちらの言う通り、帰らせてもらうよ」

ちょっと沢村さん、と芝田さんは納得できていない様子だ。当然だろう。

「芝田さん、あなたも掲示板の書き込みを見たでしょう。長い時間ここにいればいるほど、うちの息子もお宅のお嬢さんもあらぬ疑いを持たれることになるかもしれん。ここは、ひとまず帰りましょう」

そうか、二人とも、あの掲示板を見つけたのか。

「いいえ、わたしたちはすでにあらぬ疑いを持たれているんです。そのためにも、学校側にはこの誤解をといてもらわなければなりません」

味方を失っても、芝田さんは引かない。むしろ、一人になったことで、さらに意固地になっているようにも思える。

「しかし、ネットの書き込みというのは、反論するようなことを書くと、さらに激しく叩かれるものじゃないですか？」

神経を逆なでしないように言ってみた。

「ゴミ溜めに、さらにゴミを放り込めと言ってるんじゃないわ」

では何をしろと言いたいのだろうか。

「記者会見を開いてください！」

……失神してしまいそうだ。

『新聞？　テレビ局にしろ』22：20

〈春山杏子〉

記者会見！　校長室に向かった沢村会長と芝田さんの様子を、みどり先生と廊下の陰に隠れて窺っていると、芝田さんの口から驚くべき言葉が出た。密室での事件に少しずつ光があてられるのではなく、いきなりフラッシュにさらされるということか。そんなことになれば、何もかもが空中分解してしまい、真実はなにもわからないまま、騒ぎを起こしたことだけがクローズアップされてしまう。

しかし、みどり先生が眉をひそめているのは違う理由で、大声で文句を言わせているところに不満があるそうだ。外に聞こえていたらどうするのだろう、と。確かに、それも不用心だ。みどり先生にことわり、他の先生たちに現状を報告するため、職員室に向かった。


『記者会見を開いてください！』22：22

〈春山杏子〉


「遅かったわね。頭は冷やせたの？」

職員室に入った途端、坂本先生からチクリと刺さる言葉が飛んできた。もっと優しく言おうよ、と宮下先生がフォローしてくれるが、逃げ出したのは私の方だ。

さっきは本当に申し訳ございませんでした、と頭を下げる。

「答案は本部に出してきたわ。どう判断するかは上の仕事だもの。あなたもお茶でも飲んだら？」

坂本先生もこれ以上、私を責めるつもりはないようだ。坂本先生の感情は後を引かない。それがいいときもあれば、もう少し記憶にとどめてほしいと思うときもある。今は前者だが、お茶を飲んでいる場合ではない。

「その前に、報告が。芝田さんが来たんです」

「今度はまさか、県議の父親が？」

小西先生に訊かれる。そういう可能性もあったのかと、言われてから気が付いた。

「いいえ、また母親の方です」

「芝田さんは納得して帰ったんじゃなかったっけ？」

「それが、沢村会長と同じく、何かまた納得できないことがあったみたいで」

「そうか、あの人もまだいたんだ。もしかして、二人、合流した？」

「はい。今、二人で校長室のドアまで押しかけていて、それを報告しに来たんです」

坂本先生が、はあ、とため息をついた。

「撤収してきて大正解。答案紛失の件も県議の奥さんにバレてるの？」

「いいえ、その話はしていませんでした。応接室で沢村会長から例の掲示板を見せられて、そのまま二人で校長室に行ったので。芝田さんは、学校側に非があったと、記者会見を開いてほしいって言ってるんです」

「記者会見！　たかだか試験中にケータイが鳴ったくらいで？　しかも不問にしてあげたっていうのに、何が不満なのよ。おまけに、沢村会長が便乗して、答案のことまで公表されたら、そっちの方が大問題になるわ」

坂本先生がついに水晶玉を取り出した。おでこに当てる。まあまあ、と黙って話を聞いていた相田先生が坂本先生をなだめた。

「答案のこと、沢村会長は言わないんじゃないかな」

思ったことを、そのまま口にした。

どうして？　と小西先生に訊かれる。内線電話が鳴った。相田先生が取りにいく。

「……水野先生っすか？　職員室にはいませんねえ。さっき電気が点いてたから、多分、印刷室じゃないっすか？」

相田先生が受話器を置いた。

「荻野先生から、水野先生に今から視聴覚室に来てほしいって」

どうして、水野先生なのだろう。


『ナイス実況！　続きもよろしく』22：25

〈荻野正夫〉

記者会見を口にした芝田さんは一度むせ返り、呼吸を落ち着かせるように、何度か深呼吸をした。ひっくり返りそうな様子でいるのは、隣の上条教頭も同じだ。

「学校側は、試験中に携帯電話が鳴ったのは自分たちに非があることを認め、公の場で謝罪をするべきです」

「お待ちください」

何と答えるべきかと考えていると、的場校長が声をあげた。こちらにやってくる。

「それはいくら何でも大袈裟ではないですか。逆に、騒ぎを大きくしかねない」

きっぱりと答えた校長にその場を譲るようにして、上条教頭と中に下がった。

「私もこればかりは校長に賛成ですな。我々が大騒ぎをして、しわ寄せを受けるのは子どもたちだ。入学したら、今いる先生たちにも三年間、世話にならなきゃならんわけだし、この辺で引き下がりましょう」

沢村会長も芝田さんをなだめるように言った。

「急に態度を変えるなんて……。わかったわ。沢村さん、あなたは息子さんが合格だと教えてもらったんでしょう。だから、そんな言い方ができるんじゃありません？」

「まさか。結果を教えるなんて、それこそ警察沙汰じゃないか。なあ、校長」

「合格発表前に結果をお伝えするということは、絶対にありません」

的場校長が断言する。こういった校長の姿を見るのはいつ以来だろう。

「そうあってほしいものですが、インターネットにおかしな書き込みをしている人たちは、あなたの学校訪問をどう解釈されるかしら」

ああ、と沢村会長が顔をゆがませた。インターネット。掲示板を開いてみる。

「わたしは娘の合否判定についてどうこう言いに来たわけじゃありません。せっかく合格した学校に、娘が心煩うことなく登校することができるような対策をとってもらうために来たんです。その思いは沢村さん、ご一緒じゃありませんか？」

うむ、と沢村会長が考え込むように頷いた。会話が途切れたところで的場校長の後ろに行き、耳元でささやく。

「お二人を視聴覚室にご案内して、お話を伺いましょう」

パソコン前では、上条教頭が青ざめた表情で掲示板を見ている。対処するのが遅かったか。


『訴えるときの証拠として使えるかもな』22：30

〈相田清孝〉


同窓会会長と県議の嫁という二大やっかいクレーマーに乗り込まれて本部は大変そうだが、俺は結局、職員室に待機しているだけだ。腹が減ったが外に出ることはできないので、バレー部部室におやつを調達に行く。

渡り廊下で松島先生と村井くんがタバコを片手に雑談していた。退屈なのはどこにいても同じってことだ。

室内は真っ暗だ。電気を点ける。誰もいない。よかった。ロッカーを開ける。何か落ちてきた。四つ葉のクローバー模様のメモ用紙。衣里奈の文字だ。

『心配かけてゴメン。もう帰るね。バイバイ』

これで、このあとの展開がどうなろうと、俺が心を煩わせることは何もない。

『インディゴリゾートの話はもうしないの？』22：33

〈滝本みどり〉

校長室の前だけじゃ片付かなかったのか、荻野先生と的場校長、その後ろから沢村会長と芝田さんが階段を上がっていった。校長室を覗くと、上条教頭がぐったりとソファで伸びていた。皆、視聴覚室に向かったらしい。盗聴防止策だ。遅いんじゃないの？とは思うけど。

「教頭先生は居残りですか？」

「本部をカラにするわけにはいかんからね」

「お手洗いに行くときは留守番代わるので、声かけてくださいね。応接室にいまーす」

何か憶えのあるやりとりだぞ、と思いながら校長室を出て行った。沢村会長に出したコーヒーカップを片付けなければならない。それにしても、何時までかかるんだろう。かなり前からイライラし通しだ。廊下から、松島先生と村井くんの声が聞こえてきた。

何してるんですか？　と応接室から出て訊ねた。

「買い出しに行こうと思って」

村井くんがいつもの調子で言うと、松島先生が校長室を窺いながらシッと人差し指を立てた。小声で松島先生に、教頭以外が視聴覚室に移動したことを伝えると、松島先生も素の話し方に戻った。

「一服しても、腹はごまかせなくてね。残っているみんなもイライラしてる頃だろうし」

「外に出ても大丈夫ですか？」

「帰宅している職員もいるんだ。校内をぶらぶらしてるだけの僕たちが出たところで、問題ないだろう」

「ですよね〜」

男性二人にスイーツ係はまかせられない。

『しねーよ！』22：35

〈上条勝〉

トンカツの次は水分の取り過ぎか。手洗いに行きたくなった。校長室を出て応接室を覗く。滝本先生はいない。仕方ないな、まったく。だが、一分もかからないことだ。


『入試をぶっつぶす！　これって教師はまったく絡んでないのか？』22：38

〈春山杏子〉

日本茶を人数分淹れて坂本先生の机の上に並べた。小西先生がせんべいを、相田先生がポテトチップスを机の中央に置いた。私も自分の机の引き出しに入れてあるチョコレートを取りに行く。

「俺はカップ麺持ってるけど、みんなで分けるのもなあ。だいたい、弁当は出ないって言われてたんだから、何か夜食を用意しておけばいいのに」

宮下先生がせんべいをかじりながら言った。

「だって、英語の採点が当たったたんすよ。食ってる暇なんてないじゃないっすか」

「そうよ。宮下先生も今年やってみてわかったでしょ。あれだけ苦労して採点を終わらせて、職員室に戻ったら、みんな、やっと来たってあきれた顔を向けるんだから、たまんないわよ」

「へいへい、わかりました」

坂本先生、宮下先生、小西先生、相田先生、私の五人で机を囲んでお茶を飲む。

「それにしても、どうして水野っちだけ呼ばれたんだ？」宮下先生が言った。

「今問題になっているのはケータイの件だから、試験会場2の責任者として呼ばれたんじゃないですか？」小西先生が答えた。

「災難だな。東大卒、管理職候補ナンバーワンなのに、今回の件でおあずけか？」

「ケータイが鳴ったのは水野先生のせいじゃありませんよ」

これだけは断固主張する。

「それでもさ、試験監督のリーダーとして会場にいたのに、問題が起きてしまったんだから、何かしら責任を問われるだろう。それが上に立つ者の役目なんだから」

「そうっすよね。校長の知らないところで生徒や職員が問題起こしても、世間に向かって頭下げなきゃならないのは校長っすもんね。なのに、どうしてみんな管理職なんか目指してるんすか？」

相田先生の言葉を受けて、宮下先生が意味深な表情で坂本先生を見た。

「確かに私は管理職を目指しているわ。そんなの仕事をする上で当然のことでしょう。上を目指さずして、己の向上なんてあり得ないんだから」

「でも、試験に受かると、僻地の学校に修業に出されますよ。うちの生徒たちに慣れきっているのに、大丈夫ですか？」小西先生が言った。

「平気よ。確かにここはやりやすい学校だけど、キャリアアップを棒に振ってまでいたいほど、執着はないの。宮下先生みたいにね」

「俺は母校を愛してるもん。このあいだ一緒に校歌うたったじゃん」

「母校に誇りは持ってるわ。あくまで卒業生としてね。教師としては、どこでもやっていく覚悟はできているの」

「へいへい」

宮下先生は話を逸らすように携帯電話を開いた。坂本先生が時計を見る。

「それより、私が呼び出されないってことは、答案問題は片付いたわけでしょ。なら、もう帰っていいんじゃないの？」

「あ、それ。沢村会長、息子の英語はほぼ満点だとわかった、って言ってましたよ」

伝えたと同時に、坂本先生がお茶を噴き出した。

「そんな重要なこと、どうしてすぐに報告しないのよ！　大問題じゃない」

「判断は本部にまかせるんじゃないんですか？」

「なっ……」

「沢村さんは自分が拾ったのを息子の答案だと信じてるんだな」小西先生だ。

「でも、最初に出ていた方にして、開示請求をされたら、後から出てきた方は全部埋めてたけど点数は低かった、って言うことにしたんすよね。どこが問題なんすか？」

「それは沢村さんが答案をよく見ていなかったか、英語が得意じゃない場合にしか通用しない。あの人、見かけによらず英語ができるんだ。だから、問題を知らなくても、書いている文章や単語が正しいかどうかは、判断できたんじゃないか？」

だから、断言したのか。

「もう、後から出てきた方を五五番にすればいいんじゃない？」

宮下先生が投げ出すように言った。

「じゃあ、四六番の英語の答案はどうなるんですか？　紛失したまま、零点扱いにするんですか？」

「それはやっぱりまずいな。筆跡からみても、後からでてきた方が四六番の答案に間違いないんだから」小西先生は慎重に答えている。

「零点でいいじゃない。後からでてきた答案が本当に四六番のものだとしても、受験番号を書いていなかったんだから」坂本先生は問題そのものを放棄したい様子だ。

「いや、書いていなかった、じゃなくて、五五番、って書いてあったんすけど」

相田先生はどちらの意見につくか迷っているように見える。

「もしかして、推測ですけど、あの番号は沢村会長が書いたんじゃないでしょうか」

五五番が沢村会長の息子の番号だとわかったときから、もやもやと思い浮かべていたことを、皆に話すことにした。

答案用紙の紛失については、荻野先生による聞き取り調査はあったが、まだ結論を聞かされていないので、盗んだ犯人をXと呼ぶことにする。Xは、答案を第一校舎の中庭側の壁に貼った。それを偶然、沢村会長が見つけた――。

「沢村会長が再び学校を訪れたのは、息子の英語の点数についてです。多分、息子はあまり英語ができなかったことを、ケータイのせいにしてお父さんに報告したんじゃないでしょうか。そんなとき、ひと目見て満点に近いとわかる答案用紙の、受験番号欄が空欄なら、つい魔がさして、息子の受験番号を書いてみようという気になりませんかね」

皆、同意してくれると思っていたのに、黙ったままだ。パンパン、と坂本先生がやる気なく手を叩いた。

「見事な推測ね。沢村会長ならやりそうだわ。でもあなた、それを本人に言える？」

「それは……」

このくらい皆が考えていたが、それができないから黙っていたのだ。しかし、沢村会長に遠慮して正しいことを問いただせないというのはおかしい。

「必要とあれば」

胸を張って答える。もう逃げないと決めたのだ。

「でも、証拠はどこにもないんでしょ？　名誉毀損で訴えられたらどうするの。正論はこの際どうでもいい。銃弾を受ける覚悟のない者は、攻撃を受けない方法を考えなきゃいけないのよ」

「銃弾を受けます」

「帰国子女はわかってないわね。銃弾は責任者の私に飛んでくるの」

思い切り、銃弾が胸を突き抜けていった。

――誰もあなたを責めたりしていないじゃない。

――いっそ、自分で責任を負えた方がよかったのかもな。

私の尊敬していた人はかつてこんなことを言った。自分のせいで、他人に銃弾が当たるくらいなら、自分が受けた方がいい、という意味だったのだろうか。しかし、今と彼の場合とでは、銃弾を受ける人物の立場が違う。

「でも、管理職希望の坂本先生には銃弾を受ける覚悟があるんじゃないですか？」

小西先生が言った。

「上りつめたときには受ける覚悟はあるわよ。でも、途中で撃たれて倒れたんじゃ、今までの苦労が水の泡でしょ」

パチパチと、今度は宮下先生が坂本先生に向かって拍手する。

「いや、アッパレ。通して欲しくない理屈だけど、こうはっきり言い切られると、むしろ爽快だ。途中で撃たれるか。もしかして、今回の入試をぶっつぶす宣言、学校という組織に無造作に石を投げてるんじゃなくて、明確に誰かを狙って撃ち込んだ銃弾なんじゃないの？」

「まさか、私に向かって？」

「心当たりがあるなら、坂本先生でいいけど、明らかに今校内にいる人物が書いたと思われる書き込みがあってさ、ほれ」

宮下先生が携帯画面を皆に見えるように向けた。

「疑いたくないけど、これって、受験生が先導しているように見せかけて、実はうちの職員が書いてるんじゃないかな」

学校に残っている職員は限られている。誰のことも疑いたくない。が、否定する言葉が出てこない。


『県議と同窓会長、まだいんの？』22：40

〈水野文昭〉

視聴覚室に来る途中、頬を打って気合いを入れた。大声で屁理屈を喚きたてる者の意見が通る、ということなど、私の前では絶対にあってはならない。私の父はとかく怒鳴り声をあげるような人間だった。家族は声で支配されていた。だが、あるときから私は正論で父を黙らせることができるようになった。

おもしろくねえヤツだ。言い負かされたあとは決まって吐き捨てるようにそう言って酒を飲んでいた父だが、酔っ払って、この町一番の秀才になれ、と言われるのは嫌なことではなかった。

まるで裁判でも行うかのように、的場校長、荻野先生、沢村会長、芝田母が私を取り囲んでいる。携帯電話の掲示板を、こちらが気付いていないと言わんばかりに突き付けていた芝田母だったが、醜悪な文面に一番に耐えられなくなったのは本人のようだ。溜息をつきながら電話をハンドバッグにしまった。

「わたしがまた学校に来た理由は、娘が合格しても一高には行かないって言い出したからなんです。電話のことを気にしているからだとは思ってたけど、まさかこんな酷い書き込みをされていたなんて。入学前からイジメを宣言されているようなものだわ」

「うちの息子もこれを知ってる……だろうな」

「無駄な心配じゃないですか？」

哀れな二人の保護者に向かって言った。

「それは合格してから心配することです。合格発表後に入学後の不安を取り除くための話し合いを職員と持つことは、決して間違ってはいない。中学の先生にも同席してもらえば、よりよい結果が導き出されるかもしれない。なのに、お二人はこうして、試験終了後、まだ結果が出る前に、立ち入り禁止の校内に独自の理屈をつけて入りこんできている。だからこれだけ問題になっているんです」

むう、と沢村会長が口をつぐむ。だが、芝田母は私に向かって一歩前に出た。

「明日という日はないんです」

は？　と沢村会長が聞き返す。

「今日できることを、明日、明日、と引き延ばしていると、結局やらないままになってしまうでしょう。合格発表が終わった後で、発表前に解決しておくべきだったことが出てきたらどうするんですか。今日対処しておけば大事に至らずにすんだことを、明日に引き延ばしたせいで取り返しがつかなくなってしまったら、あなたはどう責任を取ってくれるんですか」

「そうだ。学校側は、まことに遺憾に思います、なんて頭を下げるだけじゃないか。被害者にとってはそんな謝罪、何の解決にもならんのだぞ。現に、掲示板の書き込みはどんどん増えている。合格発表などまだ一週間も先なのに、このまま見過ごせというのか」

喚きたてる二人に対して、的場校長は腕を組んで下を向いたまま。荻野先生は一歩引いた様子で見ている。

「掲示板には、すみやかに警告文を書き込み、削除要求しましょう。親の肩書など、個人を特定できるものがあるのだから、従わない場合は、警察に訴えることができる」

「警察は少し性急じゃないか？」

的場校長が口を挟んだ。警察、裁判、マスコミ、学校側はこの言葉に弱い。だがそれをクレーマーの前でさらしてどうする。

「あくまで最終手段です。ここに書き込んでいる連中は、自分たちが実在する個人を糾弾しているという自覚がないんだ。警告によって気付いてくれればいいが、逆上する者もいるでしょう。そうなればこちらは正々堂々と被害届を出せばいい。いわれのない中傷を受けたんですから」

「いわれのない中傷……」芝田母が復唱した。

「ご納得いただけませんか？」

「いいえ……。水野先生でしたっけ、先生のおっしゃる通りです」

「掲示板の件は早急に対処します。それでも合格発表後に、娘さんが本校入学に関して不安を感じるようでしたら、必ず話し合いの場を設けます。ご要望があれば、スクールカウンセラーの手配もしますので、ご相談ください」

「ありがとうございます。水野先生にすべておまかせします。先生のような方がいてくだされば安心だわ。ねえ、沢村さん」

「そ、そうですな」

「先生は当然、四月からもこの学校にいらっしゃるんでしょう？」

「それはお答えできません。私は県の職員ですし、人事発表はこれからですので」

「まあ……。うちの主人に頼んでどうにかできないかしら」

「お気持ちは感謝しますが、そういった発言は新しい誤解を招きますよ」

「あら、そうでした。でも、水野先生にお世話になったことは、保護者として主人にちゃんと伝えておきますわ」

芝田母はご満悦な様子だ。やっかいな相手だからといって、ゴマをすったり、意見を合わせたりと、こちらが折れる必要などないのだ。


『教師1名、事情聴取へ。その間に3名が脱出！』22：45

〈滝本みどり〉

学校を抜け出して、一番近くのコンビニで買い出しをする。松島先生と村井くんはおにぎりやカップ麺を、私はプリンやシュークリームをカゴに入れる。合格祈願のダジャレお菓子もたくさん並んでいるけれど、今これを買うと、イヤミになるかな。

携帯電話が鳴り、松島先生がポケットから取り出した。表示だけ見て、息子からメールだ、とわたしたちに言ってポケットにしまった。

「見なくていいんですか？」村井くんが訊ねる。

「まだ、拘束時間中だからな」

「でも、お父さんが仕事中だってわかっているのに、メールを送ってきたんでしょう？　緊急の用かもしれませんよ」

だけどなあ……、と松島先生はためらっている。

「大丈夫、大丈夫。ヤバい用件だったら、見なかったことにすればいいんだから」

わたしも村井くんに加勢した。

「じゃあ、メールを見るだけ」

松島先生はそう言うと、カゴを村井くんに渡してから店を出て行った。

「わざわざ外に出なくても。松島先生ったら本当にマジメなんだから」

「だからこそみんなに信頼されているんですよ」

村井くんが誇らしそうに言う。

「そうよね、松島校長とかになってほしいよね」

高校時代の担任だったことはうらやましいけど、今はわたしにとっても尊敬できる上司だ。荻野先生と松島先生、この二人がツートップで、少しあいだがあいた三位が水野先生かな。

『入試問題の漏えい、教師なら試験中でも簡単にできるもんな』22：48

〈小西俊也〉

職員室でだらだらと過ごしていても仕方がないので、分担して校内を見回りすることになった。懐中電灯を片手に春山先生と一緒に外に出て、校舎の周りを歩く。これが別の状況ならありがたいが、今は事件の解決に集中しなければならない。掲示板に書き込みをしている人物も気になるところだ。

「怖いけど、誰か部外者が潜んでいてほしいですね」春山先生が言った。

「身内を疑うのは避けたいからね」

「もし、この学校の教師の誰かがターゲットにされているとしたら、誰だと思います？」

「単純に考えて、今、困ってる人じゃないかな」

「やっぱり、管理職の先生たちでしょうか」

「相当困っているとは思うけど、学校としてであって、個人ではそれほど追いつめられていないよな」

ふと、春山先生が足を止めた。

「何か、音が聞こえません？　ケータイの着信音みたいな」

春山先生は言い終わらないうちに駆け出した。そんなの聞こえただろうか。

追いかける途中で、校長室の前を通った。上条教頭がパソコン前で頭をかかえて、掲示板を眺めているが、ここに不審者が潜んでいたとしても、今は何の情報も得られそうにない。

『アホか。教師がそんなことをして何の得になる？』22：50

〈相田清孝〉

職員室をカラにするのもよくないのでは、と俺が一人で居残りをすることになった。確認したいことがあったので、グッドタイミングだ。携帯電話を出して、電話をかける。八コール目で相手が出た。

「おまえ、まさか、校内にいないよな」

訊いた途端、電話がプツリと切れた。何でだ？　寝てたのか？　そうだよな、きっと。

『だよな』22：52

〈宮下輝明〉

正直、杏子ちゃんとがよかった。小西くんは若い者で外を見てくると、さも年寄りに気を遣った言い方をしたが、杏子ちゃんと二人きりになりたかったからに違いない。まあいい、坂本先生と校内肝試し大会でもするか。

「なんだか、不気味ねえ」

「抱きつくの禁止」

「私だって、相手を選ぶわよ」

「相手を選ぶか。ターゲットは誰だろう」

「やっぱり、私なのかしら」

「いや、水野っちだね。管理職以外で呼び出されているのは彼だけだからな」

「水野先生が管理職になるのを妨害するために、今回のことが仕組まれたって本気で思ってるの？」

「ないとはいえないさ。四〇代後半から五〇代の管理職候補の教師はわんさかいるのに、少子化による統廃合や廃校で、ポストは減ってきているんだから」

「そうだけど、私にそういう言い方をするのは悪意を感じるわ。目的がそれだとしたら、同じく今年、管理職試験を受ける私か松島先生があやしいってことになるじゃない」

「ほほう。自分で暴露しちゃったよ」

「ふざけないで。同じ学校の職員同士で足をひっぱり合うなんて、バカバカしい。各校一人しか受からないならともかく。むしろ、一高ＯＢみんなで受かって、協力しあえた方がいいでしょう」

「そうだよな。一高ＯＢなら、母校の評判を落とすようなことはしないか。じゃあ、松島さんもシロだな。村井くんも見えないけど、どこにいるんだろう」

「滝本先生もいないし、音楽室でDVDでも見てるんじゃないの？　ああ、寒い。不審者なんていそうにないし、もう戻りましょうよ」

坂本先生が歩調を速めた。まあ、これだけ大きな声でしゃべってりゃ、逃げられるか。

『教師絡んでるよ』23：00

〈春山杏子〉


何も得るもののないまま小西先生と職員室に戻ると、すでに、相田先生、坂本先生、宮下先生がおやつの残りをつまみながらくつろいでいた。

「お疲れさん。何か収穫あった？」宮下先生に訊かれる。

「ケータイの着信音が聞こえたような気がしたんですけど、カラ振りに終わりました」

「なんでもっとしっかり捜さないのよ」

「まあまあ、坂本先生、落ち着いて。ケータイなら職員だって持ってるじゃないっすか。ここにいない先生のが鳴ったかもしれない」

「相田っちは職員を疑うんだな」

「そういう意味じゃないっす……。ああ、もう、なんでこんなことが起きてるんだろ」

相田先生が頭を掻きむしった。

「私は……。なぜ、入試がターゲットになっているのかを考えた方がいいと思います。学校行事はたくさんあるんだから、なにもこんな年に一度の外部を遮断する日を選ばなくても、一般公開する体育祭や文化祭で問題を起こした方が、仕掛ける方もやりやすいんじゃないかと思うんですよね」

「犯人は、入試に関して、一高または一高の教師に恨みを持つ人物ってことか」

　宮下先生が探偵じみた口調で言った。

「それなら、一高に落ちたとか、一高に行きたかったたっていう人が怪しいんじゃないの？」

「結局、一高OB以外が疑われるってわけか」

「清煌学院を出ている小西先生を疑うはずないでしょ。帰国子女の春山先生は一高の価値もわかってないし。他にいるじゃない」

　坂本先生があごで村井先生の席を示した。そして、村井先生が三高出身で、それが生徒の親に知られて、クレームが来たことがあると言った。数学なんて大切な教科を三高出の常勤講師に持たせるとはどういうことだ、別の先生に代えろ、と。

　だから、村井先生が犯人だと言いたいのだろうか。私も村井先生を一〇〇パーセント信用しているわけではないが、こんな意見に頷きたくはない。

『もうひと声！』23：02

〈村井祐志〉

夜食をたんまりと買い込んだコンビニのレジ袋を提げて、学校に向かう。大変な事件が起こっていることには違いないが、夜の買い物は気分を高揚させてくれる。滝本先生が右手に持っていたレジ袋を左手に持ちかえた。持ちますよ、と申し出る。

「いいよ、そんなに重いわけじゃないから」

「ピアニストなんだから、手は大切にしなくちゃ」

滝本先生は僕に袋を渡してくれた。

「ありがと。ねえ、村井くんって、一高に来たかった？」

気を利かせたはずの行動に、とんでもない質問が付いてきた。それは、と松島先生が遮ってくれたが、ちゃんと自分で答えなければならない。

「講師としてですか？」

「ううん、生徒として」

「答えなきゃいけませんか？」

「嫌ならいい。ごめんね、変なこと訊いて。わたし、実は一高落ちて、菫ヶ丘に行ったんだよね」

それは、初めて知った。松島先生も驚いている。

「芸術系が強い学校だし、音大に進学したから、初めからそこを目指してたように思われるけど、違うの。一高に落ちたから、高校生になってピアノをがんばった」

「すごいじゃないですか。それで音楽の先生になったんだから。しかも一高で」

「赴任が決まったときは嬉しかったな。自分が落ちた学校の生徒から、先生って呼ばれるんだよ。でもね、今じゃ正直、うんざりしてる。もっと普通のところに行きたかった」

「どうしてですか？」

大きな問題を起こす生徒もなく、授業はまじめに聞くし、課題はきちんと提出する。いい学校だと僕は思う。

「村井くんは数学担当だからなあ。音楽なんて受験に関係ないって態度とる子、いっぱいいるもん。テスト前なんか、クラシック鑑賞という名目で、他の教科の勉強させるのが当然って流れになってるし」

「それは残念ですね。僕も高校時代、芸術は音楽を選択していたけど、グループごとの演奏会があって、そのために放課後残って、みんなでワイワイ楽しく練習したのになあ」

「わたしも本当はそういうことしたいのよ。でもまあ、生徒に関しては不満ってほどじゃないわね。むしろ、先生たちよ。一高OBのあの結束っぷり。同じ仕事をしてるのに、一高OBであらずんば人にあらず、みたいな態度なんだから。……あ、松島先生、一高OBでしたよね。すみません」

「いや、僕も同窓会の在り方については疑問に思うこともあるよ。長い人生におけるたった三年間の通過点をいつまでも引きずるのも愚かなことだし、若い人たちの意見をいろいろと聞かせてもらいたいね」

「やっぱ、松島先生っていい人だなあ。上司にしたい投票があったら、わたし絶対に松島先生に入れますよ」

「僕もです」

「おいおい、夜食代を僕が払ったからってそんなお世辞を言ってくれなくてもいいんだぞ」

僕は三高に行きたくて行ったわけではない。だけど、松島先生に出会えたことはよかったと思う。それは、一高に行けなかったことへの、負け惜しみだろうか。

『M先生だよーん!』23:04

〈春山杏子〉

宮下先生はまだ携帯電話で掲示板を見ている。

「わっ! 犯人、M先生って」

「村井先生だわ」間髪容れず、坂本先生が言った。

「挙動不審なとこ、多いっすよね。どこかに隠れて、掲示板に書き込みしてたりして」

「滝本先生もみどりだからＭだわ。彼女、一高に落ちているのよ。私、彼女の入試のときに試験監督で、注意をしたことがあるの。スカートの丈が短すぎって」

みどり先生の名前まで出た。一高を受けていたことは初耳だ。どんな思いでいつも、校歌を弾いているのだろう。

「試験に関係ないじゃん」宮下先生があきれたように言う。

「刺激が強すぎるでしょ。真面目な男子がいっぱい受けにきているのに。もしかして、彼女、私が落としたと思っているのかも」

「あの、そうやって仲間同士で疑うのやめません？」

これではただの悪口大会だ。子どもよりもたちが悪い。

「賛成。それこそ、敵の思うつぼじゃないかな」小西先生が加勢してくれた。

「私、やっぱりさっきの着信音が気になるんです」

「だから、それは職員の」

相田先生が遮るように口を挟んだが、納得できないことがある。こんなのですよ、と暗闇の中から聞こえてきた音を思い出しながらハミングした。思った通り、坂本先生、宮下先生、小西先生は無反応だ。

「ここに残っている職員の誰がこんなのを着信音にするんですか」

「あ、いや……。そうだ、村井先生じゃないかな。体育祭のときＣＤを借りたから絶対。歌ってるの誰だっけ？　好き、嫌い、会いたくない。でも、やっぱり好き、会いたい

〜」

相田先生が口ずさむのを聞き、あっ、と思い出した。昨日、二年B組の掃除をしている最中に見つけた、壁の落書きと同じ歌詞だ。

好き、嫌い、会いたくない。でも、やっぱり好き、会いたい。

——東山ユキの『やっぱり好き』のサビの部分ですよ。

村井先生は口ずさんでいたし、CDを持っているとも言っていた。じゃあ……。

廊下から、沢村会長と芝田さんの笑い声が聞こえてきた。相田先生がそっと窓を開ける。

「今夜はすっきり眠れそうだ」

「わたしも早く娘を安心させてあげたいわ」

二人とも上機嫌だ。この人たちの思い通りになってしまったのか、と情けない気分になったが、なんと、後に続く水野先生まで笑みを浮かべている。決して、気を遣っているような笑い方ではない。

「いったい、どんな魔法を使ったんだ？」

宮下先生が感心したようにつぶやく。坂本先生はおもしろくなさそうにフンと鼻を鳴らした。あの教室で起きたことについて、どんな結論に達したのだろう。

『議員、同窓会長、撤収』23：06

〈松島崇史〉

校門が見えてきた。あっ、と滝本先生が立ち止まる。校門から、沢村会長と芝田さんがにこやかに手を振りながら出てきている。頭を下げて見送っているのは的場校長、荻野先生、水野先生の三人だ。

「無事、解決したようですね」祐志がホッとしたように言った。

「笑ってるし。どうやって言いくるめたんだろ」滝本先生は不思議そうに見ている。

結果がどうであれ、沢村会長が笑っているということは、学校側がまともな判断をしていないという証拠だ。

『何を土産に持たせたんだ？』23：15

〈春山杏子〉

学校に残っている職員全員が本部である校長室に集められた。

的場校長、上条教頭、荻野先生、坂本先生、宮下先生、小西先生、相田先生、松島先生、村井先生、みどり先生、水野先生、そして、私、計一二人だ。全員で中央のテーブルを囲む。テーブルの端には、夜食の入ったコンビニのレジ袋が三つ置かれている。

「お疲れさま。ようやく、部外者が去ったので、これから話し合うことを、荻野先生から説明してもらおう」

いつもの職員会議のように、教頭が開始の挨拶をした。

「水野先生のご提案により、同窓会長、県議の娘、など個人を特定する言葉が出ていることを理由に、掲示板の管理人に警告文を送り、すみやかに閉鎖するよう促すことになりました。それに対して何かご意見はありますか？」

水野先生はそんな提案をしたのか。二人とも、納得して帰るはずだ。

賛成！　と相田先生が大声で言いながら手を挙げた。

「では、賛成の方は挙手をお願いします」

私はすぐに挙手したが、あとは皆、まあいいや、というふうにぱらぱらと手を挙げた。

「では、今から教頭先生にお願いしたいと思います」

「元、国語教師なんでね」

上条教頭が警告文を下書きした紙を持って、パソコンに向かった。

「次に、答案用紙紛失の件です。もうご存じの先生もいらっしゃいますが、沢村さんが見つけられました。しかし、紛失したのは四六番のなのに、出てきたものには五五番と書かれてありました。つまり、五五番の答案用紙が二枚あるということです。それをどのように扱うかについて今から皆で話し合いたいと思います」

「筆跡はどうなっているんですか？」水野先生が訊ねた。

「他の教科の答案と照らし合わせたところ、おそらく、本物の五五番は最初に出ていた方で、後から出てきたのは四六番のものではないかと思われます」

「なら、そう扱えばいいじゃないですか」

「それで解決すりゃ、こんな時間まで俺たちも残ってないよ」

宮下先生の横やりに、水野先生がムッとした様子で英語採点チームを見た。

「五五番は沢村会長の息子の受験番号なんです。おまけに、あとから見つかった方は満点で、沢村会長自身、それに気付いているんです」

私が答えると、松島先生まで顔をしかめた。

「だから、私はもう、後から出てきた方を五五番にすればいいんじゃないかと」

坂本先生のヒステリックな声を、うわっ、と驚く上条教頭の声が遮った。

「こ、これ……」

上条教頭がパソコン画面を指差す。近寄って見ると、とんでもない書き込みが目に飛び込んできた。解決など、何一つしていない。

『同窓会長の息子の英語の答案用紙が何故か２枚。①は82点。②は１００点。①なら不合格。②なら合格。さあ、本物どーっちだ！』23：18

第8章　じゃあ、復讐

『①に決まってんだろ』23：20

〈田辺淳一〉


ノートパソコンで掲示板を見ていると、部屋のドアがゆっくりと開けられた。

「淳一……」

兄さんがのっそりと入ってくる。慌ててパソコンの蓋を閉じた。一日の大半を自分の部屋の中だけで過ごす兄さんが、僕の部屋に入ってくるなんて、何年ぶりだろう。

「ど、どうしたの急に」

「ちょっと、話があるんだ」

髪はぼさぼさ、髭も伸びて、でも、目だけは前に顔を見た時よりもうつろではなくなっている。まさか、バレた？

「何だろ。兄さんから僕の部屋に来るなんて、母さんが出て行って以来かな」

悪気はまったくなかったが、母さん、という言葉に兄さんは少したじろいだ。

「コーヒーの粉ってどこだっけ」

「多分、冷蔵庫」

そんな用で来たはずがない。

「……よかったら、一緒に飲まないか」

「いいよ。淹れ方わかんないんでしょ」

腹をくって立ちあがり、パソコン脇に置いていたケータイを手に取った。

「それは……。置いていかないか。どうしても手放せないのなら……」

やはり、兄さんはアレに気付いているのだ。ケータイを机に投げ出すように置く。

「必要ないし」

大丈夫。僕はこの展開を待っていたのだから。

『親父がすり替えたん？』23：22

〈上条勝〉

掲示板に警告文を送ろうとしたら、とんでもない書き込みを発見した。もちろん、これまでの書き込みも問題があるものばかりだが、それでもまだ、なんとか言い逃れができる余白を残したものだった。だが、これは明らかに違う。特定できる個人の点数が書かれているのだから。画面を入試の点数一覧表に切り替える。点数も合っている。

「校長、これはいったいどういうことなんでしょう」

「採点後、ここが無人になったことは?」

間髪容れず否定することは、できなかった。的場校長たちが視聴覚室に移動した後、私一人でここに残ることになったが、一度だけ手洗いに出ていった。だが、ほんの一、二分の出来事だ。

「いいえ、ずっと私が見張っていました」

そうか……、と的場校長は腕組みをして、他の教師たちをぐるりと見渡した。私が手洗いに行っているあいだに忍び込んだ者がいる可能性もなきにしもあらずだが、そんなことをしなくても、初めに提出されていた五五番の英語の点数が八二点だったことは、英語の採点に当たっていた教師たちなら知ることはできたはずだ。

「校長はあえて口に出さないが、内部に情報を漏らしている人間がいるということですよね」

水野先生の問いかけに、うむ……、と的場校長は曖昧な返事をした。

「おいおい勘弁してくれよ、水野っち。この中に犯人がいるって言うのか」

「こうなる前から、その可能性は考えていた。答案が紛失したのも、同じ受験番号の答案が二枚あるのも、外部の人間を疑うから混乱するが、こちら側の人間なら簡単にできる」

「じゃあ、麻美さんが試験中にケータイを鳴らしたのも、こちら側の人間のせいだってことですか？」春山先生が訊ねた。

「食堂にまぎらわしい貼り紙をしていたんだから、可能性がないわけじゃない」

水野先生が松島先生をちらりと見る。クレーマー二人に対処できたことに自信を得ているのか、水野先生の物言いはいつも以上に容赦ないが、不要なもめ事は避けたい。

「待ってください。そういう考え方ができるのは確かですけど、こちら側の人間が入試妨害をして、何のメリットがあるんですか？」小西先生が冷静に訊ねた。

「学校側の人間として考えるから、何のメリットもないように思えても、個人として考えれば、リスクを冒してでも果たしたい目的があるんじゃないか？」

「この中に今の状況で得をしている人がいるとは考えられないんだけど」

坂本先生も議論に加わる。

「今後起こり得ることを考えてみればいい。たとえば……。沢村会長の息子が仮に合格したとしても、ネット上にこれだけ晒されたら、どんな学校生活を送ることになるだろう」

「後ろ指さされて、楽しくはないでしょうね」

「それが本人にも予測できるだけに、一高に入るのをやめるかもしれない。現に、ケータイを鳴らした芝田さんの娘はそう言っているらしい」

「だから、あのお母ちゃん、また戻ってきたんだな」宮下先生だ。

「でも、沢村会長の息子よ。そんなにデリケートかしら。開き直って来るんじゃないの？」

「確かに。しかし、クラスを仕切る立場につくのは難しい。クラスのリーダー格、と言えば聞こえはいいが、イジメを煽動していたという噂もありますよ。ねえ、松島先生」

松島先生が無言のまま厳しい目つきで水野先生を見返した。

「そんなヤツは合格点に達していても入学させたくない。本来なら、そいつの答案用紙を抜きたいところだが、試験監督でもしていない限り難しい。だから、混乱を起こすため、同じ会場の生徒の答案を適当に一枚抜いて、そいつの受験番号に書き換えて隠した。……そういう親心は働きませんか？」

「バカバカしい」

「……ああ、だからか」

松島先生の反応を無視して、相田先生が自己完結するように言葉を切って、頷いた。

何なの？　と滝本先生が訊ねる。

「松島先生の息子さんの英語の答案用紙の余白に、沢村会長の息子がカンニングをしていたって、告発文が書いてあったんだ」

まさか！　と松島先生が声を上げた。

「あれ？　誰も報告してなかったんすか？　イヤだな、俺が悪者みたいで」

相田先生が皆を見渡すが、本部ではそのような報告は受けていない。

「松島先生の息子さんの受験番号は何番ですか？」荻野先生が訊ねた。

「五九番です」松島先生がはっきりと答える。

荻野先生が答案用紙を金庫から取り出して確認をした。これですね、と松島先生の前に五九番の英語の答案用紙を置く。当該箇所を目に留めた松島先生は、落胆の表情を浮かべて、がっくりと肩を落とした。証拠を見せられたのだから仕方がない。

『こりゃもう、犯罪だな』23：25

〈沢村翔太〉

パソコンを起動させる。半年ぶりのゲーム解禁だ。腕は少し落ちたかもしんないけど、一時間もやってりゃ、勘も戻ってくるはずだ。

「おまえ、サイテーだな」

頭の上から声がふってきた。また兄貴が勝手に入ってきた。自分だってパソコン持ってるくせに、反応が遅いとか言って、勉強する俺の横で何時間もやって、邪魔をして。だけど、今日からはもう使わせてやんない。

「だって、入試終わったじゃん」

「ゲームのことじゃねえよ。おまえ、やっぱ、親父に泣きついてんじゃん。パパ〜、僕、英語の点数が足りないかもしれない。どうにかしてくれよ〜」

バカにしたような言い方に、カッと頬が熱くなる。なんで、こいつが知ってるんだ。

「父さん、帰ってんの？」

「まだだけど。やっぱ、当たりだ」

「え……」手が止まる。必殺パンチを二発くらって、ゲームオーバー。

「単純だねえ、翔太くんは。どうすんの？　このこと、みんな知ってるよ」

「もしかして、母さんも？」

「末っ子はのんびりしてるねえ。みんなってのは、そんな小さな集合体じゃないの。どいてみ」

兄貴は俺を椅子からどかせて自分が座り、掲示板を開いた。俺が夕飯前にケータイでのぞいてたところだ。

『同窓会長の息子の英語の答案用紙が何故か2枚。①は82点。②は１００点。①なら不合格。②なら合格。さあ、本物どーっちだ！』

『①に決まってんだろ』

『親父がすり替えたん？』

何だこれ。さっきはこんなのなかったのに。

「どうするよ、おまえのことだろ。この掲示板の存在は知ってたわけ？」

「一応。兄貴はどうして？」

「俺はネット上で鼻がきくからな。でも、おまえは偶然じゃないだろう」

「試験が終わったあとに、おもしろい掲示板があるって教えてくれたヤツがいたんだ」

川西《かわにし》中学の制服を着たヤツだった。試験問題や、英語の試験中にケータイ鳴らした子のことが書いてあったから、あいつが書いたのかとおもしろがって見てたのに。

「同じガッコ？」

「いや、川西。同じ試験会場だったけど、名前も知らないし、口きいたのもそんとき初めてだった」

俺の父親が同窓会の会長だってことも知らないはずだ。

「じゃあ、おまえのこと書き込むつもりで、わざと教えたわけじゃなさそうだな」

「でも、そいつ、俺以外にも教えているかもしれない」

「で、同じ中学のヤツが悪口を書き込んだ。心当たりあんの？」

多分、良隆だ。

「どうせ、おまえがちょっかい出してたんだろ。まあ、いい。それより、この書き込みは合ってんのか？　ガセなのか？　どっちなんだ」

「試験中にケータイ鳴ったとは、父さんに言ったけど……」

試験が終わって、校舎から出ると、親父が手を振りながら近付いてきた。

——試験はどうだったんだ？　まあ、おまえなら楽勝だろうが、体の調子が心配だったからな。腹が痛くなったり、具合が悪くなることはなかったか？

わからない問題もあったし、腹も痛くなった。ちっとも楽勝じゃなかった。それでも、半年間ゲームをガマンして頭の中に詰め込んだことを必死に思い出していたのに、まさかのケータイ。一問、シェークスピアが確実にふっとんだ。それが悔しくて、親父に報告したのは事実だ。

だけど、俺は点数をどうこうしてくれと頼んだわけではない。同窓会の会長ごときにそこまでの力はないはずだ。俺の代わりに文句を言ってくれればいい。そう思っていただけなのに。

兄貴が画面を遡ってスクロールさせる。

「同窓会長、採点中の学校に乱入、だってさ。親父の殴り込みは想像できるけど、おまえの答案用紙が二枚ってカラクリはどうなってんだ？」

教えてほしいのはこっちの方だ。

「①②どっちが本物だ、って聞くまでもないか」

「そりゃ、一〇〇点じゃないけど、八二点でもないと思う。もうちょいできたはずだから。両方、ガセじゃないかな」

「だよなあ。八二点じゃアホすぎるだろ」

兄貴が鼻で笑う。おまえが何様だって言うんだ。だけど、口でも、腕力でも、俺は兄貴に敵わない。ぎゅっと奥歯を嚙みしめてガマンする。兄貴はさらにスクロールさせた。

「おい、おまえ、カンニングまでしたの？」

「何で！　そんなこと、するはずないだろ」

「でも、書いてあるぞ」

絶対、良隆だ。適当なこと書いて、俺をハメる気だ。でも、こんな掲示板、教師が見るはずない。だけど、父親に教えたら？

「ところで、おまえも何か書き込んだ？」

兄貴が画面に目を向けたまま訊いてきた。ヤバい。見つかったか。

『一高↓二流大学↓フリーター。就職しない理由：まだやりたいことがみつからないから』

『不合格だとこいつ以下ってことなのか？』

ここは匿名掲示板だ。言い逃れすることはできる。

「いや、書くはずないじゃん。だってさ、入試をぶっつぶすって掲示板だよ。下手に書き込んだら、後でバレて、不合格にされてしまうかもしれないいじゃないか」

「そりゃそうだ。おまえがすっげえ小心者だってこと、忘れてた」

「だろ？」

俺は小心者なんかじゃない。仲間だっているし、信頼もされている。尊敬だってされている。しかし、今それを言い返す必要はない。玄関の開く音が聞こえた。

「父さんだ！」

部屋を飛び出していく。兄貴や掲示板から逃げ出したわけじゃない。

『マスコミはまだ動かないのか？』23：30

〈春山杏子〉


告発文を前に松島先生は肩を落としている。決して、悪いことをしたわけではない。カンニングらしき行為を見かけたため、どうにかして伝えようとしただけだ。私ならその場で手を挙げて告発していたかもしれない。それよりはよい方法だと思うのだが、何がいけないのだろう。

「見つけちゃったの俺だけど、あんまり深く考えなくてもいいんじゃない？　ちょっと迷いがあるような書き方だし」宮下先生が声をかけた。

「そうですよ。相手を陥れようとしているんじゃなく、ケータイ騒ぎに乗じてのカンニングらしき行為を、たまたま見つけて、どうしようかと悩んだうえでの、正義の告発だと思いますよ」小西先生が言った。私も同感だ。

「じゃあどうして、その正義の告発を無視していたんですか？」

みどり先生が英語科主任の坂本先生に訊ねる。この問題は保留にしているうちに、別の問題が次々起こり、相田先生が指摘するまで、私を含む英語の採点担当者が忘れていただけだ。

「試験監督からカンニングの報告がなかったからよ」

坂本先生が平然と答えた。対策を用意していたのか。

「試験中や直後に、試験監督からの報告があれば、カンニングとして、またはそれに準ずる行為としての対応ができるけど、いち受験生が自分の答案に告発文を書いたからといって、それを真に受けてカンニングを疑ってたら、冤罪行為になりかねないでしょ」

「電車のチカンと同じだな。受験生の告発だけでカンニングとみなされるなんて前例ができたら、嫌いなヤツや見た目がそれっぽいヤツを、何人かでグルになって陥れる、なんてことにも発展しかねない」

打ち合わせをしていたわけではないだろうが、宮下先生が援護をする。

「でも、たとえ、沢村会長の息子が嫌なヤツでも、松島先生の息子さんがわざと陥れるようなことをするとは考えられないし、本当にカンニングしていたのかも。その辺、どうなの？　誰だっけ、試験監督」

みどり先生が水野先生、村井先生、私、と順に見ていった。

「ケータイ騒ぎのときよね……」

あのときの教室の様子を思い出す。麻美さんの携帯電話が鳴って、水野先生が麻美さんのところに行って、麻美さんが過呼吸を起こしてしまった。そこまでは、私は教室の廊下側後方にいて、麻美さんや他の受験生たちの様子を見ていた。

麻美さんが過呼吸を起こしてから、彼女の席まで行って、村井先生がビニル袋を持ってきてくれてからも震える麻美さんを抱き起こすように背中を支えていたので、そのときの教室の様子はわからない。

その後、麻美さんを保健室に連れていくため退室した。私の視界はカンニング行為に関しては死角だらけだ。

「一〇〇パーセント、カンニングがなかったとは言い切れ……」

「言い切れます！」

遮ったのは水野先生だ。口調にまったく迷いが含まれていない。


『さっき、大洋テレビのホームページにメールでリークしたぞ』23：33

〈水野文昭〉

春山先生が正直なのはいいことだ。しかし、自分に見落としがあったからといって、チーム全体がそうだったと判断されるのは困る。

「ケータイが鳴ったときに私が一番に考えたのは、鳴らした当人ではなく、他の受験生たちへの対応です」

「そりゃまた、えらく冷静な判断だな」

宮下の茶々は放っておけばいい。的場校長たち管理職に向き直る。

「考えてみてください。昨日、予告まであったんですよ」

黒板の上に携帯電話が隠されていたことを知ったときから、私は起こりうることを想定していた。電話を仕込み、外部から試験中に電話をかけさせて、試験監督の注意をそちらにそらす。その隙にカンニングを目論んでいるのではないか、と。

「それが、実際には受験生のポケットで鳴ったというだけです。冷静に対応できない方がどうかしている」

春山先生が俯く。多少の反省はあるようだ。

「でも、黒板の上で鳴ったら、水野先生も教室の一番前で受験生たちに目を光らせることができたかもしれないけど、受験生のポケットってことは、その子の席まで行くわけでしょ。真ん中の一番前なら別だけど、それ以外は死角ができるんじゃない？」

滝本先生が私にではなく、春山先生に訊ねた。

「場所は、麻美さんは教卓から見て、窓側から一列目の前から三番目。沢村くんは廊下側から三列目の前から二番目なので……」

言葉を切る。こういう思わせぶりな説明をするなら、初めからこちらにまかせておけばいいものを。

「水野先生は教室窓際に向かったため、その間、背後になる生徒には目が届かなかった可能性もある、ってことか」

小西先生が指摘した。こじつけもいいところだ。

「でも、僕はその頃は教室全体を観察していました。麻美さんを見ている子たちもいたから、カンニングと間違えられる行為になるし、その前に注意しなきゃと思ったので。春山先生も注意してましたよね」

声を上げたのは村井先生だ。確かに、と春山先生も相槌を打つ。これが、各試験会場に試験監督を三人も配置している理由だ。

「ちょっと、村井くんはどっちの味方なのよ」滝本先生は不満そうだ。

「どっちって、何がですか？」

「試験監督が見張ってたってなると、松島先生の息子さんが嘘ついたことになるでしょ」

「僕はあのときの様子を正確に思い出そうとしただけで……」

なるほど、誰が正しいかではなく、人望合戦ということか。

「さすが、人望厚い松島先生だ。でも、こうやって若い後輩たちにかばわれて、よく黙っていられますね。ちゃんと言ったらどうですか？　息子が、沢村会長の息子にいじめられていた、ってことを」

いつも人当たりはいいが、実は何を考えているかわからないタイプはとりあえず、怒らせてみれば本性がわかる。しかし、松島先生は静かに私を見返しただけだ。

「おい、水野っち。デリケートな問題だよ。裏はちゃんと取れてんの？」

「つい、数時間前に二人が通う松浜《まつはま》中学に確認したばかりだ」

宮下にそう答えたと同時に、松島先生がテーブルを握り拳で叩いた。

「余計なことをするな！　息子のイジメのことなんか、入試にも、あんたにも関係ないだろう！」

「当たり、でしたか。中学に電話をしたのは事実です。しかし、松島先生の息子さんのことは、まったく口にしていません」

何だって？　と松島先生がポカンとこちらを見返す。松浜中学に電話をかけたのは、沢村会長への対応策を練るためだ。

試験中にトラブルはあったものの、こちらに非があるわけではないので、さほど気にせずにいたが、携帯電話を鳴らした親子は自分たちの行動を反省するどころか、こちらのせいだと言いがかりをつけてきた。おまけに同窓会会長までやってきて、同じ教室にいた息子は被害者だなどと、訳のわからないことを言い出す始末だ。

どうにか説得して帰したものの、一度で納得するはずがないと思い、それぞれの情報を仕入れておいた方がいいだろうと、採点後に中学に電話をかけることにした。英語チームを待つあいだ、時間はたっぷりあった。まさか、その日のうちに二人が引き返してくるとは思わなかったが。

電話で得た情報を、別の場に応用してみただけだ。わかったことは、松島先生もやはり人の子の親だということだ。

『どうせ匿名でだろ？　ホントにやったかも怪しいもんだ』23：35
〈沢村翔太〉
親父は呑気に晩飯を食っている。俺には、心配するな、としか言わないが、そんなんじゃ何のこと言ってんのかわかんなくて、もっと心配になるだろ。

「いったい、一高で何してきたんだよ」

「話し合いにきまってるじゃないか。いや、注意だな。試験中に携帯電話が鳴るとはとんでもないことだ。今後いっさい、こういうことが起こらないよう、充分な対策を取るように、ってな」

「それだけにしちゃ、遅かったじゃん」

「待たされていたんだ」

「……英語の採点はどうなんの？」

「それについてはすまんが、やっぱり優遇はされないようだ」

最初から期待はしてないが、何かムカつく。

「なら、最初から乗りこまなきゃよかったんじゃん。ヘンな噂だけ立てられて、何の成果もないんじゃ、やるだけ無駄。むしろ、大迷惑だよ」

「おまえ、もしかして、掲示板のことを言ってるのか？」

「知ってんの？」

知り合いのおっさんたちとのゴルフのやりとりくらいでしかケータイを使わない親父が、どうやってあそこに辿り着けるんだ？

「待たされているあいだに、な。でも、掲示板のことは安心しろ。ものわかりのいい先生がいて……。そうだ哲也、一高の水野先生って知らないか？」

親父がソファに寝転がってテレビを見ている兄貴に声をかけた。俺が部屋を出ると、結局、兄貴までついて下りてきたのだ。なんだかんだで、構ってほしいだけじゃないか？　同級生はみんな、立派に社会人やってるもんな。なのに、面倒くさそうに振り向いてる。

「そんなヤツいたっけ……。ああ、あの東大か。国家試験に挫折して教師になったくせに、いばりくさって、嫌なヤツだったよ」

ホント、おまえはいったい何様だ。

「そんな言い方をするもんじゃない。学校側から掲示板の管理人に削除要請をして、従わない場合は警察に訴えるって言ってくれたんだ。だから、翔太、心配するな」

「そんなことできんの？」

「当然だろう。こちらはいわれのない中傷を書き込まれているんだ。名誉毀損で訴えることもできるさ。それに、点数のことだって、おまえに英語の加点なんか、必要ないだろ」

「それって、一〇〇点だから？」

兄貴がダイニングテーブルにやってきた。

「哲也がどうしてそれを？」

「削除要請出したのかもしんないけど、掲示板は未だ継続中。そこに、翔太の英語の答案が二枚あって、一つは八二点、もう一つは一〇〇点、って書き込みがあんの」

「何だって？　だが、本物は一〇〇点の方じゃないのか？」

「息子をかいかぶりすぎだろ。親父って昔からそう。俺がどんなにがんばっていい点とっても、それが当たり前。なのに、翔太はカスみたいな点数でも、本気を出してないだけ、やればできる、の繰り返し。いい加減、こいつが頭悪いこと認めてやれよ」

「口を慎め、哲也。できが悪いのはおまえの方だろう。せっかく一高に入って、大学にも行かせてやったのに、何もせずにぶらぶらして、いつまでそうしてるつもりだ」

「はあ？　学校で犯罪じみたことやるよか、マシなんじゃねえの？　本当のこと言ってみろよ」

「俺はやましいことなど何もしていない」

兄貴が大袈裟に溜息をついて、俺を振り返る。

「だってさ。さっき言ったこと、親父にも教えてやれよ。一〇〇点は取れていないって」

何で俺の試験のことなのに、兄貴が仕切ってんだよ。

「いや、一〇〇点だったと思う。ケータイ鳴って、テンパりはしたけど、落ち着いて思い返したら、できなかったわけじゃない」

「おまえ、なに開き直って……」

「一〇〇点の方が本物なんだよ！」

居間を飛び出して、部屋に駆け込んだ。思い切りドアを閉める。

カラクリはわからない。だけど、落ちてたまるかってんだ。つまんねえ書き込みしやがって！　良隆のヤツ、ぜってえ許さねえ。

『学校の様子は？』23：38

〈春山杏子〉


大審問会が始まってしまった。激昂する松島先生を見たのは初めてだ。私は思わず息を飲んでしまったが、水野先生は落ち着いた様子だ。まるで、こうなるのが目的だったみたいに。松島先生が大きく息を吐き出した。

「中学の教師が、イジメがあったと話したのか」

「いいえ。入試の日ですよ。あとは無事送り出すだけの教え子を、悪く言うはずないでしょう」

「そりゃそうだ。むしろ、あったとしても隠すだろうな」宮下先生が口を挟む。

「じゃあ、何を訊ねたんだ」

「試験終了後に付き添いで来ていた父親が採点について質問をしてきたが、中学でもそういったことがあったのか、と。はっきりとは教えてくれなかったけど、割とやっかいな親子だったみたいですね」

「それがどう、うちの息子と結びつく」

「私は試験中の観察を通して、五九番・松島良隆が五五番・沢村翔太をよく思っていないことを、すぐに感じとることができた。原因はどうせ、自分より成績のいい良隆くんを翔太がやっかんでいた、というところでしょう」

「ははあ、松島さんの息子の姿が昔の自分とダブったってわけか」

「宮下、余計なことを言うな」

「なのに、カマをかけるなんて、今度は水野っちが松島さんをやっかんでんの？」

「はっ、何をやっかむって？」

「一等賞が好きだもんな。管理職候補のライバルでもあるし」

「バカバカしい。俺はまだ数年先でいいと思ってる。管理職なんて、他人を蹴落としてなるものじゃないだろう」

「そうか？　県内じゃ天下の一高も、中央じゃ清煌学院レベルの学閥の恩恵は受けられない。だから、国家公務員の下っ端よりも地方公務員の上を狙って、教師になったんじゃないの？」

「勝手なことを言うな」

「そうよ。一高を貶めるようなことまで言って。宮下先生が一高ＯＢじゃなけりゃ、犯人確定よ」坂本先生が声を上げた。

「それって、一高ＯＢ以外が犯人ってこと？　失礼しちゃう。ねえ、村井くん」

明らかにムッとした様子のみどり先生が村井先生に同意を求める。

「ああ、そうですね……」

「元はといえば、ケータイ騒ぎは、滝本先生が食堂にまぎらわしい貼り紙をしたせいじゃないの？」

はっきりしない態度の村井先生を無視して、坂本先生はみどり先生に嚙みついた。

「携帯電話使用可、っていうのですか？　あれは、去年の反省会を思い出したの。荻野先生、憶えてません？」

「待機室担当だった先生が、付き添いの保護者からケータイを使っていいのか、メールはどうなんだ、といちいち訊かれて困ったという意見がありましたね」

「そういえば」小西先生は思い出した様子だ。

「あったあった。他にも、出前をとってもいいかとか、散々だったって。坂本先生、忘れちゃったの？」宮下先生がからかうように訊ねる。

「思い出したわよ。でも、滝本先生、試験中は一人で職員室にいたんでしょう？　掲示板に、入試問題やおかしな書き込みをする時間は十分にあったんじゃない？」

「なるほど。試験開始後に、職員室に問題を掲示したからなあ」

「教頭先生まで……。そこまでして、わたしを犯人にしたいわけ？　一高OBじゃないってだけで？　バカみたい！」

まったく、みどり先生の言う通りだ。バカみたいな話し合いだ。入試や受験生のことなど棚に上げて、揚げ足を取ってばかり。

「坂本先生、掲示板を見つけてくれたのは滝本先生っすよ」

相田先生がおろおろしながら二人のあいだに入った。みどり先生の彼氏なら、もっと早く助けてあげればいいのに。

「入試を混乱させる作戦じゃないの？　掲示板の存在を知らなければ、今頃こんな話し合いをする必要なかったかもしれないじゃない」

「言われてみりゃ、そうだなあ」

坂本先生も上条教頭も、考えを譲らない。教頭がパソコン画面に掲示板を表示した。混乱の原因は、答案用紙の紛失でも、カンニングの告発でもなく、あそこにある。

『校長室で教師全員密談中』23：40

〈芝田麻美〉

あたしのケータイはどうして鳴らないんだろう。グループ五人の中で志望校が違うのはあたしだけだ。ブラスバンド部で、三年生になって同じクラスになった五人の中で、あたしだけが一高を受けて、あとのみんなは菫ヶ丘に行く。菫ヶ丘にはオーケストラ部があり、管楽器から弦楽器に鞍替えしようかな、とかそんな話題にもあたしは入っていけない。あのときだってそうだ。

朝、登校すると、みんなは隣町のショッピングセンター内に新しくできたスイーツ店の話をしていた。ミルクレープおいしかったね、とか、今度はジェラートも食べてみたくない？　とか。ほんの二、三日前の昼休みに、みんなで行ってみたいと言ってたお店だ。そのときにはあたしもいて、絶対行こうねって約束したのに。

——昨日、みんなでどこか行ったの？

全然気にしていないふうに訊ねたのに、みんな、しまった、って顔をして、そこに行くことになったいきさつを話してくれた。ショッピングセンターにはこの辺りで一番大きな書店が入っている。そこに入試の参考書を買いに行き、ついでにスイーツ店にも寄ってみただけだと。

——あたしも、行きたかったな。

これも明るく言ってみた。

——麻美は一高受けるんでしょ。あたしたちとは使う参考書が違うじゃん。

——そうそう。あたしたちのレベルに合わせてたら、麻美のためになんないって、こっちだって気を遣ってんだからね。

そんな気遣い、別にいらないのに。だけど、こういうのが本当の友情だと言われると、あたしは、ありがと、と答えるしかなかった。

本当か嘘かなんてどうでもいい。あたしはみんなとメールで会話したり、誰かの思いつきで休みの日に集まって、買い物をしたり、スイーツを食べたりしながら、いっぱい笑い合いたいだけなのに。どうしてそんな小さな願いが叶わないんだろう。

ケータイが鳴った。メール着信音。だけど、ママ用に設定している歌じゃない。未咲《みさき》からだ！

『試験中にケータイ鳴ったんだって？　大丈夫？　心配だよ〜』

一高を受けた同じ中学の誰かからあたしのことを聞いて、心配してくれてるんだ。

『ありがとう。でも、大丈夫。失格にもならなかったし、減点もされないみたい』

送信すると、すぐにまたケータイが鳴った。相手はもちろん、未咲だ。

『よかったね〜。でも、一高の入試なんて厳しそうなのに、どうやって切り抜けたの？』

ママが付き添いで、と書きかけたのを消した。親が議員っていうだけで、あたしはそんな気まったくないのに、お高くとまっているように見られることが、今までに何度もあった。こんなときに、親のことなんか出せない。

『試験監督に、ケータイ出さなきゃ失格だなんて聞いてませ〜ん、ぼそぼそしゃべるから何言ってんのかわかりませんでした〜、って言ってやったんだ。そうしたら、こっちのせいです、ってあっけなく引き下がったよ。ホントはよく聞こえてたんだけどね』

『すご〜い、麻美。勇者だね！　尊敬しちゃう。合格間違いなしだね。ところで、親は付き添いに来なかったの？』

『来てたけど、ぜんっぜん役に立たなかったよ。せっかくあたしが自力で何とかしたのに、バカ騒ぎするから逆効果。一高やめて、みんなと同じ菫ヶ丘に行こっかな』

『そんなのダメだよ。麻美が一緒だと楽しいけど、一高受かったのに行かないなんて絶対にダメ。麻美はあたしたちの自慢の友だちなんだからね』

自慢の友だち。ダメだ、ガマンしてたのに、涙が出てきた。あたしは強くなんてない。こんなことになって平気なわけじゃない。怖くて、怖くて、誰かに聞いてもらいたくてたまらなかったんだ。

『ホントは、ネットでメチャクチャ叩かれてるから、一高行くのが怖いんだ』

『大丈夫。ネットなんて気にしない。できなかった子がやっかんでるだけじゃん。別々の学校になっても、あたしたちは友だちだよ。困ったことがあったら、いつでもメールしてよね』

画面が滲んでよく見えない。

『ありがとう。あたし、がんばって一高行くね！』

『がんばれ！』

あたしは一人じゃない。みんなと繋がってるんだ。

麻美ちゃん、と階下からママがあたしを呼んだ。元気になると、お腹も少しすいてきた。今のあたしならハンバーグでも食べられる。はあい、と大きな声で返事をして部屋を出た。もちろん、ケータイを持って。

ママは喜んでハンバーグを温め直してくれた。ママのお皿にも手がつけられていない。訊ねると、なんと、ママはまた一高に行っていたという。あたしが心煩うことなく、一高に入学できるようにするために。

「水野先生、本当はものすごくいい人だったのよ」

学校での話になっても、ママは上機嫌だ。

「心配ごとがあるなら、入学前でもスクールカウンセラーを手配してくれるんですって」

「そんなのいらないし」

あたしのカウンセラーはここにある。

「麻美ちゃんがそう言ってくれるのが、ママ、本当に嬉しいわ。どんなに学校側が大丈夫だって約束してくれても、一番大事なのは麻美ちゃんの気持ちだもの。ちゃんと考え直してくれたのね」

「別に……」

ハンバーグの最後の一切れを口に入れた。未咲からのメールのことをママに報告する必要はない。そっけない返事をしても、ママは嬉しそうだ。合格祝いにどこか旅行にいきましょう、なんて言っている。

ごちそうさま、と席を立ち、部屋に戻った。

ケータイを開く。着信なし。もしかして、掲示板であたしのフォローをしてくれてるかもしれない。怖いけど、開いてみる。

何これ……。

『試験中にケータイ鳴らしちゃって、ゴメンね～。学校に圧力かけたから絶対合格。みんな、仲良くしてね～』23：45

〈滝本みどり〉

なんだかいつの間にか、犯人はわたしみたいな流れになっている。しかも、そう思われる原因がバカバカしすぎる。一高OBじゃないから。どうせ、坂本先生はわたしが一高に落ちたことを言い触らしたんだろう。

坂本先生はわたしが入試を受けたとき、スカートが短いとか、おかしな言いがかりをつけてきた。教師として一高に赴任してから、坂本先生がその場限りの感情だけで行動しているのを何度も見るうちに、もしかして、坂本先生のせいで、わたしは落とされたんじゃないだろうかと疑ったことは何度もある。同じゴールに辿り着いたからといって、絶対に許せることではない。

「また、書き込みが増えている。もう読む気もしないよ」

坂本先生に加勢していた上条教頭が、そばにいた水野先生に席を譲った。そもそも、掲示板を見つけたことなんて黙っておけば、答案用紙はもう見つかったのだし、カンニングの告発はあったにしろ、それはわたしには関係ないことだし、とっくに帰れていたかもしれないのだ。

「居残りさせられて、迷惑被ってるのはこっちなのに。わたしにはこのあと出かける予定があるの」

「インディゴリゾート?」坂本先生が思わせぶりに言った。

「何でそれを!」

「昨日、更衣室で大きな声で話してたじゃない」

「もしかして、カード盗んだの、坂本先生?」

「まあ、泥棒扱い? 私はインディゴリゾートなんてこれっぽっちも興味ないわよ」

「インディゴリゾートか。掲示板にもちょくちょく出てくるけど、滝本先生と本当に関係ないの?」

また上条教頭だ。いつの間にか、パソコン前に戻ってるし。確かに、わたしも何で受験について語り合う掲示板にインディゴリゾートが出てくるんだろうって疑問に思ってたけど。

「もうすぐそこに行く人が、どんなとこ? なんて書き込むはずないじゃないですか」

「何かの暗号とか」

「勘弁してください。偶然、他に行きたい人がいるだけじゃないんですか?」

「でもなあ。いくら有名リゾートだからって、このタイミングで掲示板に名前が挙がるってのは、みどりちゃんが行くことを知ってる誰かが書いたっていう疑いも消せないな」

宮下先生まで。でも、一番ムカつくのはあいつだ。どうしてわたしがこんなに責められてるのに助けてくれないんだろう。おにぎりなんて食べてるし。しかも、二個目。買ってきたわたしですらまだ一つも食べていないのに。

ただ、ここが犯人捜しの場なら、わたしにも訊きたいことがある。

「杏子先生じゃないよね？」

「私がどうして？」

突然ふられて、杏子先生は驚いているけど、わたしはちゃんと証拠を握っているのだ。

「だって、わたし、優ちゃんに聞いたんだもん」

「何を……」

明らかに、杏子先生の顔が固まった。

インディゴリゾートのゴールドカードを届けてくれた徳原さんに、わたしはお茶を出した。徳原さんは大洋ツーリスト勤務で、杏子先生とは同期だったという。初めは遠慮がちだった徳原さんも、慣れてくると彼の方からいろいろと話しかけてくれるようになった。しかも、カバンから海外ウエディングのパンフレットを取り出して。

——せっかくだから、インディゴリゾートに行く彼氏と、ぜひ。

——今回のお礼をしろってこと？

——それは気にしないで。もう、杏子に頼んでるから。

——なんだ、やっぱり、杏子先生と付き合ってるんじゃないですか。

——ところが、そうじゃない。俺みたいなお調子者添乗員はタイプじゃないんだって。

——どんなタイプがいいんだろ。

——熱血先生、タイプ？　なーんてね。

——それって、杏子先生、自分のことじゃん。

そんなことを笑いながら話していると、徳原さんは急に真顔になってこんなことをわたしに訊ねたのだ。

——杏子、おかしなことしてない？

——例えば？

——ほら、テンパって、日本語忘れちゃったり。

最後のは、明らかにとってつけたような言い方だった。

わたしの説明に、杏子先生はあきれたように溜息をついた。

「適当なこと言って……」

「そうかな。杏子先生は熱血タイプが好きなんでしょ？　入試を妨害するふりをして、実は、わたしたちの旅行を阻止するのが目的だったとか」

「私はみどり先生の彼氏が誰かも知らなかったし、阻止したけりゃ初めから、予約をとらなきゃいいだけでしょ。かなり無理してもらったのに」

「そっか、そうだよね。ごめん……」

熱血、という言葉に体育教師を連想して、もしや、と疑ってしまったけど、落ち着いて考えれば、あいつは熱血ってタイプじゃない。

「あなたのお相手が一緒に行くのが嫌になって、騒ぎを起こしたのかもしれないわよ」

イヤミっぽく坂本先生が言った。

「そんなわけないでしょ。ねえ」

同意を求めると、おにぎりを噴き出した。まったく……。

「あら、相田先生だったの」

「い、いや、まあ……。そうっす」

楽しみだよね？　と念を押すと、もちろん、と頷いた。

「だから、インディゴリゾートが掲示板に出てきたのは、偶然なの！　教頭先生も、わかってくれました？」

上条教頭がわたしに向かって両手を合わせ、撤収、というふうに掲示板に目を移した。

「やや、新しい書き込みだ」

もう掲示板なんて閉じればいいのに。

『だから、犯人はＭ先生なんだって！』23：48
〈相田清孝〉
こんなところで交際宣言かよ、と冷や汗ものだったが、みどり先生と付き合ってるのは、悪いことじゃない。インディゴリゾートも久々にスキーができると楽しみにしていたが、だんだん面倒になっていた。行って楽しい想像ができない。

　みどり先生は可愛いし、明るいし、一緒にいると楽しい。が、どうして付き合うことになったんだろう。余程嫌なことじゃない限り、調子よく、うん、うん、と答えているうちに、気が付いたらこうなっていた。それは、あいつにも当てはまるか。

　また、書き込みが増えているようだ。

「またM先生？　みどり先生に、村井先生も」

　坂本先生が消えかけた火にまた油を注ぐような発言をする。しかし、同じことが何度も書き込まれるんじゃ、犯人は本当にM先生なんじゃないか？　とも思えてくる。俺はシロ確定。よかった、相田清孝で。

「何としてでも一高ＯＢ以外を犯人に仕立て上げたいんですね」

「あら、私はMがつく人を挙げてみただけよ」

「坂本先生、僕もMですよ」松島先生が言った。

「あ、俺もか。水野っちもな」宮下先生だ。

「くだらない」水野先生も。

「私も下の名前は正夫だからMですね」荻野先生まで。

「下もってことになると、私もだが……」

　上条教頭がそう言って、ちらりと隣を見る。

「わかってるよ」的場校長が重い口を開いた。

「意識したことなかったけど、うちの職員って、M率が高かったんだな」

小西先生が言った。俺も普段、そんなことを考えたこともなかった。

「私の名前は多恵子よ」

「勝ち誇ったように言わなくてもいいじゃん」宮下先生が突っ込む。

「Mも何も関係なく、いっそここで全員のケータイを集めてみてはどうだろう」

水野先生がボソリと提案した。

「それで疑いが晴れるなら、俺は別に構わんよ、ほら」

宮下先生がポケットから携帯電話を取り出して、テーブルに置く。僕も、と村井くんも置いた。俺も、と続く。わたしだって、とみどり先生も置いた。皆、次々と置いていく。試験中に没収した電話みたいだ。おお、的場校長も持っていたのか。最後に杏子先生も置いた。

「これでやめにしませんか？　同じ職場の仲間同士が疑い合うって、ものすごく嫌です」

杏子先生が言った。俺も同じ意見だ。うんうん、と頷く。

「M先生って書けば混乱が起きるのは、一高を知ってる人なら誰でも予測できることです。そんなのに惑わされるよりも、別のことを疑ってみませんか」

別のこと？

「校内にいるのは、本当に今いるメンバーだけでしょうか」

ヤバい。もしかして、あのことを知っていて、言ってるのだろうか。それか、東山ユキの着信音の件をまだ疑っているのか？　いや、その前の男子バレー部部室に電気が点いていたってことか？

「俺はそうだと思うけどな。今日一日、部外者は立ち入り禁止なんだから」

自信を持って言いきってみる。

「インディゴリゾートのカードを届けに来た私の元同僚は、試験の真っ最中、立ち入り禁止の校内に、普通に入ってきたわけですよね」

水野先生が出て行った。トイレだろうか。

「そうなのよ。事務室に呼び出されるわけでもなく、直接、職員室に来たから、驚いちゃった」みどり先生だ。

「待機室の保護者も、事前に許可証を発行するわけじゃないから、本当はまったくの部外者かもしれないし、試験が終わったからといって、校内に潜んでいないとはいいきれないな」

松島先生が言った。その間に村井くんも出て行った。M先生だから、逃げてるとか？

「外部の大人がこの計画に噛んでいるかもってことか。松島先生、食堂であやしい行動をとっていた人物に心当たりは？」

小西先生が訊ねた。M先生じゃないし、すっかり探偵役になっている。

「そういった目で見てないからなあ」

「そういえば、うちの生徒を見かけたんだった。荻野先生には報告してたけど」

いきなり爆弾を投下したのは、みどり先生だ。そうだ、あいつもそんなことを言ってたのに、何の対策もとっていなかった。

「そんな大事なこと、みんなに言ってくれよ。で、誰？」宮下先生が訊ねた。

「石川衣里奈」

落ち着け、俺。衣里奈はもう家に帰っている。今からでも誤魔化せるはずだ。

「どうして衣里奈が学校に？」杏子先生が言った。

「わ、忘れものでも取りにきて、すぐに帰ったんじゃないかな」

「中学の制服で？」みどり先生は容赦ない。

「どうしても必要なもの、ほら、ケータイとか忘れて。追い返されないように、それこそ、変装してきたんじゃないかな」

「ケータイなら、そこまでしそうよね」

よかった、納得してくれたようだ。

「そうだ、昨日、黒板の上からケータイが出てきたとき、坂本先生自ら、B組なら石川衣里奈がやったのかも、って言ってたじゃないですか。あれって、本当にそうだったのかもしれない」

小西先生が余計な話を蒸し返した。

「何てこと！　やっぱり、昨日のうちに手を打っておくべきだったのよ」

「でもさ、スピーチコンテストの恨みを入試で晴らすかな」宮下先生が言った。

「ですよね。坂本先生、他にも恨まれるようなことしているんじゃないですか？」

「していません！」

「今年は別の子が出てたけど、まさか、コンテストの代表をわざと外したとか」

「そこまでして私を犯人に仕立てあげたいの？」

「今年は衣里奈、コンテストの代表を辞退したんです。バレー部の試合の日と重なってるからって」

杏子先生が言った。バレー部なの？　と宮下先生が俺に確認した。

「マネージャーっす」

「スピーチコンテストはマネージャーの仕事以下ってことか。復讐なんて、しねえな」

「石川犯人説は動機の面で弱いですね。それに、坂本先生、あまり困ってないんだよな。M先生でもないし」

小西先生もあきらめてくれたようだ。

「だから、石川は関係ないっすよ。ねえ、杏子先生。担任として、自分のクラスの生徒が疑われるのって嫌じゃない？」

「そうね。それに、衣里奈が今回のような大それたことをできるとは思えないし」

外の廊下が騒々しい。何かな、とみどり先生が校長室を出ていった。衣里奈の声が聞こえたのは、気のせいか？

『バレちゃった』23：55

〈滝本みどり〉


水野先生と村井くんに挟まれて、石川衣里奈がとぼとぼと歩いている。まさか、まだ校内にいたなんて。隙を狙って一歩踏み出そうとしたけど、村井くんに腕をつかまれる。

「触んないで！　セクハラで訴えてやる」

村井くんがこちらを見た。

「滝本先生、助けてください！」

まかせて！　とダッシュで駆け寄り、衣里奈の腕をつかむ。村井くんが衣里奈から手を放した。これで、セクハラは通用しない。でも、意外だ。校内で見かけたというだけで十分怪しかったはずなのに、わたしは他の先生たちが言うほど、この子が犯人だとは疑っていなかった。動機がまったく思いつかないからだろうか。

「触んないで」

ぼんやり考えてたら、手を振り払われた。が、その手を追ってきた杏子先生がつかんだ。ナイス！

「痛い。放して」

「ううん、放さない。校長室に来てくれる？　それとも、先に私と二人で話をする？」

衣里奈はあきらめたように俯いた。

「杏子先生と二人で。あと、キ……相田先生も一緒に」

「なんで相田先生もなのよ」

「担任よりも、部活の顧問の方が話しやすいのかも。応接室で話を聞くから、相田先生を呼んできてもらっていい？」

しょうがないな、まったく。とりあえず、校長室に戻ることにする。

『実況まだ～？』23：58

〈春山杏子〉


制服は一高のものではないが、間違いなく衣里奈だ。どこにいたのかと水野先生に訊ねると、校舎の外だという。校長室の議論にはそれほど熱心に加わらなかったというのに、水野先生と村井先生が出て行ったことにも気付かなかった。

「盗み聞きしているとしたら、外に出ることを口に出すと、逃げられてしまうからね。しかし、村井先生が気付いて追いかけてきてくれて、助かったよ」

「いいえ、僕はトイレに行こうと思っただけなので」

村井先生が照れたように頭を掻いた。衣里奈が事件にどのようにかかわっているのかはわからないが、こうなると、無関係ではないはずだ。

「衣里奈を預かってもいいですか？」

「構わないよ。でも、あとできちんと報告するように」

わかりました、と答えて、衣里奈を連れて応接室に入った。二人きりで話してみたいこともあったが、相田先生が来たため、テーブルを挟んで、教師二人と衣里奈が向かい合うかたちで座り、聞き取りを開始した。

「全部、話してくれる？」

衣里奈はずっと黙って俯いたままだ。これでは何も進まない。

「じゃあ、質問するから、合ってたら頷いて、違ってたら首をふってもらっていい？」

衣里奈がゆっくりと顔を上げて、判断を仰ぐように相田先生を見た。

「それじゃ、わかってもらえないこともあるだろう。おまえから、全部話せ」

「でも……」

「杏子先生ならちゃんと聞いてくれるだろうし、少なくとも、俺はおまえの味方だから」

衣里奈が不安そうに私を見た。大丈夫、というふうに力強く頷き返すと、衣里奈は意を決したように、小さく息を吸い込んで口を開いた。

『もしかして、捕まった？』24：00

〈水野文昭〉

滝本先生がお茶を淹れて、村井先生が配ってくれた。村井先生のフットワークの軽さに今回は助けられたようなものだ。校長室に残った連中は、おにぎりや菓子などをつまみ、互いに疑いあっていたのが嘘のように、雑談をしながらくつろいでいる。生徒を一人捕まえたからといって、まだ何も解決したわけではないのに。

「水野先生、よく気付きましたね」滝本先生が言った。

「掲示板を見たときから、そうじゃないかとは思ってた。ここに全員集合しているのに、『校長室で教師全員密談中』なんて書き込みがあったからな」

「どうしてすぐに出て行かなかったんですか？」

「ここでこっそりとケータイを操作している人物がいる可能性もあった」

「それで、ケータイを出そうって言ったんですね」

「全員出したってことは、近くに誰かが潜んでいるのは確実だ」

「さすが！　これで解決に向かいそうですね」

それは、どうだろう。石川衣里奈は首謀者ではないだろうからな。

『逃走中！』24：05

〈田辺淳一〉

毎日三時間、ヘルパーが来てくれることになっているが、頼んである食事の支度と洗濯しかしてくれないため、ダイニングは散らかり放題だ。台所も棚に毎回戻すのが面倒なのか、シンクに鍋や食器を重ねたままで、コーヒーカップを二つ並べるにも、それらを片付けなければならなかった。インスタントコーヒーを淹れるだけなのに半時間。

座ったままの兄さんの前にインスタントコーヒーを入れたカップを置き、自分のカップを持って向かいに座った。テーブルの上にある新聞は三日前のものだ。兄さんが一口飲んだ。

「まずいな」

僕もコーヒーをすする。

「うん、まずい。てか、賞味期限切れてるのかも。母さん出て行ってから飲んでないし」

沈黙が流れた。空気の重さが気まずくて、まずいコーヒーもごくごくと飲めてしまう。

「親父は？」兄さんが訊ねる。

「さあね……」

多分、女のところだ。

「なあ、淳一」

兄さんが息を吸って、僕をまっすぐ見つめた。

「おまえ、何してんの？」

「コーヒーを」

「そうじゃない」

兄さんの目は真剣だ。だから、僕もコーヒーを飲み干したら本当のことを言おう。

「じゃあ、復讐」

兄さんはほんの少し眉をひそめただけだ。そんなことはやめろ！　と以前の兄さんなら僕を叱ったはずだ。頼むぞ淳一、今の兄さんからはもしかするとこんなふうに言われるんじゃないかと期待もしていた。だが、そのどちらでもない。

「何のために？」

「言わなきゃ、ダメかな」

雑然とした室内を見渡す。この家全体が、そして兄さんが、すべてを表してるじゃないか。兄さんからすべてを奪い、僕からも大切なものを奪ったヤツに制裁するためだ。だけど、兄さんはそんなことわかってる。その上で僕に訊ねているんだ。

「……一人でやってるのか？」

「仲間はいる」

「そうか……。あまり、いい仲間とは言えないな」

いったい僕は何のために、誰のために、こんなことを始めたのだろう。だけど、もうあとには戻れない。結果が出れば兄さんだってきっと喜んでくれる。そして、またもとの兄さんに戻ってくれるはずだ。

第9章　入試をぶっつぶすためです

『犯人が捕まったって？』24：06

〈滝本みどり〉

シュークリームを一つ食べ終えたところで、そわそわする気持ちは抑えられない。こっそりとドアに向かう。

「滝本先生、どこ行くんですか？　まさか盗み聞きするつもりじゃあ」

村井くんが大きな声で訊いてきた。

「いいじゃない。村井くんも、ここにいるみんなも、石川衣里奈がどんな話をしてるのか、気になるでしょ」

他の先生たちの反応を窺う。誰も引き留めないってことは、行ってこいの合図だ。

「あとで、ちゃんと春山先生が報告してくれますって」

「わかんないわよ。自分のクラスの生徒だし。杏子先生、生徒側の味方につくこともよくあるから、内容によっちゃ、全部教えてくれないかもしれない。じゃっ」

校長室を出て行く。ちょっと、と村井くんも追いかけてきた。なんだ、自分も気になってるんじゃない。二人で足音を忍ばせて、応接室に向かった。

よかった、ドアは閉まってる。

『実況、止まっちゃったね』24：08

〈石川衣里奈〉


杏子先生のことは嫌いじゃない。だけど、杏子先生は新人教師だから、何の力もないはずだ。本当のことを話せば、あたしは厳しい処分を受けることになるに違いない。停学か退学か。

「いったい何をしたの？」

だけど、黙っていてもどうにもならない。万が一のときには、キヨタンが杏子先生を説得してくれると信じて、ちゃんと話そう。

あたしが初めにやったのは、坂本先生のケータイを黒板の上に隠すこと。この学校の先生のなら、誰でもよかったんだけど、坂本先生が車にケータイを置きっぱなしにしているのは知ってたし、かなり離れた場所から自由の女神のようなおかしなかっこうでキー操作をしているところも見たことあったから、一番簡単そうかなって、坂本先生のを持ち出すことにした。

「去年、坂本先生の連絡ミスでスピーチコンテストに出られなかったって聞いたけど、その仕返しのつもりだったの？」

杏子先生に訊かれた。首を横に振る。そんなのとっくに忘れてた。

「じゃあ、何のために？」

「杏子先生を困らせるためよ」

「私？」

杏子先生は驚いた顔してる。当然だ。身に覚えのないことなのだから。

入試前日、いったん生徒が出ていったあと、あたしは二年B組の教室に戻った。壁の掲示物を剝がしている杏子先生に、手伝おっか？　って言うと、そんなことをするためにあたしが戻ってくるはずないのに、何の疑いも持たない様子で、ありがとう、と返した。

あたしは杏子先生から離れた壁の方に移動して、高い位置に貼られた掲示物を剝がしながら、坂本先生のケータイを黒板の上に隠した。簡単な作業だった。あたしが帰るまでケータイが鳴りませんように、って少しドキドキしたくらい。

杏子先生はじっと聞いている。どうして自分のせいなんだろう、って考えてるんだろうな。キヨタンは難しい顔をして腕組みしている。

「あとは、今日、中学のときの制服を着て、学校に忍び込んで、いかにも受験生が試験中に情報を流しているように、掲示板に書き込みをしていただけ」

「だけ、って……。立ち入り禁止の校内のどこに隠れていたの？」

「バレー部の部室」

「キャ、キャプテンとマネージャーには合鍵を持たせてるんで」

キヨタンが慌ててフォローするように言った。

「だから、夕方電気が……。でも、そこにいたんじゃ、校内の様子なんてわからないじゃない。特に、入試問題なんて」

問題の一部があたしのケータイにメールで送られてきて、それをあたしが掲示板にアップすることになっていたのだ。たとえば、社会の試験中、バレー部部室にいるあたしのケータイに、『おうにんのらんいつ』とメールが届く。それをあたしが、『応仁の乱っていつだっけ？』と掲示板に書き込む。

「試験会場にケータイを持ち込んでこっそり操作はできても、さすがに、掲示板に書き込むのは難しいから」

「じゃあ、他にも共犯者がいるのね」

「あたしは下っ端よ。リーダーの指示に従っていただけ」

「リーダーって？」

「わかんない。掲示板の書き込みに、協力するよ、ってフリーメール送ったら、返事がきただけ」

「相手のことを何も知らないのに、怖くなかったの？」

怖い、とは思わなかった。方法はこれしかないと思ってたから。

「最初はまったく。でも、坂本先生のケータイはいたずらのレベルだけど、入試問題のアップはヤバいんじゃないかって、怖くなって、途中でやめた」

「掲示板に書き込む前に気付ければよかったのに」

反応がかえってくるのを見ながら、とんでもないことをしてるのかも、って思ったのだ。

「気付いたときには手遅れだった。でも、やめてないよね」

「ううん、入試問題のアップはお昼までで止めた」

「おかしいな、午後からも少しは出てたと思うけど」

「信じて。本当にやってないの」

「わかった。衣里奈がやったのは、ケータイを仕込んだ、入試問題を午前中の三教科目までアップした。それから？」

ここまではどうにか許してもらえると思う。

「入試終了後の校内の実況をした」

これは、許してもらえないかもしれない。怖くてキヨタンの方を見られない。

「入試問題をアップするより、もっと犯罪じみたことだとは思わなかったの？」

「杏子先生、犯罪は言い過ぎっすよ」

キヨタンが助けてくれた。

「点数の流出でも？」

キョタンの顔が険しくなる。あれは、やりすぎだったって、今ならわかる。廊下の隅から校長室の様子を窺っていると、実況してるのがバレて、校長先生たちはモンスター二人を連れて、視聴覚室に行くことになってしまった。教頭先生が一人で居残りしていて、ネタがなくなっちゃったなって思ったところに、教頭先生がトイレに行って。

その隙に中に入ると、採点一覧表を表示したままのパソコンがあって、その前に一〇
〇点の英語の答案用紙が置かれてた。これがみんなが騒いでた答案用紙かって、答案用
紙の受験番号「55」を確認して、採点一覧表の「55」の英語の点数を探した。

「全然違うから、あたしもどうなってるんだろうって思って。どっちが本物？　って軽
い気持ちで掲示板に書き込んじゃったの」

「見つかったらどうなるか、考えてみなかったの？」

「だって、許せなかったんだもん」

「私を？」

「最初はそうだった。キョタンは杏子先生と付き合ってると思ってたから」

はあ？　と杏子先生はあきれ顔になる。

「でも、もういいの」

完全に、あたしの勘違いだった。だけど、こんなことになったのにはちゃんと原因が

ある。

「許せないのは、キヨタンよ！」

キヨタンがあたしを裏切らなければ、あたしだってこんなことしなかった。

『これで、終わりなのか？』24：10

〈松島崇史〉

春山先生たちが帰ってくる気配はまだない。夜食もとって、腹も満たされた。だが、これといってすることはない。時間だけが無駄に流れていく。

「待っていても仕方ありません。とりあえず、今できることを進めていきましょう」

荻野先生が的場校長と上条教頭に言った。

「そうだな。問題のある箇所は空欄にして、合否の確実なところから仮判定を出していこう」

的場校長が答えた。

「じゃあ、一度、プリントアウトしましょうか」

上条教頭がパソコンを操作し始める。本来なら、職員全員を帰したあとで行われることだ。早く帰りたいとぼやいている職員たちは、本部がほぼ徹夜で作業をするなど、考えたこともないのだろう。だが、通常の業務に戻れていることをうらやましくも感じる。

「何か手伝いましょうか？」小西先生も俺と同じ気持ちのようだ。

「ありがとうございます。でも、ここからは我々三人でやらなければならないことなので」

荻野先生が丁寧に断った。

「わかりました。じゃあ、職員室でコーヒーでも淹れてきます」

小西先生が振り返ったが、若い先生たちは皆、出て行っている。

「コーヒーなら、俺が手伝うよ」

宮下先生が名乗り出て、二人も出て行った。

中央のテーブルに残されたのは水野先生、坂本先生、俺の三人だ。

「あなたたち、もう管理職試験の問題集は買った？」

流れとしてはこの話題になるだろう。いいえ、と俺は答えた。まだ、教壇に立っていたい思いはある。それどころか、一生現役でいたい、と。

「私は買いましたよ」

「あら、どれにしたの？」

水野先生と坂本先生は問題集の話を始めた。参考までに話を聞いておくのもいいかもしれないが、それよりも、気になることがある。石川衣里奈をつかまえてから、実況はピタリとなくなった。なのに、携帯電話はまだ全員分集めたままにしておくのだろうか。

『誰が捕まったって？』24：12

〈松島良隆〉

風呂から上がり、部屋に戻ると、携帯電話が点滅していた。父さんからだ。
『ちょっと困ったことになってる。試験中、何か気付いたことはないか？　小さなことでも思い当たれば教えてくれ』
やっぱり、掲示板のことかな。書き込みが増えていないか確認してみよう。待てよ、その前に一つ調べておきたいことがある。『清煌学院』と打ち、検索キーをクリックした。

『なんだ、驚かせんなよ。いいとこなんだから』24：14

〈宮下輝明〉

小西くんは頭もいいし、性格もいい。見た目も悪くない。でも、彼女がいる気配はない。俺の観察では杏子ちゃんに気があるように見えるけど、だからといって杏子ちゃん一筋じゃなく、一歩引いて接しているような感じだ。なんというか、ガツガツしていない。私立校出身故か。俺の勝手なイメージだけど。
「小西くんって、清煌受かったってことは、公立の受験はしてないの？」

「願書は出してたけど、受けていませんね」

さらっとそういう言い方ができるのも、私立っぽい。応接室前でドアにへばりついているみどりちゃんと村井くんを発見。

「なに……」

割と小さな声を出したつもりだったのに、みどりちゃんが人差し指を立てて、しーっ、と合図をよこした。中の様子は俺も気になるところだが、ここは二人にまかせることにして、黙って通り過ぎる。

応接室組がいつ戻ってくるかはわからないが、とりあえず、残っている職員の人数分、コーヒーを淹れることにする。ほとんど小西くん一人でやってるようなもんだが。

「結局、俺たちはどうして残ってるんだ？」

「そうですよね。答案用紙もとりあえず人数分は揃ったわけだし、受験番号のことにどう対処するかは、最終的に上が決断を下すことですし」

「掲示板問題もなんとかなりそうだし、か」

「答案用紙を盗んだのも石川ですかね」

「多分な。一日中身軽に動きまわってたんだから、一枚、ひょいって抜くことくらいわけないだろ。坂本先生が便所に行ってたときじゃないか？」

「だとしたら、こっちは女子生徒一人に散々振り回されたってわけですね。それにしても、目的は何だったんでしょうね」

それは俺にもさっぱりわからない。もしかしたら、退学なんてことにもなりかねないのに。何事においても、後先考えず突っ走るのは女の方だ。原因は大概男。一高の職員だとしたら……。ヤバいことになんなきゃいいが。

『クライマックスといくとするか』24：16

〈春山杏子〉

衣里奈が怒ったように相田先生を見ている。私のせいだとか、勘違いだったとか、私と相田先生が付き合っていると思ってたとか、衣里奈の言うことがいまいち飲み込めない。相田先生の彼女はみどり先生なのに。

「どうして、俺なんだ。おまえのこと、かばってやってたじゃないか」

かばう？　相田先生は衣里奈が校内にいたことを知っていたということか。

「実は……、昼休みに用を思い出して部室に行ったら、え……、石川がいて。何かヤバいことに関わってそうだったから、とにかく帰れとは言ったんだけど、まさか、こんなことになっていたとは……」

歯切れが悪い。何かまだ隠しているはずだ。

「あれからすぐに帰ったと思ってたんで。なあ、どうして帰らなかったんだ？」

後半は衣里奈に訊ねた。だって……、と衣里奈は膝の上で堅く両手を握りしめる。

「黙っていても、何も解決しないでしょ」

「別にいいもん」

ついに開き直った。こうなると、こちらもズルいとは思うが言わせてもらう。

「理由によっては、警察に相談することになるかもしれない」

そんな！　と声を上げ、衣里奈はちらりと相田先生を見た。

「相田先生に席を外してもらう？」

衣里奈は大きく首を横に振った。

「衣里奈が嫌なら、他の先生たちには明かさないから」

「絶対、言わない？」

「約束する」

衣里奈がポケットから何かを取り出した。インディゴリゾートのゴールドカードだ。

「なんで、衣里奈がこれを？」

「キヨタンの部屋で見つけたの」

キヨタン？　の部屋？　どういう関係なのだろう。相田先生を見る。

「いろいろ相談にのるうちに、つい……」

つい、では済まされないことだ。

「頼む、杏子先生。このことはみんなに黙っておいてくれ」

相田先生が両手を合わせて頭を下げた。言えるはずがない。

「でも、どうしてこれが関係あるんだ？」相田先生が衣里奈に訊ねる。

「キヨタン、あたしに隠し事してるでしょ」キヨタンが解禁になったつもりのようだ。

「そ、そんな事……」

「女はね、二股かけられてることくらい、ちゃんと気付けるの。パソコンの検索履歴にインディゴリゾートがいっぱい残ってたのに、あたしにその話をしてくれたこと一度もないなんておかしいじゃない」

ああ……、と相田先生が頭を抱えた。

「先週行ったときには、カレンダーにしるしがついてた。それで、あたしは相手を杏子先生だと思った。インディゴリゾートって予約とるの難しいみたいだけど、旅行会社で働いてた杏子先生なら簡単なはずだから」

それで私を困らせたかったのか。みどり先生も同じ誤解をしていたが、まったくもって相田先生は私のタイプではない。

「あたしはキヨタンにあたし以外の女と旅行になんか行ってほしくなかったの。入試がめちゃくちゃになれば、行けなくなるんじゃないかと思って、掲示板でみつけたぶっつぶし計画に協力することにしたの」

「バカなことを……。でも、途中で怖くなったんだろ」

「うん、それはホント。でも、昼過ぎに旅行会社の人が来たのを見て、やっぱ、帰れなくなった。でも、迷ってたんだよ。ケータイに指示がくるのは怖かったし」

「じゃあ、どうして」

「だって、嘘ついたじゃない。インディゴリゾートには水野先生と行くって」

「う、嘘じゃない」

「あたし、わかってるの。だからお願い。みどり先生とインディゴリゾートに行くのはやめて」

パシッとドアが開いた。

「やめないわよ！」

みどり先生が仁王立ちで衣里奈と相田先生を交互に睨みつけている。この後、冷静に話し合いができるとは、とてもじゃないが思えない。


『待ってました！　リーダー、殴り込みか？』24：18

〈松島良隆〉

『清煌学院合格発表』のページには合格者の受験番号のみが表示されている。だから、僕の受験番号はない。しかし、今調べているのは、今日同じ教室にいたヤツの番号だ。

机の並び順を思い出しながら、座席表をメモ用紙に書いた。窓側から三列目の後ろから二番目に座っていたから、二六、二七、あいつは二八番か。やっぱり合格してる。清煌に受かったくせに、一高受けるかな、普通。

父さんにメールした方がいいだろうか。

『ルール違反だったらすぐに削除して。受験番号四六番は』

そういや、あいつ……。試験終了後、廊下に出していたカバンを取りに行ったとき、沢村に何か話しかけていなかったか。あいつが何を言ったのかは聞こえなかったけど、沢村はおもしろそうに声を上げていた。

——え、マジ？　そんなのあんの？　ちょーヤバいじゃん。

そんなの、とは掲示板のことではないのか。その後、あいつは僕とすれ違った。目が合って笑いかけられたから、あのときのヤツだ、と確信したのだが、あいつが僕に話しかけてくることはなかったし、僕もあいつに声をかけなかった。

あいつが沢村と顔見知りだったとは思えない。じゃあ、なんで、掲示板の存在を沢村にだけ教えたのか。沢村の父親が同窓会の会長であることは知らないはずだ。おそらく、沢村がおもしろがって掲示板への書き込みに参加すると思ったからではないか。逆に、書き込まれる要素のあるヤツだ、と直感でわかったから？

おもしろいところがあるよ、と教えてやって、沢村が掲示板を見に行ったら、自分のことが書き込まれてあり、キレる。沢村が昼休みに他校の女子にキレそうになるのを見ていたのだろう。それを想像して、楽しんでいるのかもしれない。

だけど、入試をぶっつぶすとは関係ない話だ。ただし、掲示板を管理しているのはあいつなんじゃないだろうか。沢村はただの野次馬要員として誘われただけ。掲示板には次々と学校側を陥れるような書き込みがされている。

入試をぶっつぶす、の目的も動機もわからない。ただ、確かにこれは言えるのではないかと思うことがある。

父さんへのメールを完成させて送ったあと、掲示板を開いた。

『入試をぶっつぶせ！』24：20

〈松島崇史〉


坂本先生と水野先生はまだ管理職試験の話を続けている。水野先生はすっかり聞き役に徹しているが、ある意味すごいのは坂本先生だ。同じ席についていないとはいえ、部屋の中には管理職がいる。

「筆記試験は問題ないと思うのよ。でも、問題は……」

坂本先生がちらりと的場校長を見た。

「推薦状ですか？」

水野先生が平然と訊ねる。的場校長が推薦状を書くことをわかったうえで、この話をしているのだから。逆に、ちゃんと書けよ、と釘を刺しているのだろうか。と、並べた携帯電話から、マナーモードの音が鳴った。本部にいる全員が注目する。

「誰のよ」坂本先生が脅迫電話でもかかってきたかのように、眉をひそめて言った。

「僕のです。ちょっと、確認させてください」

返事を待たず、携帯電話を取った。一件届いたメールの確認をする。良隆からだ。

何だって？

「荻野先生、答案用紙が紛失していた受験生の番号って、四六番でしたよね」

「そうですよ。何か思い当たることでも？」

「清煌学院に受かっています」

「清煌って、あの？」坂本先生が頓狂な声を上げた。

「どうりで満点を取るはずだ」水野先生は頷いている。

「四六番の受験生は、何者かに答案用紙を紛失させられた、ただの被害者なのでしょうか」

事件解決のヒントをくれた良隆に感謝しなければならない。

『首謀者は超エリート校に合格している、ってよ』24：22

〈田辺淳一〉

兄さんは復讐について、仲間のことを訊ねただけで、残りは自分の部屋で飲むから、とまずいコーヒーの入ったカップを持って戻っていった。兄さんのいないダイニングに僕がいる理由はなく、コーヒーカップを台所のシンクに置いて、兄さんの部屋のドアが閉まる音を確認してから、僕も自分の部屋に戻った。

この部屋だけはきれいに片付けるようにしている。僕は不幸なのだと自分で思い込んでしまわないように。実際のところ、僕は不幸なのだろうか。勉強机の引き出しを開けた。賞状と写真が一枚。『全国高校生放送コンクール・ドキュメンタリー部門・銀賞』と書かれた賞状と、その賞状とトロフィーを抱えて笑顔を浮かべる兄さんの写真だ。

受験の失敗を、兄さんは成功にかえたはずだった。

四年前、兄さんが高校二年生の八月のことだ。ラジオ体操から帰って二度寝した僕が、八時半頃に目を覚まして階下に下りると、制服姿の兄さんが玄関で靴をはいていた。

——夏休みなのに、こんなに早くから部活？

兄さんは、まあな、と笑い、辺りに両親がいないのを確認してから声をひそめた。

——開示請求を申し込んだんだ。結果を見てくるよ。

二カ月前の新聞記事のことを思い出し、ついにやるのか、と僕は黙ったまま兄さんを見送った。

夕方、遊びに行っていた友だちの家から帰り、ダイニングテーブルにつくと、母さんしかいなかった。から揚げを四つの皿に盛りつける母さんの表情に曇ったところはなかった。

——兄ちゃん、まだ帰ってないの？

——昼過ぎに帰ってきたのに、部屋に閉じこもったまま呼んでも出てこないのよ。晩御飯ができたって、淳くん、呼んできてくれない？

どうしたのだろう、と不安が込み上げた。兄さんが開示請求したことを知らない母さんは、学校で何かおもしろくないことがあったくらいにしか思っていなかったのだろう。いいよ、と答え、兄さんの部屋へ向かった。

——兄ちゃん、晩御飯できたって。

ドアをノックして声をかけたが、返事はなかった。寝ているのかと思い、そっとドアを開けて、ギョッとした。兄さんは壁にもたれて呆然と座っていた。その目が真っ赤に腫れていたのだ。

——出て行ってくれ。

僕に気付いた兄さんは力なくそう言った。だが僕は、兄さんをほうっておくことができず、その場に立ちすくんでいた。

——出てけって言ってんだろ！

兄さんに怒鳴られて、僕は逃げるように階下に向かった。兄さんが泣いていたことを、母さんには言えず、まだ食べたくないんだって、と報告した。

母さんは、兄さんが風邪でもひきかけているのかもしれないと思ったようだ。半時間ほど後、少しでもお腹に入れとかないとね、とおにぎりを三つ作って、僕に届けるよう頼んだ。またしても、ノックをしても返事はなく、ゆっくりとドアを開けると、日が落ちて真っ暗な室内に、夕食前と同じ状態で兄さんが座っていた。

——おにぎり、持ってきたよ。

——いらない。

僕は怒鳴られるのを覚悟で、皿を持ったまま部屋に入り、黙って兄さんの隣に座った。兄さんは何も言わなかった。何を見ているのかわからない、部屋の天井に近い空の一点をぼんやりと眺めているようだった。沈黙がどのくらい流れただろう。兄さんの腹が鳴った。

——おにぎり、食ってもいいか？

——おまえも食う？

嬉しかった。兄ちゃんのじゃん、と皿を渡すと、兄さんはおにぎりにかぶりついた。

——いらない。

おにぎりの具が全部、兄さんの好物の梅干しだとわかっていたから。兄さんは一つ目のおにぎりをゆっくりと噛みしめながら飲み込んだ。

——一高の試験の結果、見てきたんだ。点数と答案の両方……。

僕は何を言われても平気なように息を飲み込んで口を閉じたが、兄さんは二つ目のおにぎりに手を伸ばした。僕は黙って、兄さんが二つ目のおにぎりを食べ終わるのを待った。

——俺って、最悪だ……。自分がこんなに運の悪い人間だって思わなかったよ。

兄さんの目から涙が溢れた。どんなふうに運が悪いのか想像がつかなかったが、こちらからは何も訊かず、次の言葉を待った。

──でも、ここで何もしなかったら、ただの負け犬だよな。

兄さんは三つ目のおにぎりを一口で頬張り、決意を込めるように噛みしめた。おにぎりがなくなった手を兄さんはギュッと握りしめた。

──俺、このことをドキュメンタリー番組にして、世の中に問いかけてやるよ。

兄さんの目は腫れたままだったが、光が宿っているように僕には見えた。結局、このときは開示請求で兄さんが何を知ったのかはわからなかったが、兄さんは正面から闘いに挑んだのだ。それなのに……。

引き出しを閉めて、パソコンを起動させる。


『なんだ、初めから高みの見物か』24：24

〈的場一郎〉

松島先生からの報告を受け、仮判定を出す作業を一時中断させて、本部に残っている職員全員でテーブルを囲み、検討することになった。

四六番が清煌学院に受かっているということが事実であるとして、それは今起きている事件に対して、どのような関係があると考えられるのかを。

荻野先生が内申書を開いた。四六番と連呼したが、顔写真を見るのは初めてだ。名前は田辺淳一。頭の中の紙切れが、立体的な人の姿に変わった。これは良いことのようで、実は危険なことなのかもしれない。

「ヘンだな。普通、清煌学院に受かれば、一高なんか受けないはずなのに」

平然とそう言った水野先生に、なんか？　と坂本先生が軽く睨み返す。が、それ以上噛みつかないのは、なんか、であることを自分でも認めているのだろう。

「しかし、経済的な理由があったのかもしれない。ここ数年は公立でも、入学金が払えなかったり、授業料免除申請を出す家が増えてますからね」

松島先生が言った。これは事実だ。一高の生徒は塾に通わせる余裕のある親が多い分、他校よりは恵まれているのかもしれないが。

「それなら、私立なんて初めから受けなきゃいいじゃない。昨日今日で急にお金がなくなったわけでもないでしょうに」

「親は受かると思ってなかったんじゃないですか。だから、落ちて納得するならと、多少の金はかかるが受けさせてやった、とか」

水野先生が言った。確かに、私立高は公立高の最低三倍は金がかかるという認識が田舎町ではあり、記念受験と称して私立を受けることが、昔はいくらかあった。

「そういう貧乏っぽい子だった？」

「坂本先生」堪り兼ねたのか、荻野先生がやんわりと注意した。

「失礼しました。まあ今時、継ぎあてした制服着ている子なんかいないし、とりあえずみんな、ケータイは持ってるものね。見た目じゃわかんないか」

坂本先生がへこたれる様子はない。が、確かに携帯電話はどの生徒も持っている。災害警報発令時などの学校からの連絡はすべて携帯メールで送られることになっている。その代わり、子どもたちはいっさいメモをとらなくなった。

やめないわよ！　と部屋の外から声が聞こえた。滝本先生だろうか。

「何だか、騒がしいな」

上条教頭がドアを開けて廊下の様子を見る。

「石川が暴れているのかもしれません」

水野先生がそう言って、校長室を出て行き、松島先生や坂本先生もあとに続いた。生徒が暴れるのは悪いことではない。インターネットの世界でしか意思表示をしない、何を考えているのかわからない子どもよりも、目の前にいる人間に何らかの意思表示をしている子どもの方が健全だ。

それは、大人も同じだ。

『自分に関係ない学校の入試をぶち壊そうとしてんのか？』24：26

〈春山杏子〉

衣里奈と相田先生を交互に睨みつけていたみどり先生は、応接室の中に入ってきて、相田先生の座るソファの横で足を止めた。

「いったいどういうことなの」

「いや、これは、誤解なんだ」

「冗談じゃないわ。カードを盗んだのもあんただったのね」

今度は衣里奈を睨みつけた。相田先生はおろおろするばかりだが、衣里奈はひるまない。

「うるさいな。そうやってギャンギャン文句ばっか言ってるから、二股かけられるんじゃん」

「何ですって！」

みどり先生が衣里奈につかみかかろうとする。やめて、と立ち上がり、みどり先生をはがい締めにした。

「どうした、どうした」

宮下先生と小西先生が入ってきた。小西先生は危険を察知したのか、コーヒーカップを載せた盆を手近な棚の上に避難させた。

「大丈夫か」

水野先生も飛びこんできた。あとから松島先生、坂本先生、上条教頭もやってきて、応接室はかなりの混雑状態だ。腕をばたつかせて私からのはがい締めを解いたみどり先生の片腕を、今度は坂本先生が両手ですがりつくようにつかむ。残った方の腕を私も同じようにしてつかんだ。

「黙ってないで、何とか言ったらどうなの！」

身動きのとれないまま、みどり先生が相田先生に怒鳴った。

「キヨタン、お願い。ここであたしかこの人か、ちゃんと選んで」

「ふざけた呼び方しちゃって。望むところよ、ここではっきりさせようじゃない」

「そ、そんな……」

相田先生は頭を抱えて、二人から目をそむけている。衣里奈が携帯電話を取り出した。

「もし、キヨタンがあたしを選んでくれなかったら、二人で危ないことしてる画像をみんなに見せてやるんだから」

「脅迫するつもり？　わたしだって画像の一つや二つ。ちょっと、杏子先生、ケータイとってくるから放してよ」

「衣里奈に手を出さないって約束してくれたら放す」

「それは無理かも」

「じゃあ放さない……」

バン！　と壁に拳を打ちつける音が響いた。

「いい加減にしろ！」

ガラス窓が震えるほどに大きな声を上げたのは、戸口に立っていた村井先生だ。

『それで、革命家気取り？』24：28

〈的場一郎〉


本部に残っているのは、荻野先生だけか。

「校長は様子を見に行かれなくて、いいんですか？」

「こちらから出て行くことはない。本当に大変なことになっていれば、誰かが呼びにくるだろう」

誰もが、目先のことばかりにとらわれすぎた。答案用紙が紛失したり、入試データが漏洩した原因は、一時でも入試のことが頭から離れていたからだと、なぜ皆気付かないのだろう。パソコンの前に座る。この部屋から出て行く際、誰一人、これを振り返った者はいない。受験生全員分のデータが入っているというのに。

「例の掲示板はどうやったら見られるのかね」

「お待ちください……」

荻野先生が私の横に立ち、キーボードを操作してくれる。これでは、介護を受ける老人と同じではないか。

「手書きにしても間に合うものを、何でもパソコンで作ってくる若い教員たちを、いかがなものかと思っていたが、そう思われてるのは逆に、俺の方かもしれんな」

「そんなことはありませんよ。教頭のように短期間で使いこなせるようになる人の方が稀なんじゃないでしょうか」

　上条教頭も、つい一年ほど前は、会議の資料を一枚作るのに何時間もかけていたのに、今ではちょちょいのちょいだ。年齢のせいにはできないな。

「ああ、これです」

　パソコンに掲示板が表示された。画面をスクロールさせるくらいなら、私でもできる。一文ずつ目を通していくが、どれもこれも、自分の意思を相手に伝えようとしているのではなく、他者を貶せれば何でもいい、泥を投げつけているような文章ばかりだ。

「ここに文章を書く連中は、誰に読ませようとしているのかね」

「広く言えば、世間。自分の感じることに対して、賛同者や意見を求めているんじゃないでしょうか」

「それにしては、主義主張のないくだらない文章ばかりだな」

　入試をぶっつぶしたい、とは思っているのだろうが、なぜなのか、どういう結論に持っていきたいのか、どこにも書いていない。それゆえ、覚悟がまったく感じとれない。

「入試をぶっつぶしたい名無しの権兵衛は、理由も書かずに賛同者が現れると思っているのかね」

「しかし、莫大な量の書き込みがありますよ」

　私にはおもしろがって書いているだけにしか思えない。

「なあ、荻野くん、きみも俺も昔はいろんなことで闘ってきたとは思わないか。今でこそ公務員は一番安定した職業のように扱われるが、俺たちが教師になったばかりの頃は『でもしか先生』なんて言われながら、近所の世話焼きばあさんも美人の見合い写真はみな、サラリーマンのところに持っていってたもんだ」

「年賀状にいつも奥さんとのご旅行の写真を載せられていますが、きれいな方じゃないですか」

「サラリーマンの家の前で待ち伏せして、写真をひったくってやったんだ。そうやって家庭を築いたからには、もう少し賃金を上げてもらわなきゃならん。署名を集めて、集会をして、座りこみもしたし、ストまで起こした」

　プラカードや横断幕には、魂の叫びを書き込んだつもりだ。そして、それらを名前も顔も隠さずに、正々堂々とかかげてきた。家族に人並みの暮らしをさせるために。自分一人の幸せのために闘う人間など、私の周りにはいなかった。

「そうですね。私なんて妻が同業者だったものですから、育児休暇制度を要求する活動にも参加しましたよ」

「そういや、坂本さんがこのあいだ怒ってたな。今の若い女の先生は、産休や育休は当たり前のように取るのに、組合活動にはまったく協力してくれない、いったい誰のおかげで制度ができたと思ってるんだ、って」

「時代の流れでしょうね」

「俺たちは体を使って、リスクを冒して闘って、自分たちの要求を勝ち取ってきたんだ。

時代の流れは仕方ない。だが、今の若者たちは、名乗りもせずにこんなところに主義主張なく書き込むだけで、何かを変えられると本気で思っているんだろうか」

パソコン画面をスクロールさせる。ぶっつぶせ、とはあるが、なくせ、とはない。改善しろ、ともない。未来につながる要求が何もない。

「そもそも、この名無しの権兵衛は現行入試の何に不満を抱いているんだろうな」

「入試制度自体にでしょうか」

「学力でランク分けせずに、小学校や中学校みたいに家から一番近いところへ行けと言いたいのか？　いつまでもどこまでも底辺に足並みを揃えているうちに、国が滅びてしまうじゃないか」

「しかし、学力だけが人間の優劣をつけるものでもないでしょう」

「そういう議論が高まるうちに、頭のいい人間は冷血漢で、頭の悪い人間は心が豊かだ、なんておかしな極論ができあがるんだ。なぜ、がんばって勉強したものが否定されなきゃならん」

「では、ランクの低い学校に通うものはがんばっていない、と？」

「それもまた、極論だ。人間にはもともと能力の差があることを、誰もが認めなきゃならんのだ。その中でそのものなりに努力すればいい。そして、その努力は何らかの形で認められたり、賞賛されるべきだとも思う。だが、それは学力を判定する場に持ち込むものじゃない」

「では、どこで？」

「親が家で褒めてやりゃいい。自分で自分を称えてみればいい。昔はそうだったじゃないか。徒競走をみんな仲良くお手々つないで走らなくても、ビリでも思い切り走ったら、俺のおふくろは、最後まであきらめずによくがんばった、って褒めてくれたもんだ」

「そうですね……。うちの親も下手くそな似顔絵をいつまでも居間に飾ってくれていました」

「高校入試だって、それと同じことじゃないのかね」

「ぶっつぶしたいのは、入試そのものではなく、採点の仕方についてだとは考えられませんか」

「ああ……。四年前にうちでも採点ミスが発覚して、我々も処分を受けたが、それでも許せないと怒っている連中がまだいるということか？」

「首謀者は今年の受験生ではなく、過去に採点ミスの被害を受けた者かもしれません」

「被害とはいっても、合否には関係なかったじゃないか」

「本当にそうなんですか？」

荻野先生が温和な笑みを消し、念を押すように訊ねてきた。

「荻野くん、こちら側にいる人間がそういうことを言っちゃいかん。新聞にも書いてあっただろう。世間の人間は学校を伏魔殿か何かだと勘違いしとるかもしれんが、それほど守られた組織じゃない。もし本当に合否がひっくり返っているようなことがあれば、マスコミがとっくに調べて公表しとるよ」

「……そうですね」

「それでも、採点ミスに対する抗議という理由は充分に考えられる。それならばこちらは、どんなに妨害されようと、公平にこちらのルールを貫き通すのみだ」

掲示板など見ている場合ではない。そして、私も腹を括らねばならない。

「どうするか決めたよ。荻野くん、皆を呼んできてくれないか」

「わかりました。生徒はどうしましょう」

「松島くんに送ってもらって、そのまま二人とも家に帰ってもらおう」

「松島先生、帰ってもらっていいんですか？」

「受験生に身内のいる職員は入試業務から外れる。最初に決めたことじゃないか」

気が付けば、闘った時期よりも、勝ち得たものを守り続けた時期の方が長かった。それもまた家族のためだと自分に言い聞かせていたが、家族にとっては言い訳に使うなと、いい迷惑になっているのかもしれない。子どもたちを社会人として家から送り出し、あとは妻と穏やかに暮らすだけだ。守り続けてきたものが何だったのかも思い出せないようなら、潔く捨てればいい。

『萎えるわ……』24：30

〈田辺淳一〉

僕が清煌学院に受かっていることを書き込んだのは、同じ教室にいたあいつだろうか。いや、誰が書き込んだかなんてどうでもいい。多くの野次馬の中に、一握り、真剣に入試のことを考えて書き込んでくれていた人たちもいるはずだ。その人たちは僕に裏切られた気分でいるのだろうか。決してそうではないのだと今から訴えても、もう誰も本気にしてくれないに違いない。ゲームオーバー、かな。ごめん、兄さん。掲示板を閉じる。

ノックもなく、ドアが開いた。兄さんがのっそりと入ってきた。

「さっきの続き、いいか？」

「構わないけど、もう終わったよ」

「掲示板なんて、どうでもいい」

見ていたんだ。もしかして、清煌学院のことを書き込んだのは兄さんかもしれない。

「あれを、一緒に見てくれないか」

何だろうと思っていると、兄さんは机の前に座っている僕のところまでやってきて、パソコンの動画ファイルを開いた。

タイトルは『ぼくの高校入試』。四年前、兄さんが作成したドキュメンタリー番組だ。

＊＊

県庁をバックに――。

「二〇〇九年六月二七日の毎朝新聞にて、公立高校入試の採点ミスがあったことが判明した、という小さな記事が載っていた。僕がこれに興味を抱いたのには、理由がある」

町のとあるゴミ捨て場をバックに――。

「僕たちの住む町には、受験にまつわる風習がある。公立高校入試の合格発表翌日、町の至る所のゴミ捨て場に、学習机が捨てられるのだ。とんでもなくバカバカしい風習だと思われるかもしれない。どんな勉強嫌いがそんなことをしているのか、と。しかし、机の持ち主は県内有数の進学校に合格した者たちなのだ。その学校に合格すれば、将来は約束されたようなもの。まずは人生における大きな通過点に辿り着いたことを祝うための、儀式のようなものなのだ。だけど、僕の学習机はここへは運び込まれていない」

一高をバックに――。

「僕の父親も親戚もこの学校を卒業した。だから僕も、当たり前のように、ここに入るものだと思っていた。勉強は苦手じゃなかったけれど、勉強をせずにこの学校に入れるほど天才じゃなかったから、努力をした。小さい頃から走るのが速かったから、中学では陸上部に入ろうと思ったが、運動部に入ったら勉強をする時間がなくなると父親から反対されて、情報部に入った。おかげで、パソコンの扱いも上達したし、勉強をする時間は充分にあり、模試もこの学校に対してA判定をつけてもらえるようになった。しかし、それはあくまで模試の結果であって、合格通知をもらわなければ、A判定などなんの意味も持たない」

自己採点した問題用紙の映像にナレーションをかぶせて——。

「大学入試と違い、高校入試は合格最低点が発表されるわけではない。だから、不合格になっても、合格まであと何点足りなかったのかということはわからない。これは一説によると、公立高校を明確にランク付けさせないためだと言われている。ただそうはいっても、おおよその目安というのはあり、僕が受けた高校に関しては、五教科の平均、九〇点がボーダーラインと言われていた。そして、自己採点の結果、僕の平均点は九一点だった」

再び、一高をバックに——。

「合格発表の日、貼り出された合格者番号の中に僕のものはなかった。瞬きを繰り返しても、目の前まで近寄っても、ないものはない。僕はその場に崩れ落ち、つぶやいた。何故だ？　結果を受け入れられなかったのは、自己採点がボーダーラインを越えていたからではない。自己採点が僕より四点も低かった同級生の番号はあったからだ」

再び、県庁をバックに――。

「私立楢沢学園に入学した僕は得意のパソコンを活かせる放送部に入った。ドキュメンタリー番組の題材を探すために、新聞は毎日、隅から隅まで読むようにしていた。そして、今年六月、番組冒頭に紹介した記事を見つけた。入試の結果に疑問を抱いた人が、県の教育委員会に開示請求をして発覚したという。それを受けて、僕も自分の入試の結果を開示請求する決意をした」

＊＊

ドキュメンタリー番組の前半が終了した。ここから先を、僕はどんな顔をして兄さんと一緒に見ればいいのだろう。

『撤収！』24：32

〈村井祐志〉

今日は大事な高校入試の日じゃないのか。これだけ教師が揃っているのに、誰一人、受験生のことなど考えていない。自分、自分、自分。もううんざりだ。

大きな音を立てて、大きな声を張り上げて、ようやく静かになった応接室で、溜め込んでいれば腹が破れてしまうようにどんどん膨れ上がる思いを、言葉にして放出することにした。

「僕はこの橘第一高校にずっと憧れていた。小学生の頃から、運動は苦手だったし、歌もたて笛も下手だったけど、勉強は、特に算数は大好きだった。でも、ゆとり教育なんていう、できない子どもに足並みを揃えるような授業はちっとも楽しくなくて、勉強が好きな人たちだけが集まるところで、思い切り算数を、数学をやりたいって思ってた。

中学に入ると、僕はその三年間を楽しむことよりも、一高に入ることを目標に置いた。そんな僕につけられたあだ名は『ガリ勉』。すごいでしょ、とっくに死語になっているような言葉なのに。『ガリ勉』は一年生の夏前から、すでにいじめの標的にされていた。不登校にこそならなかったけど、神経性の頭痛や胃炎に悩まされるようになって、病院で処方された薬を飲むと、思考回路が止まってしまい、気がつけば、僕の成績は惨憺たるものになっていた。

それでも僕は一高を目指して勉強をした。願書も当然、一高に出すはずだった。だけど、中三の三者面談で、担任は僕に一高は難しいと言った。滑り止めに私立を受けておくならいいが、公立一本に絞るのなら、家から近く、レベルもそこそこの三高にしておいた方がいい、と。その頃、うちの父親はリストラされたばかりで、私立なんかとんでもないことだった。ましてや中学浪人なんて。それでも僕は一高を受けたいって抵抗したけれど、一五歳の子どもに選択権なんてなく、言われた通りに、三高を受けることにした。

入試の当日。問題用紙を開くと、どの問題も明確な答えが浮かんできた。書くスピードが追い付かなくなるくらいだった。得意な数学だけじゃない。苦手な英語や国語も、単語や構文はすらすらと出てくるし、書けない漢字など一問もなかった。だけど、そうやって問題がスムーズに解ければ解けるほど、僕の胸は苦しくなっていった。なぜだかわかりますか？　一高を受けていても合格したんじゃないか、っていう確信が強まっていったからです。自己採点の結果、僕の五教科の平均点は九四点だった。

だけど、僕は望みを叶えることができなかったんです。

たったの一日。それでその後の三年間、いや、人生が決まるんだ。それをあなたたちはわかっているんですか！　痴話げんかで揉めてる場合じゃないし、ましてや、リゾートホテルに行かせないために受験を妨害してやろうだなんて、絶対に許されることじゃない。

入試をぶっつぶす、なんてとんでもないことだ。だけど、僕はもしかするとこれには明確な目的があって、成功すれば高校入試という制度自体が何かいい方向に転じることになるかもしれない、と期待を抱いている部分もあった。だけど、今はまったくそんなふうには思えない」

だからもう、終わらせてほしい。

「いったい何がしたいんだ。はっきりとみんなの前で説明してください」

正面に向き直り、この事件の犯人だと想定される人物を指さした。僕は見たんだ。

「春山先生!」

『俺も、寝るわ』24:34

〈春山杏子〉


村井先生が私を指さした。いつかこういう時がくることは想定していたが、それが村井先生からだったとは。私は村井先生を怪しんでいたのに。皆が私に注目する。

「何を、説明しろと?」

村井先生をまっすぐ見ながら言ったその時、荻野先生が入ってきた。

「お話し中、失礼します。皆さん、本部にお戻りください。ただし、松島先生は石川さんを送り届けて、そのままお帰りください」

「どうして僕が?」

「これから、校長の指示のもと、採点に関する最終結論を出します。その際に、松島先生の個人的な感情が作用したと誤解を招くのを避けるためです」

「わかりました」

「あたしも帰っていいの?」衣里奈が荻野先生に訊ねた。

「聞き取りは終わりましたか?」

荻野先生が私と相田先生に確認をする。はい、と私は答えた。

「もう、隠していることはないか？」

相田先生に訊かれ、ない、と衣里奈は息をつくように言った。

「では、問題ありません。石川さんについては後日改めて話し合いましょう」

衣里奈が顔を強張らせる。そこに、私は担任として立ち会うことができるだろうか。

「荻野先生、わたしも二人に同行します。石川さんは自分がやったことを帳消しにするために、問題をすり替えようと、松島先生に襲われたとか、嘘をでっち上げる可能性がありますう」

みどり先生が片手を挙げて立候補するように言った。

「まさか、そんな」相田先生がまた少しうろたえる。

「いや、私も滝本先生に賛成です。石川個人を疑うんじゃない。起こりうる可能性が数パーセントでもある事案は、対処しておくべきです」

「水野先生の言う通りです。僕からもお願いします」松島先生も賛成した。

「でも、別のバトルが起こって交通事故なんてことにならないかな」宮下先生だ。

「それは否定できないので、別の女の先生でも構わないけど……」

みどり先生が警戒するように私を見る。

「滝本先生にお願いします。先生もそのままお帰りいただいても構いませんよ」

荻野先生が静かに言った。村井先生が私を犯人だと指摘したことを荻野先生は知らないのだから、担任の私にまかせた方がいいはずなのだが。

「いえ、戻ってきます。あ、でも、ケータイは持って行かせてくださいね」

「わかりました。では、この場は解散しましょう」

荻野先生は私の肩にポンと片手を乗せて、背中を向け、皆より先に部屋を出て行った。大丈夫。私には荻野先生がそうメッセージを送ってくれたように思えた。

『結局、何だったんだ?』24:40

〈村井祐志〉


残った職員が全員、校長室に集合した。的場校長、上条教頭を上座に、テーブルを囲むように、荻野先生、坂本先生、宮下先生、小西先生、春山先生、相田先生、水野先生、そして僕の計一〇人が席についた。

採点についての最終決議を、と的場校長自らが口火を切ったのを、ちょっと待って、と坂本先生が遮った。

「さっき、村井先生が今回の事件の犯人は春山先生だって言ったのよ。それを確認しなきゃ、採点の話なんてできないわ」

的場校長は驚いた様子で、それは本当なのか? と春山先生に訊ねた。が、春山先生はそれには答えず、僕の方を向いた。

「私が何をしたと言いたいんですか？」

僕は自分が見たことを、皆に話すことにした。

「貼り紙です。これは、石川は自分でやったと言ってません」

昨日、試験会場の準備をする際、少し早めに鍵を出しておこうと、二時四〇分頃キーボックスを開けたら会場となる教室の鍵が全部なかった。もしかして、三時というのはあくまで目安で、用がない人たちから先に行っているのではないかと、第二校舎の三階に駆け上がると、一番手前の教室、二年A組から春山先生が辺りを窺うようにしながら出てくるのが見えたのだ。

「そのあと、職員室に戻ると、春山先生がいて、キーボックスを開けると、鍵は全部揃っていました。いったい、何をしていたんですか？」

貼り紙をしていたとしか考えられない。

「質問返しは反則かもしれないけど、私からも質問させて」

意図はわかりかねるが、構いませんよ、と答える。僕にやましいことなど何もない。

「村井先生はこの事件にかかわっていないの？」

「僕は知りません。何を根拠に？」

「貼り紙をしたのは私じゃない。でも……、事件に加担していたことは認めます」

やはり、そうだったのか。まさか、と小西先生が打ちのめされたような声を上げた。

小西先生の推理の中で、春山先生は容疑者の要素などみじんもなかったのかもしれない。

他の先生たちも、応接室で僕が指摘したときよりも、さらに驚いている。もしこれが、逆の立場で、犯人だと指摘されたのが僕だったら、皆はこれほどに驚いただろうか。三高卒の講師の僕だったら。

「村井先生、疑ってすみませんでした。これから私の知っているすべてをお話しします」

誰もう、僕など見ていない。春山先生に注目している。僕も一言一句漏らさず聞かせてもらおう。事件の真相を。


『なんか、首謀者にムカついてきた』24：42

〈春山杏子〉

私が今やるべきなのは、事件に関わる行為を包み隠さず打ち明けることだ。

「事件の中心人物は学校外部にいます。名前も顔も知らないその人物から、私は事前におおまかな計画を聞いていました。そして、内部協力者は少なくとも三人。断定できないのは、全員が協力し合っているのではなく、中心人物が三人と個々に連絡を取っているからです」

「三人って、杏子ちゃんと、石川衣里奈と、もう一人……」

宮下先生が村井先生に目をやった。

「だから、僕は違います」

「私は昨日、教室の掲示物を剝がしているときに、衣里奈が黒板の上に携帯電話を隠していたのを知っていました。そして、今回の計画に関わっているのは自分だけじゃないことに気付きました。中心人物は誰にどんな指示を出しているのか。訊ねると、こちらがはじかれる恐れがあるけれど、生徒を巻き込むのは避けたかった。在校生は試験当日は登校できないから、これさえ阻止できればいいと思い、策を考えました」

「ケータイを自分で見つけたことにすればよかったんじゃないか？」

小西先生に指摘された。私も最初はそのつもりだった。

「ですが、教室にすでにあの貼り紙がしてあったんです。完全施錠したあとに、職員室から生徒が五クラス分の鍵を持ち出すのは難しい。教師がもう一人確実に関わっていると思いました。その人から、私がケータイを見つけたことを中心人物に知らされたら困る。では、別の人に見つけてもらえばいい」

私は生徒に配付済みのプリントを二つに破ったものを計四枚用意し、職員室から全試験会場分の鍵を持ち出してB組以外に忍び込み、用意した紙にチョークでメッセージを書いて黒板の上に隠した。

「相田先生が掃除の鬼だってことは皆が知ってることですが、念のため、他の教室にも同じようなものを仕込みました」

「まさか、自分で『杏子ＬＯＶＥ』って書いたとは」

相田先生が顔をしかめながら言った。利用されたと思わせたのなら、申し訳ない。

「同時に、計画に関わっている教師を調べるため、数人のロッカーや机の中に『入試をぶっつぶす！』と書いたメモも忍ばせました。その程度では誰も騒ぎませんでしたけど」

「私を疑ったのね」

坂本先生は不快さを露わにした。

頭を下げて、話を続ける。

「私は中心人物に、黒板の上のケータイが見つかったことを報告し、どうするつもりだったのかと訊ね、代わりに私のケータイを仕込んでおくと提案しました」

「あ、掃除用具入れのケータイ！」

村井先生が声を上げ、私は頷いた。

「私が入れたのは、廊下の机の中だったのに、それでは効果が低いと思われたのか、移動させられていて、かなりあせりました」

「ケータイの仕込みは石川衣里奈担当だったとして、杏子ちゃんの本来の役割は何だったの？」

宮下先生に訊かれる。許してもらおう、などと保身に走りながら告白してはならない。自分が何をしたのか、今一度、自分に言い聞かせるように、真実を話すのだ。

「五教科目の英語の際に、解答用紙を中心人物に二枚配る。一枚を数合わせのために白紙で提出し、問題を解いてある方を別のところから出てくるように仕込むためです」

「あなたの仕業だったのね！」坂本先生が椅子をガタンと倒しながら立ち上がった。

「中心人物はやはり受験生だったのか。だけど、顔も名前も知らないんじゃなかった？」

小西先生は冷静に私を見据える。

「暗号を決めていたんです」

中心人物はこう訊ねる。

――今年の桜はいつ咲くと思いますか？

協力者はこう答える。

――入学式の二日前です。

そういえば、と小西先生は自分も同じ質問を受けたことを思い出したようだ。

「ケータイを仕込んでいたのは、回収時、小さなパニックを起こして答案用紙の操作をしやすくするためだったんです」

「いったい何の目的でそんなことを」

水野先生は怒りをぐっとこらえるように声を絞り出した。目的は明確にある。

「入試をぶっつぶすためです」

『首謀者、出てきて謝れよ』24：45

〈春山杏子〉

頑丈な入れ物の中身がわからない。蓋がないから入れ物を開けて確認することはできない。それでも知りたいと思ったら、どうすればいい。入れ物をぶっつぶせばいいのだ。全部壊すことができなくても、小さな穴や傷ができればそこから中身がこぼれ出て、その正体を知ることができるかもしれないのだから。

「ぶっつぶす、とは具体的にどういうことかね」

的場校長が私に訊ねた。この人はこんなにもまっすぐ人の目を見る人だっただろうか。

「そうですね、漠然としすぎているかもしれません。入試をなくしてしまおうという意味ではありませんから。事件を起こしたかったんです」

「どうして、また」

「学校側がどう動くのか知りたかったんです。高校入試に、どのくらい真摯に取り組むのかを」

的場校長は黙ったまま両手を組んだ。すべては理解してもらえていないようだ。

「でも、試験中にケータイを鳴らすのは入試妨害です。受験生を犠牲にしてやるようなことじゃない」村井先生が言った。

「試験終了後、回収の際に鳴らすという約束でした」

「じゃあ、芝田麻美のケータイが鳴ったのは？」小西先生に訊かれた。

「思いがけない出来事でした。問題を解いてある方の答案用紙は試験終了後に私が受け取ることになっていたのに、麻美さんを保健室に連れていくことになりましたし」

「なくなった答案を捜していたのもカモフラージュだったわけか」

宮下先生がため息をつく。

「いいえ、必死で捜していました。中心人物が別の協力者に渡したのではないかと思いましたが、確信できないし、別の協力者が誰かもわからなかったので。おまけに、中心人物からメールの返信もなくて。なのに、沢村会長が見つけるなんて。しかも、受験番号まで書きかえて」

「じゃあ、もう一人の協力者は沢村会長？」

「違うと思います。沢村会長に貼り紙は無理なので」

「もう一人、なんて、全部あなたの仕業じゃないの？」坂本先生が言った。

「違います」

「どこまでがあなたの計画通りなの？」

「答案用紙の紛失のみです」

「じゃあ、ネットでの騒ぎは？」

「掲示板を入試について語る場として盛り上げるとは聞いていましたが、あんな酷いものになるとは思っていませんでした」

「石川がやったことは？」相田先生に訊かれた。

「試験問題の一部を載せるのは、私の知らない計画でしたが、遅かれ早かれ、いつか起こる問題だろうと、学校側の対処の仕方を見てみたいと思っていました」

「試験後のことは？」

「人物が特定できたり、点数までわかるような書き込みには本当に驚きました。まさか、衣里奈が学校に潜んでいたとは」

　相田先生が気まずそうに顔をしかめた。

「しかも、私が仲介した旅行にも原因がありました。衣里奈がこの時間まで残っていたのは、二股をかけられていた相手を知り、旅行を妨害したかったからです」

「それで、僕が疑われたんですね。石川に二股の相手を吹きこんだんじゃないかって」

　村井先生が納得したように言った。

「そうです」

「でも、僕じゃない。相田先生と滝本先生と石川のことは知ってたけど、そんなのはちょっと注意して見れば、誰でも気付くことじゃないですか」

「なんだね、それは？」

応接室での騒動を知らない的場校長は相田先生本人に訊ねた。

「いや、あの、みどり先生とは真剣に……。石川とは、変な下心があってじゃないっす。入試のときにケータイを鳴らしてしまったせいで、同級生の女子からハブられて、ほっとけなかったんす」

相田先生はうなだれるように頭を抱えた。

「知らなかったな」水野先生が言った。

「俺も」宮下先生も。

「私だって、相田先生がかわいい子をチェックしてるのはいつも注意していたけど、石川とのことは知らなかったわ」坂本先生も。

「待ってください。もう一人は自分じゃないって、さりげなく自己防衛してますよね」

小西先生が皆を見渡した。

「そんなつもりじゃないわよ。ただ、疑われる要素は取り払っておかなきゃ」

「僕はもう一人加担していたかもしれない教師が誰なのかということよりも、春山先生がどうしてこんなことをしたのか、理由をちゃんと知りたい。事件が起きた際に、学校側がどう動くのかを知りたいと言ったが、そんなことを確認するためだけに、ここまでのことをするはずがない」

小西先生が私に向き直った。

「本当の目的は何なんだ」

「目的は学校という頑丈な密封容器の中身を知るためにです。でも、その思いに至るまでには……。ここにいる皆さんのほとんどに、理解できないと思います」

「聞いてみなけりゃ、わからない」

「そうですね。皆さん、ご存じのように、私は高校を卒業するまで海外で過ごしました。いわゆる、帰国子女です」

私は五年前のある出会いについてから、話すことにした。


日本の大学を卒業後、旅行代理店、大洋ツーリストに就職し、この県に赴任して、修学旅行の担当になり、私は初めて日本の高校生に接することになった。子どもたちの姿は、私の目には、ただただ楽しそうに映り、自分も日本で過ごしていたらと、無邪気な姿に自分を重ねていた。

しかし、重要文化財に指定されている京都の有名なお寺を案内した際、自由時間に、建物の片隅でタバコを制服のポケットから取り出している男子生徒のグループを見つけてしまった。

――やめなさい！

一歩踏み出して声を上げたものの、自分よりも体の大きな子どもたちにたじろいでしまい、次の言葉が出てこなかった。その時だ。

——こんなところでタバコとは、明日の全国ニュースで取り上げられる覚悟はできてるんだろうな。

彼らの学校の男性教員がやってきて、ひょい、ひょいとタバコの箱とライターを取り上げたのだ。それが、寺島俊章との出会いだった。しかし、教師に注意をされたからといって、黙って引き下がるような子どもたちではない。

——いいじゃん、修学旅行中くらい。たかがタバコでニュースになんかなるかよ。

——美人の添乗員さんが説明してくれただろ。ここは何百年もの歴史がある重要文化財だって。そんなところで火事なんか起こしたらどうする？　火を点けた瞬間に、警備員がとんでくるけど、やってみるか？　そうなりゃ、修学旅行もここで終わりだ。

マジかよ、と男子生徒たちは慌てて辺りを見回した。

——説教の続きは学校に帰ってから。他のところで吸っても同じだからな。それよりも、ここでしか楽しめないことをしてこいよ。入り口脇で売ってる団子は日本一うまいぞ。

寺島さんは男子生徒たちの背を押し、暗い建物の陰から、日の当たる賑やかな場所へと促した。しょうがねえな、とぼやく彼らの顔に不満の色はなかった。

ご迷惑をおかけしました、と寺島さんは私にも頭を下げてくれた。助けてもらったのはこちらの方だ。寺島さんは、この件は他の職員に黙っていてほしいとも、私に頼んだ。

理由がわからなかった。

——旅行を切り上げて、停学処分をくらうだけだから。あいつら、体はでかいけどまだまだ子どもなんです。一方的に処分するんじゃなくて、どうしてダメなのかちゃんと理由を説明したら、理解してくれる。

確かに、あの場で一方的に、何をやってるんだ、などと怒鳴りつけていたら、男子生徒たちは反発しただけかもしれない。修学旅行中に怒られている生徒を見たのは初めてではなかったが、寺島さんのような怒り方をしている教師はいなかった。

寺島さんもきっと、素敵な先生に出会い、充実した高校時代を過ごしたのだろうと、少し羨ましさが込み上げてきたときだ。

——そうだ、徳原によろしく言っといてください。今度、飲みに行こうって。

徳原とは同期の優ちゃんの名字だ。寺島さんは優ちゃんの大学の先輩だったのだ。

その縁もあり、修学旅行後、寺島さんと優ちゃんと私の三人でたびたび飲みに行くようになった。お酒にそれほど強くない寺島さんは、ビールジョッキを二杯あけると、語り出すことがあった。

——俺はね、高校が子どもたちが社会に出る準備期間の場であればいいと思ってる。無茶して、ダメなことはビシッと怒られて、だけど楽しい思い出もいっぱい作って、望むところに飛び出していけばいい。俺の仕事はその手伝いだ。

寺島さんの言葉は心地よく、私も高校時代を日本で過ごし、寺島さんのような先生に出会えていれば、そんな想像をしながら、熱いまなざしを向けていたのだろう。私の気持ちは優ちゃんにすぐに見抜かれてしまった。

――寺島さんって、彼女とかいるんですか？

さりげなく、そんなことを訊いてくれたことがある。

――いないよ。今の時代、熱血バカはもてないんだよ。

――私、熱血バカ、好きです！

口に出したあとで、しまったと後悔することの多い私だったが、このときの自分はけっこう好きだ。この日からの一年、彩り豊かな思い出はどれも彼とともに残っている。

寺島さんは休日中でもやはり、教師だった。

二人で町を歩いていて、彼の教え子に冷やかされたことがある。

書店でティーンズファッション誌を彼が手に取り、そんな趣味が？　とかなり引いてしまったことがある。しかし、それにもきちんと理由があった。

――一〇代の子はどんなものに興味があるのか、リサーチ。

なるほど、と納得し、一〇歳若かったらこれかな、などと指さすと、今着てみたら？　とからかわれ、思い切り突き飛ばしてやった。しかし、学生時代はバスケ部で、教師になってからもずっと顧問をしながら生徒たちと走り回っているという彼は、足を一歩もよろけさせることはなく、怖い、怖い、と笑い返すだけだった。

バスケの試合の応援に行ったこともある。勝てば生徒以上に泣いて喜び、負ければ自分はぐっと悔しさを堪えて子どもたちの努力をねぎらう。同じ空間に私もいるはずなのに、彼らと私のあいだにはくっきりとラインが引かれているようだった。あのラインの向こうに私も行ってみたい。そう思ったことを正直に伝えたことがある。

熱血バカが好き、と宣言した居酒屋に、寺島さんと二人で行ったときだ。

修学旅行の添乗で京都に行き、こっそりお揃いで買った人気キャラクターのご当地マグカップを渡したあとで、いつものように、いくつかのおもしろエピソードやとんでもエピソードを披露した。寺島さんはおもしろそうに聞いてくれていたが、私はふと、自分はムキになっているのかもしれないと感じた。旅行会社の仕事は教師よりも楽しいのだとアピールしているのではないか、と。寺島さんにではない、自分にだ。

私は本当は教師になりたいと思っているのではないだろうか。その思いを寺島さんに伝えても、彼なら絶対に笑わないはずだ。

——修学旅行の引率で生徒たちと接するのも楽しいけど、寺島さんみたいに、もっとじっくり関わってみたいな。

——じゃあ、教師になれば？

遠回しに持っていこうとしたら、ズバッと寺島さんの方から言ってくれたのだ。

——杏子には合ってると思うよ。熱血教師になりそうだ。

——寺島さんみたいな？

——いや、もっと熱い。

――そんな！　……なれるかな。

――絶対になれる。もしなれたら……。

今度は、寺島さんが遠回しに何か打ち明けたそうな顔をしていた。

――なれたら？

――なれたときに言う。

私が教師になれたら、寺島さんは何を言ってくれるつもりだったのか。答えを聞くことはできなかった。


皆が黙って最後まで私の話を聞いてくれた。くだらないとも、必要なところだけにしろとも、文句を言わずに、犯人である私の話を。

「亡くなられたの？」

坂本先生に遠慮がちに訊ねられ、小さく頷いた。

「もしかして、入試に関係のあることで？」

「坂本先生！」宮下先生が坂本先生のブレザーの袖を引く。

「だって、ここをはっきりさせておかなきゃ。だから、春山先生は復讐のために、入試をつぶそうとしたのね」

「坂本先生、ちゃんと春山先生の口から聞きましょう」

的場校長が静かに皆を見渡した。寺島さんの死の原因……。

「すみません、よくわからないんです。彼が亡くなったのは、飲酒により車道に飛び出してしまったせいです。交通事故なのか自殺なのかもわかりません。だけど、彼には思い詰めていたことがありました。入試に関することで」

「何があったの？」

身を乗り出した坂本先生のブレザーの袖を、もう一度、宮下先生が引いた。

「その前に、教えてください。高校入試って何なのかを」

昨日からの準備を含め、入試業務に自分自身が参加することができた。受験生を迎え、試験を受ける姿を見守り、採点もした。ほころびを自ら作り、それらに対応する上司や同僚たちの姿を目の当たりにした。想定外の事件に、自分も翻弄された。

それでもまだ、わからない。

「採用試験に受かって、学区内で一番偏差値の高いこの橘第一高校に赴任が決まったときは、ラッキーだと思いました。厳しい試験を勝ち抜いてきた生徒たちと接することによって、日本の学校のことも、高校入試のことも、すぐに理解できると思ったからです」

坂本先生と宮下先生がその通りというふうに頷いた。

「だけど、そんな簡単なことじゃなかった」

小西先生と水野先生は真剣な表情で話を聞いてくれている。

「驚いたのは、生徒たちはそれほど一高を誇りに思っていないということです。必死に受験勉強したのかもしれないけど、受かってみれば、初めからそうなることが決まっていたかのような。よくできる子は大学に照準を定めていますし。彼らにとって高校入試とは何だったんだろう。人生に影響を与えるようなものなんだろうか」

　村井先生が苦しそうに顔をゆがませた。

「それとは対照的に、一高にこだわり続けてる人がいることにも気付きました。一高OBで、この地元に残っている人たちです」

　坂本先生と宮下先生が互いにバツが悪そうに顔を見合わせた。だがすぐに、坂本先生が私に向き直る。

「それは当たり前じゃない。若い子に欠けている愛校心を大人である私たちはずっと持ち続けているんですもの。何か責められるようなことがある？」

「いいえ、すばらしいことだと思います。母校を誇りに思う気持ちを持って、入試に取り組んでいるのであれば」

　だが、実際は……。

——私は悪くありません！　電卓のせい。

過去の採点ミスを重く受け止めることもなく、

——粗大ゴミ置き場事件は知ってるかい？

——でました、一高伝説！

ただ、自慢して、

——私は真剣に娘の幸せを祈ってるの。

——じゃあ、何が問題なんだ？

——三高なのよ。

見下して、

——祭りが始まるのなんて、今日が初めてってわけじゃないし。

校歌を熱唱して、バカ騒ぎしているだけ。

「なんて、くだらないんだろうって思いました。いっそ、入試なんてなくなってしまえばいいのにって」

坂本先生は反論したいことがあるようだ。

「昔、努力したことを今も励みにしてどこが悪いの。私は努力して一高に入ったのよ。それさも正論じみたことを言ってるけど、入試をなくすなんてとんでもないことだわ。それじゃあ、若いうちに努力しなくていいの？　こつこつと堅実に生きてきた人たちよりも、死ぬ前にパッとひと花咲かせた人の方がえらいっていうの？」

「いいえ。ずっとそこにとどまっていればいいと思います。その価値観を他人に押し付けなければ、誰にも迷惑はかけないだろうし、幸せだとは思います。でも、一高にこだわり続けている人は坂本先生たちのような人だけじゃなかった」

あっ、と応接室にいた先生たちが村井先生の方を見た。

「なんで、僕が……」

「さっきの応接室での、村井先生の思いには深く考えさせられるものがありました。教師の判断が一人の生徒の未来を左右してしまうこともあるのだと、恐ろしくもなりました。私が知りたかったのは、こういうことだったのかもしれない、とも」

「挫折を知らない人には、高校入試がどんなに重い意味を持つのか、わからないんですよ」

そうなのかもしれない。でも……。

「何か違う」

「どこがですか？　まあ、僕の気持ちを春山先生が理解できるとは思いませんけどね」

「どうして？」

「帰国子女という地域になんのしがらみもない立場で大学に進学して、大手旅行代理店に就職して、教師を目指せば一発で採用試験にも受かって。どうせ、特殊推薦枠で帰国子女の肩書を使って受かったんでしょ」

「そうだけど、いけないの？」

「坂本先生にはえらそうなことを言ってたのに、自分だって過去の肩書に頼ってるんじゃないですか」

過去の肩書、そういうことか……。

「もういいかげん、気付いたら？　過去にとどまり続けていることに」

「僕はとどまってなんかいない。だけど、過去はどうしてもついてくるんだ」

「切り捨ててしまえばいいじゃない。村井先生、筆記試験は合格しているのに面接で落とされたのよね」

「試験官は一高のＯＢばかりだから仕方がないじゃないですか。誰だって、自分の後輩を通してやりたいと思いますよ」

「それは、違うんじゃないかな」

　小西先生が静かに否定した。

「そりゃあ、小西先生は清煌学院を出てるから」

「そうやって、他のせいにしてばかりじゃ、今年もどうかと思うよ。グループ面接ではどんなことを聞かれたか。自分はどう答えたか。他の人はどう答えたか。合格者一覧表の中に自分と同じグループだった人の番号があれば、その人はどんなことを言っていたか、そういう自己反省会はしてみた？」

「しましたけど、僕の方が学校や教育に対する問題意識を高く持った答弁をしていたと思います」

「そういう……」

　的場校長がゆっくりと顔を上げた。村井先生をまっすぐ見つめる。

「問題をあげつらうだけの教師はいらないんだよ。それよりも、夢物語じみていても構わないから、自分はこうありたいという前向きな考えを持った人に、現場にきてもらいたいと、選ぶ側は思っているんだ。それに、一高ＯＢはそれほどたくさんいるわけじゃないし、出身高校で選んでいるわけでもない。そう、松島くんから聞かなかったかね」

「松島先生？」

「きみの高校時代の担任だったんだろう？　どうにかしてやりたいと私のところにアドバイスを受けにきたんだがね」

「言われました。校長先生が今言われたのとまったく同じことを。でも、僕はどうせ松島先生も一高出身なのだから、不利な条件での戦い方をわかっていないのだろうって……」

村井先生がガクリと肩を落として俯いた。

「不利などころか、心強い味方がいるんじゃないか」

小西先生に励まされ、村井先生はグイと片手で目元をぬぐって、顔を上げた。私の方に向き直る。

「春山先生すみません。失礼なことを言って」

「ううん。失礼なのは、思ったことを全部口にしている私の方だから。だけど、彼には言ってあげたかった」

あなたが担当した試験に採点ミスがみつかり、その受験生が不合格を苦に自殺していても、それを事実として受け止め、同じ過ちを繰り返さないためにも、教師を続けなければならない、と。

私は四年前の出来事を皆に聞いてもらうことにした。

四年前の四月、新聞の三面記事の一つにこんな見出しが載っていた。『不合格を苦に自殺か』。県内在住の一五歳の少年が自宅で首をつって自殺したのだ。『努力はむくわれない』そう書かれたメモが残されており、原因は第一志望の公立高校に落ちたためだと判断された。

それから七ヵ月後の一一月、自殺した少年の両親が、少年が不合格になった高校に抗議に訪れた。死んだわが子の入試結果の開示請求をし、三点分のミスが見つかったのだ。採点ミスがなければ、うちの息子は受かっていたのではないか。息子が死んだのはおまえたちのせいだ！　校長に詰め寄る父親の後ろで、母親は泣き崩れていた。

それを寺島さんはただ黙って見ていることしかできなかった。その採点には彼も関わっていたが、不用意に謝ってはいけないと学校側からきつく言われていたからだ。

せめて、謝ることが許されていたら。

寺島さんは胸の内に膨らんだ罪悪感を、お酒の力でまぎらわそうとした。私はどうにかして彼に立ち直ってほしかった。

――あなた一人でやったことじゃないんでしょ。いつまでも悔やんでいても仕方ないじゃない。

閉め切った部屋のカーテンを開け、私は思いつく限りの言葉を重ねて、彼を励ましていたつもりだったのに、光から目を背けたまま返す彼の言葉はいつも同じだった。

——帰国子女のきみにはわからない。

寺島さんが亡くなったのは、それから四ヵ月後の三月。入試の一週間前だった。

寺島さんのことを語っても涙は出てこない。泣けば、目を閉じる、下を向く、顔を覆う。そんなことをしたら、大切なものを見落としてしまうはずだから。すべてを見届けるまで私は絶対に泣かない。

「それからすぐ、教師になろうと思ったわけじゃありません。自分の気持ちを回復させ、それからやはり、彼の死に向き合うために、改めて、教師になることを決めたんです。どうして、彼が、彼だけが死ななきゃならなかったのかを、知るために……」

事件に加担した。不幸な理由があるから、不正を犯してもいい。許してもらえる。だって悪いのは学校なのだから。……当たり前のようにこんなことを思っていたのか。

「彼の死にこだわり続けている私も、マイナスの過去にとどまったままだったんでしょうか？」

返事は誰からもない。イエス、という証しだ。

どれだけ過去を語っても、許されることではない行為を私は犯してしまったのだ。それがようやくわかった上で、やはり聞いてもらいたいことがある。教えてほしいことがある。

「自分が教師になって、ますます彼の死の原因がわからなくなりました。教育現場とはすさまじい世界だと思っていたのに、旅行代理店とそれほど変わらない。クレーマーの数なんて知れている。むしろ、トラブルは少ないんじゃないか。でも、何もないわけじゃない。問題提起をすれば、帰国子女だからとあしらわれる。小さな問題はなかったことにされる」

坂本先生がバツが悪そうに顔を背けた。

「よほど大きな事件が起きないと、学校は真剣に動かない。正体を現さない」

「だから……」

小西先生が言葉を切った。最後まで聞こう、と判断したのだろう。

「そんなことを考えているうちに、疑問が生じました。どうして、入試から半年以上も経って、採点ミスが発覚したのだろう。それを調べていると、あるウェブサイトを見つけました。見てもらっていいですか？」

これにも返事はない。席を立ち、パソコンの前まで行って、ある動画サイトを開いた。

タイトルは『ぼくの高校入試』だ。

『逃げたのか？』24：47

〈田辺淳一〉

ドキュメンタリー番組後半、いよいよ兄さんの開示請求の結果が明らかになる。

県庁をバックに――。
「……僕も自分の入試の結果を開示請求する決意をした」

＊＊

国語・八九点、数学・一〇〇点、理科・九五点、社会・八五点、英語・八八点、と五科目の点数が黒字で記入された表にナレーションをかぶせて――。

「これは僕の自己採点の結果だ。通常の開示請求をした場合、このように、五教科の点数を知らされる。先ほども言ったが、受験した学校の合格最低点などは公表されないため、何点足りなかったのか、などはわからないが、自己採点との点数差によって、採点ミスがあったことを疑うことができる。開示の結果、僕の点数を自己採点の横に赤字で表記する」

先の表に、赤字で、国語・八九点、数学・一〇〇点、理科・九五点、社会・八五点、英語・〇点と表示されたところにナレーションをかぶせて――。

「英語が零点。僕は目を疑った。何かの間違いではないのか。続けて僕は答案用紙の開示請求をすることにした。採点済みの答案を見せてもらえることを知っている人は少ないのではないだろうか」

問題の下に答えが丁寧に書き込まれて、赤ペンで自己採点されている英語の問題用紙にナレーションをかぶせて——。

「これは僕の英語の問題用紙だ。試験終了一〇分前には全問解き終え、二回見直しをして、自己採点できるように問題用紙に答えを書き込んだ。それなのに、僕は一番大切なことを忘れていた。八八点と書き込まれた点数欄の横、受験番号の欄に僕の受験番号はなかったのだ」

再び、県庁をバックに——。

「この事実を僕はどう受け止めればよいのかわからなかった。自分が不合格だったのは採点をする側のミスだったと信じて疑わなかったのに、明らかに僕のミスだったのだ。そういえば、と思い当たることがある。英語の問題用紙を開いた瞬間、前日に確認した問題とまったく同じものを見つけ、ラッキーだといわんばかりに、その問題から答え始めていったのだ。だけど、これは零点にされるようなことなのだろうか」

楢沢学園をバックに——。

「僕は自分の運のなさを嘆いた。そして、やはり学校側に不信感を抱いた。同級生から聞き取り調査をしたところ、僕が受けた学校の別の試験会場では、試験終了五分前に試験監督が受験番号の確認をするようにと声をかけていたというのだ。また、別の会場では答案を回収した際に、試験監督が全部の答案に受験番号が記入されているかを確認し、抜けていた場合は当該受験生を呼び、その場で書かせていたという。もし、僕がそれらの試験監督に当たっていたら……。そうやって数日間、自分の運のなさを呪ったが、どうにかなるわけでもないし、立ち止まっているわけにもいかない。僕のような受験生が出ないようにするためにも、この経験を多くの人たちに知ってもらうべきだと思った。これから受験をする人たちは、必ず最初に受験番号を書くようにしてほしい。そして、学校側は、試験監督ごとに対処法が異なるといった不公平なことがないよう、試験において生じる問題点について、皆で話し合い、解決策を統一してもらいたい。学校側としては年に一度の行事と同じようなものなのかもしれないが、受験生は人生をかけて挑んでいるのだから」

『終わり』のテロップ。

＊＊

ドキュメンタリー番組を見ている途中、僕は何度も兄さんの顔を盗み見た。兄さんは画面から一度も目を逸らさなかった。怒りも、悔しさも露わにしなかった。

番組最後にも語られているように、開示請求から帰ってきた兄さんは、自分は運が悪かった、と言った。だが、これを作成し、評価を得たことで、その思いからは解放されていたはずだ。

「兄さんは、正面から闘いに挑んだんだよな」

「そして、返り血を浴びた」

僕はその返り血をぬぐってあげたかったのに……。

『首謀者は自殺しました』25：00

〈春山杏子〉


動画を再生する前に、皆に振り返りこれが何なのかを説明する。

「これは高校生を対象にした放送コンクール用に作成されたドキュメンタリー番組を、本人のウェブサイトに掲載したものなのですが……」

「知ってるわよ」

坂本先生が遮った。

「今から三〇分かけて再生しなくても、ここにいる大半の先生たちが見たことあるはずよ。全国大会で賞をとったとかで、うちの学校に取材の依頼がきたし、開示請求も殺到したのよ」

「大変だったなあ。採点ミスが発覚して、俺と坂本先生と水野っち、減給処分になったもんな」宮下先生が、あいたた、と額を押さえる。

「でも、合否には関係なかったじゃない。あなたの恋人の学校も、県内ならそうだったはずよ」

「本当にそう言いきれるんですか？」

「私たちをいったい何だと思っているの」

「でも、採点ミスがあったのは事実でしょう？」

「今よりも採点者側に委ねられている部分が多くて、学校基準で部分点を出すことができたのよ。あなただって、三角にはできないんですか？　って言ってたじゃない。それを採点ミスだと責め続けるなら、業者にまかせて全県一斉に同じ条件で採点をするか、全部マークシートにすればいいのよ」

「僕も採点方法に関しては改善してもらいたい点はあるが、それよりも、春山先生がこれを見て、どうして今回の事件に加担しようと思ったのかがわからない」

小西先生の意見に、だよなあ、と宮下先生も頷いた。

「彼もまた、高校入試によって人生を狂わされた一人だったからです」

「だけど、このビデオを作った子がマイナス思考にとどまっているならともかく、前向きにとらえているし、評価もされている」

「受験のシステムに一石を投じる結果になったもんなあ」

「そうよ。模範解答に注釈がたくさんつくようになったのはこのあとからだもの」

小西先生も宮下先生も坂本先生も、彼のその後を知らないようだ。

「では、これを見てください」

パソコン画面をスクロールして、動画画面の下に作られたメッセージコーナーをクリックした。古い順に投稿されたメッセージを読むことができる。

『答案用紙の開示請求ができるなんて知りませんでした。ミスや不正など絶対にあってはならないと思います』

『がんばれ！』

先生たちは順々に画面を覗き込んだ。坂本先生が顔を上げる。

「よかったじゃない、知らない人たちからいっぱい励まされて」

「初めはそうでした。でも……」

画面をさらにスクロールさせる。

『バカじゃねえの？』

『自分が受験番号を書き忘れたくせに学校のせいにして、酷いドキュメンタリー番組まで作って、何がしたいのかさっぱりわからん』

『運の悪さを他人のせいにしているだけ。こういうヤツは一生そうやって生きていくんだろうけど』

書き込みを読みながら先生たちが顔をしかめる。

「酷いな……」

小西先生がマウスを取り、流し読みできる速さで画面をスクロールさせた。中傷の言葉ばかりが続いていく。

「勇気を持って踏み出した行動は、心ない言葉たちにつぶされてしまったんです」

「でも、こんなどこの誰だかわからない人たちの言葉なんて真に受けなくても、ほうっておけばいいじゃない」

「自分のことじゃないから、そんなふうに言えるんです。たとえ無記名でも、悪意のかたまりである言葉は、心を破壊する恐ろしい力を持っている。放った本人にはわからない。他人にもわからない。言葉を受けた本人だけが息もできなくなるような苦しみを受けるんです」

村井先生が嚙みしめるように言った。

「そんな、大袈裟な……」

「じゃあ、坂本先生への言葉を見せましょうか？」

村井先生がマウスに手を伸ばす。やめて！ と坂本先生がその手を押さえた。

「私は彼が今どうしているかを知りたくて、自分の経験を踏まえながら、メッセージを送りました。すると、弟と名乗る人物から返事がきました。現在、このサイトを管理しているのは兄ではなく自分だと」

「ああ、だんだん見えてきたぞ」宮下先生が言った。

「ドキュメンタリーを作成した彼は精神的に不安定になり、高校を退学しました。受験に失敗した頃から生じていた両親の不仲は退学によりさらに悪化し、母親は家出、父親は滅多に家に帰ってこなくなったそうです。でも、中傷の言葉を書き連ねた人たちはそれを知らない。彼の弟は書き込みをした人物を特定しようと試みました」

「そんなことができるの？」坂本先生が村井先生に訊ねた。

「こういった書き込みをする人は、いろんなところに足跡を残していることが多いですからね。自慢したり、自信を持って発言できる場所では普通に本名や肩書を載せていたりするんですよ」

「そういえば、ロン様ファンクラブ通信にもそういう人がいるわね。プレゼントの当選者一名として実名が載ってるのに、ブログで当たったたって書いてあって、この人のだったのかって気付くの」

「なんだ、坂本先生、意外に理解できてんじゃん」宮下先生が感心したように言った。

「私だって、パソコンがまったく使えないわけじゃないわよ。でも、悪意のある書き込みをした人を捜し出すなんて、たくさんいすぎてキリがないんじゃない？」

「そうだと思います。だけど、そうやって調べていった中に、一高の教師を見つけたらどうでしょう。しかも、お兄さんの教室の試験監督をしていた教師だったら」

「そんなことをした先生がいるんですか？」村井先生が信じられないという顔をしてい

る。

「決して、人間性を否定している書き方ではないんです。でも、受験番号を書き忘れて不合格になったことで、学校側を糾弾するのは間違っているということを、言い回しを変えながら、何度も何度も書き込んでいるんです。こういった書き込みは賛同が続くと否定され、否定が続くと擁護され、と流れに波ができるものですが、擁護意見を理詰めでつぶしていくので、流れが否定のままで続くんです」

「一高の教師が否定的な意見を書き込んでいるだけでも許せないのに、そこまでしつこくやられたら、許せませんよね」

頷いた。寺島さんのように罪悪感に囚われる教師がいる一方で、自己保身に走る教師もいる。寺島さんの罪悪感がいつまでも彼の中にとどまり続けていたのは、周りがこの教師のような人ばかりだったからではないか。

「それで、復讐計画に協力して欲しいと持ちかけられ、同意したんです」

これが私の動機だ——。

「書き込みをしていた教師が誰か、春山先生は知っているんですか？」

「それが、そこまでは教えてもらえなくて。自分で捜してみようとも思ったけど、無理だった」

「あなたじゃないの？」

坂本先生がずっと黙っていた水野先生を振り返った。

「あの子の試験監督をしていたでしょ。パソコンなんてお手のものだし、理詰めでつぶすとか得意そうじゃない」

「違います。私は無記名の書き込みなんか絶対にしない。それに、発端となったのはあのドキュメンタリー番組だが、その後は受験番号の書き忘れよりも、採点ミスの方が大騒ぎになったのは、坂本先生もご存じでしょう」

「そうね、処分されることになって、受験番号忘れの子のことなんかすっかり忘れてしまってたわ」

「しかも、あの時、私はサブだった……」

水野先生が息を飲んだ。

「そうです。私です」

名乗り出たのは、荻野先生だった。


『嘘つけ。おい、清煌学院にリークするってどうだ？』25：05

〈荻野正夫〉

信じられない、皆の顔がそう語っている。果たして、私はそのような信頼を得ていると、未だ自惚れているのだろうか。

「自分の判断は間違っていない。自分を正当化するのに必死でした。管理職試験に受かるためにも」

尊敬していたのに、と村井先生が唇をかみしめた。

「入試をぶっつぶす！　とは、荻野先生に対する復讐だったんですね。教師の中にもう一人、加担者がいるようだが、その人は知っていたのかな」小西先生が言った。

「そろそろ名乗り出たらどうなの！」

坂本先生が声を張り上げた。だが、もう気付いている人もいるはずだ。

「それも荻野先生じゃないですか？」

春山先生がまっすぐ私を見つめる。どうして？　と宮下先生が驚いたように訊ねた。

「荻野先生だとできるからです。入試問題の流出も、前日の貼り紙も。そして、注意事項の紙を昨年のものにすることも」

「わざとだったのか」

水野先生が両手を握りしめている。申し訳ないことをした。まさか、あんな騒動が起きるとは思ってもいなかったのだ。春山先生が私に向き直った。

「携帯電話を鳴らすことをご存じだったんじゃないですか？　だけど、誰のものをいつどう鳴らすかわからない。関係のない受験生が巻き込まれては困る。そのために、携帯電話の取り扱いについて曖昧な表記になっている去年のを試験会場2にだけ配られたんじゃないですか？」

「そうです。……私は受験番号の書き忘れを零点にしたことは今でも間違っているとは思っていない。入試要項にそう書いてあるからです。でも、ネットに書き込みをしたことは、深く後悔しています」

私は皆に四年前のことを打ち明けることにした。

子どもの頃から無線に興味のあった私は、パソコンが市場に出始めるとすぐに購入し、趣味として、見知らぬ人たちとの交流を楽しんでいた。パソコンや携帯電話が一般化するにつれて、自殺の誘導サイトや悪徳商法など、目を覆いたくなるようなウェブサイトが増えていったが、それでもまだ、一部の悪い人間が行っていることだと、自分とは切り離されたところにあるものとして受け留めていた。

しかし、気が付くと、ネットの世界は当たり前のように誹謗中傷が書き込まれる場となっていた。学校でも裏サイトなどが問題になり、生徒同士の書いた書いていないの問答に立ち会うことも何度かあった。書かれた者の気持ちを考えろ、などとえらそうに指導していたが、私もまたわかっていなかったのだ。自分のことを書かれるとは、夢にも思っていなかったのだから。自分には人望がある。管理職になることを望まれている。そんなふうに思い込んでいた。

その矢先に、自分が糾弾されている書き込みを見つけたのだ。

『頭が固いヤツに当たったのが災難だっだな』

『来年はそいつを外してくれ』

『名前とかわかんないの』

ドキュメンタリー番組を見て、後悔はした。受験番号が抜けていることに気付いたのが教室でなら、受験生を呼んで書かせたかもしれない。だが、私が気付いたのは本部に持ち帰ってからだった。これは受験生のミス、仕方がないことなのだと自分に言い聞かせたのに、このような形で責められることになるとは。

書き込みの数は百に満たないくらいで、それでも砂を口に押し込まれたように息苦しくなったのに、アクセス数は三万を超えていた。目には見えない恐ろしい敵と闘っているような気分だった。それなのに……。

毎夜、パソコンに向かい、ようやく敵をねじ伏せた、と思っていた頃だ。県内の教師を対象とした情報教育会議に学校を代表して出席することになり、私は私立楢沢学園を訪れた。そこで、俯きがちに歩くひどく顔色の悪い少年とすれ違った。すぐ後に、楢沢学園の若い女性教師がやってきたので、彼は具合が悪そうだが一人で大丈夫でしょうか、と訊ねてみた。すると女性教師はこう答えた。

——体というよりは、心労がたたっているようで。

彼は放送部員で、この秋、全国大会で賞をとったのだが、それがかえって妬みの対象になってしまったようで、ネットで叩かれているのだ、と事情も説明してくれた。あの子だったのか、と私は彼が歩いていった方に目をやったが、彼の姿はもう見えなかった。ドキュメンタリー番組は一度しか見ていない。それでも、私が気付かなかったのは、彼の顔を忘れていたのではなく、彼の風貌が様変わりしていたからだ。

彼をあんなふうに変えたのは、自分だ。

――学校側はそんなところを見るなって何度も言ってるんですけどね。

女性教師はそんなことを言っていたが、私は自分がどう返したのかは憶えていない。

膝が震えて、立っているのがやっとだった。

自分は何と恐ろしいことをしていたのか。一人で妄想を膨らませて闘っているつもりでいた敵は、まだ一〇代の傷つきやすい心を持った少年だったのだ。そんなことに気付けなかった自分を最低の大人だと恥じた。教師失格だ、と。

どうにかして流れを変えようとしたが、すでに私だけではどうにもならないくらい大きな悪意が渦巻いていた。その後、彼が不登校になり、三年生になる前に学校を辞めたことを知った。すべて私のせいだ。

私は自分にできる償いは何だと考えた。そして……。

「私のような過ちを起こさないために、一人でも多くの子どもたちに正しいインターネットの使い方を教えよう。その決意をもって、情報科の資格を取り、残りの教員生活をそれ一本にかけることにしました」

その程度のことが償いだと言えるのか、と罵られても当然のはずなのに、声を荒らげて私を糾弾する人はいない。

「もしかして、それで管理職試験を辞退されたんですか？」

水野先生が穏やかに問いかけてくれる。声を荒らげても誰からも責められないほどに、被害を受けたというのに。

「……いいえ、授業が好きなだけです」

私は取り返しのつかないことを二つも重ねてしまった。覚悟を持たない人間が、我が身かわいさに起こした出来事は、覚悟を以て償わなければならなかったのだ。

「すみませんが、掲示板に一件だけ書き込みをさせてください」

実は何の意味も持っていない文字の掃き溜めを画面に呼び出し、キーボードを叩いた。

『サクラチル』25：10

〈田辺光一〉

俺はかつて自分が作った動画ファイルを閉じたあと、今朝見つけた掲示板を開いた。これはおまえがやったことかと訊ねなくても、体を強張らせる弟を見ればわかることだった。怯えたような目で俺を見ている弟に、俺は優しく、何をしたのか全部話してくれ、と言った。

弟はぽつりぽつりと、だが、理路整然とした内容で、入試をぶっつぶすという計画について打ち明けた。話している最中に、俺が両手の拳を強く握りしめていることに気付いたのか、固まりついた顔は話し終えた頃には、唇まで色を失っていた。

「おまえは俺のために入試をぶっつぶそうとしてくれたんだよな」

パッと弟の顔がゆるみ、嬉しそうに頷いた。

「俺の失敗を手段に使って？」

「問題提起をされたにもかかわらず、答案用紙の回収前に試験監督は一度も、受験番号の確認を促さなかったんだ。本当は答えを書いてある方には受験番号を書く予定だったんだけど、もう一度、問題提起をするために、空欄にしたんだ」

「俺がこのことを知ったときの気持ちも考えずに？」

弟の顔が再び固まりつく。

「しかも、おまえは名乗りを上げてぶつかっていったわけじゃない。入試について語ろう、なんて立ち上げた掲示板もあの始末。結局は、ネット上で俺を罵ったヤツらと同じなんじゃないのか？」

弟は泣き出しそうな顔で俺を見ている。

「何のリスクも冒さずに、ただ、指示を出す。気持ちよかっただろう」

「ごめん……。ごめんなさい」

弟は何度も繰り返した。謝られて気付く。俺は何様なのだと。弟が犯したことを責める前に、何故、そんなことをしたのか考えろ。

弟を追いつめたのは誰だ。夜食を作ってくれる人もおらず、一人で勉強し続けて、清煌学院に受かった日に、こいつは何を食べていた？　家には俺しかいなかったのに、中し訳なさそうに俺の部屋まで報告にきたこいつを、ドアを閉めて無言で追い返した。そんな兄のために、闘おうとしてくれたことを、なぜ、俺が責められる。

やり方は間違えていたかもしれない。だが、悪いのは誰だ。試験監督だった教師か？ネットに俺の誹謗中傷を書き込んでいたヤツらか？

そうじゃないだろ……。うん？　新しい書き込みだ。

『サクラチル』25：10

〈春山杏子〉

荻野先生が掲示板を閉じて、皆に向き直った。

「終了の合図。この掲示板を作ったのは私です。私は協力者ではない。首謀者です」

耳を疑った。首謀者は四六番の受験生、田辺淳一ではなく、荻野先生だというのか。

「受験生を裏切らない入試制度の在り方を。その思いを込めて兄が投じた一石を、今度は弟が、さらに大きな石を投じるつもりだとブログに綴っていた。私はそれを見つけて、名前を伏せ、一高の入試部長であることを伝え、学校単位ではなく、もっと大きな枠組みで改革が行われるようにするために、きみの計画に協力したいと、メールで彼に持ちかけました。自分では償いをしているつもりでいたが、直接、田辺兄弟の役にたってからこそ初めて、本当の償いと言えるのではないかと思ったからです。彼から了承の返事を得ると、今度は、計画を立ててみたのだが、きみの賛同を得られたら私が中心になって行うのはいかがだろうか、と提案しました。これにも了承を得たので、そこからはすべて私が進めていたのです。まず、掲示板を立ち上げ、春山先生と石川衣里奈が加わった」

私がメールでやり取りをしていたのは、荻野先生だったのか。

「私が田辺くんの教室担当になったのも、偶然じゃなかったんですね」

「そうです。石川衣里奈に試験当日学校に潜み、入試問題をアップするように指示を出していたのも、私です」

「じゃあ、午後からの入試問題を途中からアップしたのも？」

相田先生の問いに荻野先生は頷いた。

「英語の試験後に、四六番の答案用紙を持っていたのも？」小西先生が訊ねた。

「私です。春山先生が芝田麻美に付き添って出てきたのを知り、彼の携帯電話に隠し場所を指示するメールを送ったんです。二階の男子トイレの掃除用具入れを指定しました」

「なのに、聞き取り調査をねえ」上条教頭が大きく息をつく。

「答案を回収し、空欄の受験番号の箇所に沢村さんの息子の番号を書いて、合格発表と同じ場所に貼り出したのも私です」

「計画だと、春山先生が頃合いを見計らって出す予定だったんですよね」村井先生が言った。

「そうだったわ。なら、メールで春山先生に隠し場所を教えればいいだけなのに、どうしてそんなやっかいなことをしたのよ」坂本先生が言った。

「学校運営にまで口を出す同窓会とはそれほど権威のあるものなのか。そういう議論も、一度皆さんとしてみたいと思っていました」

だからといって、と坂本先生は不満を隠せない様子だ。

「一番酷いのは、試験が終わってからの校内の実況だと思うけどな」

宮下先生がさらりと言った。皆が言いたくて言えなかったことではないだろうか。

「申し訳ございませんでした。どんな処分でも受ける覚悟はあります」

荻野先生は姿勢を正して深く頭を下げた。

「私もです」

急いで私も荻野先生に倣った。顔を上げるのが怖い。荻野先生が告白してからまだ一度も口を開いていない人がいる。

「今回の件を受けて、いろいろと変えていかないといけないことはあるだろう。携帯電話の対策はとったはずだったが、試験中に鳴ってしまった。立ち入り禁止の校内に在校生が簡単にまぎれ込むことができたし、校舎内に保護者も入ってきた。答案用紙が足りなかったり二枚出てきたり。付け入られる隙がありすぎるということだ。これを受けて、今後起こりうる事例をあげながら、要望書を作成し、県で統一した対策を出してもらえるように働きかけよう」

的場校長の力強い意思表示に、荻野先生はさらに深く頭を下げた。私も頭を下げたまま込み上げる涙を片手でぐいと拭った。

バタバタと廊下に足音が響いた。みどり先生が携帯電話を片手に、校長室に飛び込んでくる。

「ただいま戻りました！　っていうか、掲示板、今すぐ見てください」

また何か？　と上条教頭がパソコンで掲示板を開いた。

画面上の文字がピンク色に変わり、崩れている。

まるで、桜の花びらが散るように、書き込みが消えていく……。

荻野先生以外の全員が呆然と画面を眺めた。そんな中で、一瞬だけ、私には荻野先生が安堵の息をついたように見えた。

全員が改めて、中央のテーブルを囲んだ。的場校長が立ち上がる。

「では、最終作業に入ろうか。まずは、四六番の英語について。本年度の入試要項に基づき、白紙答案用紙、受験番号記入忘れ、いずれも零点とする」

「じゃあ、田辺くんは？」

「不合格です」

「そんな……」

「いいじゃない、清煌学院に受かってるんだから」

うろたえる私に坂本先生が言った。松島先生からの情報らしく、知らなかった先生たちもいたが、的場校長はその場にいたという。しかし、校長は田辺くんが他に行く場所があると知っていてもいなくても、同じ決断をしたはずだ。受け入れられないのは私だけ。

すべてをかけて、というわけではなかったのか……。

終章　そして――

【三月二三日（金）・入試一週間後】

〈田辺淳一〉

合格発表を待つ受験生たちが、中庭に集まっている。ケータイ親子、同窓会会長親子、清煌を受けてたヤツ、誰もが息を止めているかのように見える。傍から見れば、僕もそんなふうに見えるのだろうか。

職員が三人やってきて、一人がこれから合格者番号を掲示することを拡声器で伝えた。あとの二人が丸めた模造紙を広げて、校舎の壁に掲示する。歓喜の声が上がった。無言のまま去るヤツもいる。

ケータイ親子は抱き合って喜んでいる。まさかの合格。いや、嬉しそうなのは母親の方だけか。イジメられなきゃいいけど。

同窓会長のおっさんがガッツポーズを決めながら、一人、最前列まで進んでいった。ケータイで受験番号の写真を撮っている。人ごみの真ん中辺りで、あった、あった、と飛び跳ねているボンクラ息子が隣の男子の肩にぶつかって尻もちをついた。それを遠巻きに囲むヤツらの視線は冷ややかだ。掲示板を見ていたヤツらがあいつの正体に気付いたのか、ニヤニヤしながらひそひそ話をしている。が、あいつの横に行き、手を差し出したヤツがいた。

清煌だ。手を引かれて立ち上がったボンクラは、またよろしくな、と笑顔で清煌に声をかけて、父親のもとに走り去ったが、清煌に笑顔はない。手のひら返したように友人面されれば、腹も立つだろう。清煌は校舎を見上げた。二階の窓に男性教師の姿があった。そいつは清煌に向かって力強く頷いた。清煌の顔にパッと笑みが広がり、彼は男性教師に向かって元気よく手を振った。親子なのか。

一高に受かったよ。母さん、から揚げ作って待ってて。父さん、清煌学院もいいけど、やっぱ父さんと同じ一高がいいかな。……そんな想像を、今日、初めてしたわけじゃない。

兄さん、僕の番号もないよ――。

「今年の桜はいつ咲くと思いますか？」

振り返ると、試験会場2の監督をしていた女性教師が立っていた。笑顔なのか、泣き顔なのか判別できない表情で僕を見ている。あの計画の仲間だった人。女性教師は春山と名乗った。

春山先生と中庭の脇に移動した。桜の木に花は咲いていない。

「不合格は、僕が犯人だってバレたから？」

あの夜、掲示板に桜の花が散ったときから、九九パーセント、確信していたことだ。それでも、自分の番号がないとわかったときは、目の前が真っ白になり、心臓がバクバクと鳴った。兄さんはこの何倍もの衝撃を受けたのだと、やっと合格発表の日の兄さんの気持ちを一〇〇〇分の一ほど理解できた気がする。

「入試要項に則り、白紙、および受験番号の記入漏れは零点だからです」

春山先生は受験生の方に目を向けたまま答えた。

「運が悪かったってこと？」

「運なんて、関係ない」

「僕はこれから呼び出されるの？」

「あなたへの呼び出しはいっさいありません」

「どうして？　僕は首謀者だよ」

「え？　あなたが……」

掲示板を作成した。春山先生に英語の答案用紙を操作するよう指示を出した。石川衣里奈に入試問題をアップするように指示を出した。もうやめたいという衣里奈に、一高の独身寮の向かいの家に住んでいるという同級生から一万円で買った三角関係情報をネタに使い、校内の実況をさせた。入試部長だという人には、予告状と石川衣里奈に入試問題の一部を送ることを頼んだ。計画が失敗だと判断したときには、掲示板にキーワードを打ち込んで、証拠隠滅をしてくれ、とも……。それだけのことをしたのに、何も罰を受けないとは考えられない。

春山先生が僕を見ている。ハッと何か気付いたような顔になり、そのまま大きく息をついた。

「大きなことをしたようで、結局は守られているんです。あなたも、私も」

「だから、もう全部なかったことにしろ、って恩に着せるつもり？　そうだ、荻野って先生はどうなった？　英語の教師なんだよね。年齢的に教科の責任者かなと思って、今回の計画を立てたんだけど」

「荻野先生は……、責任を取られました。しかし、内容はあなたの知るところではありません」

何らかの処罰を受けたのなら、それでいい。

「石川衣里奈は？」

「五日間の停学処分。実施期間は春休み中です」

「入試部長はどうなった？」

「……今月末付で教職を、退くことになりました」

それは重すぎるのではないか。まるで責任を一人で背負ったように。ただの協力者だというのに。

「私たちは、責任すら取らせてもらえない。その代わり、身代わりになってくれた人の思いを、背負わなければならない。何かを変えようという気持ちを持つことは大切です。でも、やり方は考えないといけない。責任を負うという覚悟を持って」

覚悟——。僕のせいでたくさんの人が傷付いた。その事実から僕は一生目を背けてはならない。

「あなたに言いながら、自分に言い聞かせてもいます」

「バカなことをしただけなのかな」

「学校側は入試制度に対して県に要望書を出すことになりました。時間はかかりましたが、お兄さんのやったことは決して無駄ではなかったとお伝えください」

報われたことも、少しだけあった。

「うん。……通信制の高校に通うんだって」

パソコン画面が桜で埋まるのを兄さんは驚きの顔で見つめ、いきなり笑い出した。

——あんな汚い言葉が、きれいな桜になって散るなんてな。

そして、僕に真剣な顔で向き直って言ってくれた。

——おまえがやったのは決して正しいことじゃない。だけど、俺のためだってことはわかってる。俺も、新しい一歩を踏み出すよ。ありがとう。

「ありがとう、か」

春山先生が空を見上げた。僕も見上げる。県立橘第一高等学校を。ここは、僕たち兄弟にとって、いったい何だったのだろう。桜のつぼみが色付いて膨らみかけている。

兄さん、今年の桜はいつ咲くかな。

＊

淳一くんはお兄さんにどう報告するのか。それを私が知ることはないだろうが、お兄さんはきっと、淳一くんを励ます言葉をかけてくれるはずだ。受験生たちは皆いなくなった。これで入試業務はすべて終了だ。

私も覚悟を決めなければならない。

〈春山杏子〉

入試の翌日、私は的場校長に辞表を提出した。責任を取らせてください、と言って。きみもか、とため息交じりに言われ、荻野先生が先に来たことがわかった。

――芝田麻美は試験中に携帯電話が鳴ったのに、荻野先生のすりかえた注意書きのために、失格にすることができなかった。県議の娘だから優遇されたのではない。どの受験生であっても対処は同じだ。その結果、本来受かるはずの受験生が一人落ちた。その責任は重い。満点の答案用紙に勝手に番号を書き込んだのも、不問にできることではない。カンニング行為は入試当日も議論した通り、受験生の告発だけで決定付けることはできない。たとえ、信頼できる職員の身内であっても。判定の場に、個人名を持ちこんではならないんだ。名前で判断内容が決まるのはフェアではないからね。その結果、ギリギリのラインで合格したが、これがもし不合格だったら、沢村さんは必ず、英語の答案用紙のことを問い詰めてきただろう。裁判を起こしたかもしれない。当然だ。五五番と書かれた答案用紙を見ているのだから。こちらは何の言い逃れもできない。以上が辞表を受け取った理由だ。

校長は、失礼、と机の隅に置いていたお茶を飲むと、私の辞表を差し戻した。

——受け取れないね。

——でも、大変なことを起こしてしまったんです。

——春山先生の場合は辞表じゃない。退職願と書けとこまかいことを言ってるわけでもない。一年目のきみはまだ正式に採用されていないということを忘れていないか。初任者研修を一年間かけて受けたあと、合格と判定された人が晴れて正式採用となるのだ。その判定を出すのが、私だよ。

——じゃあ、不合格でしょうか。

——騒ぎを起こした場から逃げるのが、責任を果たしたことになるのだろうか。辞めるのは、責任を取ることにはならない。初任者のきみに何らかの罰則があるとして、それを受けるのは監督者である私の役目だ。

——校長先生は何もしてないじゃないですか。

——これが上に立つ者の役割なんだ。なに、私の事は気にする必要はない。保育園に通う孫がじいじにお迎えにきてほしいと言ってくれてるんだ。うらやましい話だろう。だけど、春山先生は自分がしたことを重く受け止め、同じ過ちを繰り返さないためにも、教師を続けなければならない。

私が寺島さんに言いたかった言葉だった。

——ただし、教師の職場というのは、一高だけでも、県立高校だけでも、高校だけでもない。どこで教師を続けるのかはきみの判断にまかせる。多分、正解はない。だからこそ精一杯考えなさい。不正行為をした春山先生への最初の課題だ。返事は入試業務が終了する、合格発表の日に聞かせてもらおうか。

そして、今から校長室に向かう。

入試は終わったのかもしれない。しかし、桜咲くこの日は決してゴールではない。新しいステージのスタート地点だ。高校とは社会に出る準備期間の場なのだから、子どもたちは皆、やりたいことに思いきりぶつかっていけばいい。時には、砕け、傷付き、涙を流すこともあるかもしれない。だが、それらを全力で受け止める大人がいる。

それが、教師の役目なのだから。

今日桜を咲かせた、麻美さん、翔太くん、良隆くん、試験会場2にいた子どもたち、一高を受験した子どもたち、あの日を通過してきた子どもたちを、守り、見届ける資格が、私にはない。だが、彼らを受け止めてくれる先生たちは、ちゃんとこの学校にいる。

私がもし教師でいることを許されるのなら、何かを伝えることができるのなら――。

高校入試とは何なのか。寺島さん、私は答えを決めました。


【四月四日（木）・入学式前日】


〈小西俊也〉

中庭の桜の花は満開だ。桜が一番に新入生を迎える準備を整えたということか。こちらはこれから本年度の職員総出で準備をしなければならない。体育館で宮下先生と職員用の椅子を並べる。一高を去った先生たちも今頃、新しい場所で、桜が迎えてくれているに違いない。

松島先生は橘第三高校に異動した。息子さんが一高に合格したからだ。

村井先生も三高に常勤講師として赴任した。松島先生の推薦らしい。採用試験、今年は受かってほしいものだ。

水野先生は教育委員会へ。改革希望派としては心強い。

相田先生は柏木《かしわぎ》工業高校に異動した。県内一荒れている男子校で修行のし直し、というところか。

「的場校長と荻野先生は退職。杏子ちゃんは校長の紹介で……、どこだっけ？」

目を離した隙に、宮下先生が来賓用の席に座ってくつろいでいる。

「フリースクールですよ。不登校の子たちの再出発の場です」

「そうか、大変そうだな」

春山先生なら大丈夫だろう。三月の最終日、困ったことがあればなんでも相談してくれと、勇気を出して言ってみた。遠慮なく頼らせてもらいます、という返事は、嬉しいというより、頼もしいと感じた。

「他人のことを心配してる場合じゃないでしょう。残った僕らの責任は重いですよ」

舞台下に収納されているパイプ椅子を取りに行くと、舞台の上では、上条教頭が入学式の式次第を墨で書いていた。

「教頭先生がこんなに達筆だなんて知らなかった」

「小西くん、今頃知ったの。個展も開いてるくらいの腕前なのに」

上条教頭が得意げに顔を上げた。

「これぱかりはパソコンには負けんよ」

滝本先生がやってきて、ピアノで校歌を弾き始めた。

「相田っちとはどうなったのかな」

宮下先生が声を潜めて訊いてくる。指で×印を作ってみせた。しかし、一人で行ったインディゴリゾートで、何かいい出会いがあったようだ。滝本先生とメール仲間になったという村井先生が、異動の日にこっそり教えてくれた。

坂本先生が花の入ったバケツを持ってきた。舞台に上がり、大きな花瓶に生け始める。

「小西くんは今年、生徒指導部だっけ？」

坂本生徒指導部長の下僕だ。俺に務まるだろうか。しかし、以前ほど坂本先生のことを嫌いではない。いっそ、俺も水晶玉を買って本人の目の前でやってみようか。

上条教頭が式次第を書き終えた。見事な文字だが、

「同窓会会長挨拶、が抜けてませんか？」

「宮下くんの下書き通りに書いたが、やり直しか？」

「まあ、沢村さんだし書いてなくても勝手にステージに上がるんじゃない？」

宮下先生が呑気に笑う。

「しっかりしてくださいよ。総務部長になったんだから。ちゃんと準備を整えて、新入生を迎えましょう」

「そうだな。あの試験を勝ち抜いてきたんだからな」

舞台上部に吊り下げられた『入学式』の看板を見上げていると、ピアノ伴奏に合わせて、自然と校歌が口からこぼれてきた。

我が母校——。

【四月五日（金）・入学式当日】

〈春山杏子〉

満開の桜の花も数日経てば散ってしまう。だが、それでその樹が終わってしまうわけではない。来年、再び花が咲く。花が咲くのは人生に一度きりではない。今年咲かなくても、来年咲かなくても、いつか必ず、花が咲く日がやってくる。

この教室のドアの向こうで待っているのは、一度躓き、そこから再び立ち上がろうとしている子たちだ。彼らと一緒に、私もしっかりと前を向いて歩き出そう。

深呼吸をして、ドアを開けた。

「おはようございます！」

今日がそのスタートの日になりますように――。

了

解説　「設計図」から「完成図」への化学反応

フジテレビジョン　ドラマ制作センター　ゼネラルプロデューサー　羽鳥健一

「告白」「少女」「贖罪」と立て続けに話題作を刊行していたころ、湊かなえさんが、かつて、とあるラジオドラマのシナリオ大賞を受賞していたことを知るにつけ、無理を承知でドラマの脚本のオファーをさせて頂いたのが2010年、まだ映画「告白」が公開される前のことでした。ご快諾頂いてから、約2年にわたって湊かなえさんと会話を重ね、ドラマ「高校入試」の脚本を完成させて頂きました。

当時僕はフジテレビの有料チャンネルを運営するセクションでドラマ制作の仕事に携わっていたのですが、地上波のドラマほど予算がつけられない状況の中で、地上波のクオリティを上回るドラマを制作することが使命となっていました。そんな状況の中で僕たちが選択していたのが「ワンシチュエーションでドラマを制作する」という方策でした。

当時の湊さんの作品から、僕はそれほど多くのシチュエーションを設定せずに、その中で濃密な人間関係とそこからミステリーを編み出す卓越した面白さ、そして湊かなえという小説家の類まれなる才能を感じていました。その作風から「ワンシチュエーションのミステリードラマの脚本を執筆して頂きたい」というオファーに、もしかしたらお受けして頂けるのではないかという仄かな期待を寄せていたのですが、「とてもチャレンジな事で興味があります」というご回答を頂くこととなり、喜び勇んで神戸へと(湊さんとの打ち合わせは通常神戸で行っていました)向かったのがこのプロジェクトのスタートとなった次第です。

僕から湊さんへの最初のオーダーは『学校』を舞台にしたワンシチュエーションミステリーで主人公が女性であること」ということでした。打ち合わせを何度かする中で、湊さんが高校で教鞭をとっていた経験があった話がきっかけとなり、高校にとって一番大きなイベントは何か？　という問いに対して、それは間違いなく「入試」であろうと。「入試会場」は外部の人間が一切出入りすることは出来ない「完全に閉鎖された空間」で、まさにワンシチュエーションドラマにうってつけの舞台であるとともに、入試当日をど真ん中から見据えたドラマは今までに存在していません。そんなことも含めて高いモチベーションが湊さんと制作サイドの間に芽吹いたことを実感しました。

良くも悪くも日本は学歴社会であることは否めません。また「入試」に合格することは次のステップに上がるためのより良いチケットを手に入れることになることも否めません。だからこそ当事者である受験生はもちろんのこと、身内の人間にとっても人生における大きなイベントの一つになるのだと思います。そしてイベントの当事者は、受験生やその身内の人々だけではなく、入試を実施し、採点を行う先生たちでもあります。そんな当事者それぞれのいろいろな背景や思惑、そしてアクシデントやトラブルが渦巻く「入試」。その工程を骨子として湊さんの筆が走りはじめました。

ドラマで描きたかったテーマの一つは「正義」とは？　ということ。自分にとっての「正義」は人にとっても「正義」になるのか？　もしかしたら「悪意」になっていやしないのか？　いずれにせよ「正義」に基づいたアクションが望むこと、それは「変化」といっていいかもしれません。

保守的な組織において「変化」を求めることは困難を極めます。事件や事故が起きない限り「変化」が起きない、と言い換えることも出来るでしょう。当事者が考える「正義」と「変化」のために、フィクションだからこそ出来るやり方で、ドラマを構築したいと思いました。決して大層なことではないのですが（ドラマとしては複合的にいろいろなことが重なって大層なことになってしまうのですが）、視聴者の方々にいろいろなことを考える「きっかけ」や「気付き」みたいなものが提供出来たら嬉しいなと思っていました。

また、「人間は必ずミスを犯す」という古今東西の人間が持つ（社会が持つ）課題を盛り込むことによって、多くの示唆に富んだ人間ミステリードラマにも仕上げることが出来るのではないかと考えました。

その結果、物語の余韻として「入試なんて通過点に過ぎない」ということを感じ取ってもらえたら、というのが湊さんと僕たち制作サイドの思いでした。

各話の原稿があがってくる度に感嘆したのは、ラストの構成と最後の台詞やト書きです。湊さんのラストにかける執念を感じました。毎週見てもらうための仕掛けを必ず設定し、もうこれは次の話を読まずにはいられない（ドラマとしては次週を観ない訳にはいかない）という脚本にしようとする湊さんの執念です。この小説においても、大いにその魅力に引き込まれていくと思います。

もう一つ感嘆したのが「ドラマにモノローグは必要ない」という湊さんの強い意志が反映された、圧倒的な会話の数々。どの登場人物の、どの台詞もいろいろな解釈が出来る、伏線の延長線上の台詞になっているので、ディテールに関しての打ち合わせはとにかく最終話を書き上げてから、という状況になったくらいです。

また、ドラマ制作に欠かすことが出来ないのは、主人公の設定です。冒頭でも述べましたが、主人公は20代後半の女性にしたいと思っていました。社会人としてはスタートを切ってしばらく経っているけれども、まだ手練手管にまみれていなくて、「正義」を盾に青臭いことも言える、女性としては脂がのりはじめたキャラクターにドラマのエンジンになって欲しい、そしてそれは結果として幅広い視聴者の共感を得ることが出来ると思っていたからです。決して特別な人ではない、でも教育者となった今、自分の信じた正義を貫くために、行動を起こす――。一人の意志を持った人間が立ち上がることの大切さを教えてくれる人物、それが主人公・春山杏子です。湊さんにはそんな春山杏子を実に巧みに、そしてとても惹きつけられるキャラクターとして描いて頂きました。

こうして出来上がった脚本＝設計図をもとに、制作して出来上がったドラマ「高校入試」はエンターテインメント性の非常に高いミステリーとして、23人の登場人物のキャラクターそれぞれがきちんと描かれた群像劇として、そして人間ドラマとして評価を得ることが出来ました。（結果として地上波でも放送されることになりました。）

「小説は完成図で脚本は設計図だと考えているので、まったく別物に挑んだ気分です。登場人物一人一人に『想い』があり、それを伝えるためにはどうすればよいか考えながら、時間をかけて書いていきました。あとは、監督や役者さんたちがどのような世界を作り上げてくれるのか、観た人がどのように受け止めてくれるのかを、楽しみにしています」

これは湊かなえさんが脚本を書き上げたときのご感想なのですが、実際に湊さん自身にも毎週一視聴者としてドラマを大変楽しんで頂くことが出来ました。

「高校入試」が小説化されると聞いた時には、基本はこの脚本をベースにしながら、湊さんなりの肉付けをするものと思っていましたが、小説を読んで、またもや湊さんに感嘆させられました。基本内容は同じですが、あれだけの登場人物が会話を重ねに重ねて構築した脚本だったのに、登場人物を一つのピースとして、分解し、各登場人物の思いや思惑を台詞に絡めて、分刻みに展開させて再構築するとは！　まさに化学反応が引き起こされたと言ったところでしょうか。

そして、ラスト。これからこの本をお読みになる読者の方々のために詳細は省きますが、最後の落としどころがドラマとは全く違うかたちで小説では描かれています。一人の人間が「正義」をベースにしてある行動を起こしたことによる、その結果や、周囲への影響、そして例えばその責任の取り方というものの答えは決して一つではないし、それが正しいかどうかもわからない。でも局面で視聴者や読者の方々がどう思うのか、どう感じるのかがこの作品の根幹です。それを見事にドラマとは違うかたちでこの小説は提示していると思いました。「脚本⇒小説」への再構築と共に、見事に化学反応が起こされた、僕がいうのも僭越ですが、非常に素晴らしい「完成図」になっていると感動しました。

ドラマを制作している時にも思っていたことですが、この先「入学試験」をむかえる方々や、その身内の方々、そして実際に学校で毎日生徒と向き合っている先生の方々に是非この小説を読んで頂きたいと思います。もちろん「湊かなえワールド」の魅力に満ち満ちた何度も読み返したくなる作品ですので、本当に多くの読者の皆様に読んで頂けることを願ってやみません。

本書は二〇一三年六月に小社より刊行
された単行本を文庫化したものです。

高校入試《こうこうにゅうし》

湊《みなと》かなえ

平成28年 3月10日　初版発行
令和7年 5月15日　32版発行

発行者●山下直久

発行●株式会社KADOKAWA
〒102-8177　東京都千代田区富士見2-13-3
電話　0570-002-301（ナビダイヤル）

角川文庫 19655

印刷所●株式会社KADOKAWA
製本所●株式会社KADOKAWA

表紙画●和田三造

ISBN978-4-04-103809-3　C0193

◆◇◇

角川文庫発刊に際して

角川源義

第二次世界大戦の敗北は、軍事力の敗北であった以上に、私たちの若い文化力の敗退であった。私たちの文化が戦争に対して如何に無力であり、単なるあだ花に過ぎなかったかを、私たちは身を以て体験し痛感した。西洋近代文化の摂取にとって、明治以後八十年の歳月は決して短かすぎたとは言えない。にもかかわらず、近代文化の伝統を確立し、自由な批判と柔軟な良識に富む文化層として自らを形成することに私たちは失敗して来た。そしてこれは、各層への文化の普及滲透を任務とする出版人の責任でもあった。

一九四五年以来、私たちは再び振出しに戻り、第一歩から踏み出すことを余儀なくされた。これは大きな不幸ではあるが、反面、これまでの混沌・未熟・歪曲の中にあった我が国の文化に秩序と確たる基礎を齎らすためには絶好の機会でもある。角川書店は、このような祖国の文化的危機にあたり、微力をも顧みず再建の礎石たるべき抱負と決意とをもって出発したが、ここに創立以来の念願を果すべく角川文庫を発刊する。これまで刊行されたあらゆる全集叢書文庫類の長所と短所とを検討し、古今東西の不朽の典籍を、良心的編集のもとに、廉価に、そして書架にふさわしい美本として、多くのひとびとに提供しようとする。しかし私たちは徒らに百科全書的な知識のジレッタントを作ることを目的とせず、あくまで祖国の文化に秩序と再建への道を示し、この文庫を角川書店の栄ある事業として、今後永久に継続発展せしめ、学芸と教養との殿堂として大成せんことを期したい。多くの読書子の愛情ある忠言と支持とによって、この希望と抱負とを完遂せしめられんことを願う。

一九四九年五月三日

角川文庫ベストセラー

グラスホッパー　伊坂幸太郎

妻の復讐を目論む元教師「鈴木」。自殺専門の殺し屋「鯨」。ナイフ使いの天才「蟬」。3人の思いが交錯するとき、物語は唸りをあげて動き出す。疾走感溢れる筆致で綴られた、分類不能の「殺し屋」小説！

マリアビートル　伊坂幸太郎

酒浸りの元殺し屋「木村」。狡猾な中学生「王子」。腕利きの二人組「蜜柑」「檸檬」。運の悪い殺し屋「七尾」。物騒な奴らを乗せた新幹線は疾走する！『グラスホッパー』に続く、殺し屋たちの狂想曲。

代償　伊岡　瞬

不幸な境遇のため、遠縁の達也と暮らすことになった圭輔。新たな友人・寿人に安らぎを得たものの、魔の手は容赦なく圭輔を追いつめた。長じて弁護士となった圭輔に、収監された達也から弁護依頼が舞い込み。

GOTH　夜の章・僕の章　乙　一

連続殺人犯の日記帳を拾った森野夜は、未発見の死体を見物に行こうと「僕」を誘う……人間の残酷な面を覗きたがる者〈GOTH〉を描き本格ミステリ大賞に輝いた乙一の出世作。「夜」を巡る短篇3作を収録。

失はれる物語　乙　一

事故で全身不随となり、触覚以外の感覚を失った私。ピアニストである妻は私の腕を鍵盤代わりに「演奏」を続ける。絶望の果てに私が下した選択とは？　珠玉6作品に加え「ボクの賢いパンツくん」を初収録。

角川文庫ベストセラー

転生　鏑木　蓮

京都で起こった美人染織作家殺害事件。逃走中に北九州で逮捕された連続暴行魔。2つの事件が結びつくとき切なく哀しい真実が明らかになる。乱歩賞作家が全身全霊を注いだ親子の絆を問う社会派ミステリ！

シュンスケ！　門井慶喜

伊藤俊輔、のちの伊藤博文は農民の子に生まれながらも、その持ち前のひたむきさ、明るさで周囲を魅了し、驚異的な出世を遂げる。新生日本の立役者の青年期を、さわやかに痛快に描く歴史小説。

使命と魂のリミット　東野圭吾

あの日なくしたものを取り戻すため、私は命を賭ける――。心臓外科医を目指す夕紀は、誰にも言えないある目的を胸に秘めていた。それを果たすべき日に、手術室を前代未聞の危機が襲う。大傑作長編サスペンス。

夜明けの街で　東野圭吾

不倫する奴なんてバカだと思っていた。でもどうしようもない時もある――。建設会社に勤める渡部は、派遣社員の秋葉と不倫の恋に墜ちる。しかし、秋葉は誰にも明かせない事情を抱えていた……。

ナミヤ雑貨店の奇蹟　東野圭吾

あらゆる悩み相談に乗る不思議な雑貨店。そこに集う、人生最大の岐路に立った人たち。過去と現在を超えて温かな手紙交換がはじまる……張り巡らされた伏線が奇蹟のように繋がり合う、心ふるわす物語。